PEPE RODRÍGUEZ

La vida *sexual* del clero

Barcelona • Bogotá • Buenos Aires • Caracas • Madrid • México D.F. • Montevideo • Quito • Santiago de Chile

1.ª edición: noviembre 1995
1.ª reimpresión: marzo 1996
2.ª reimpresión: junio 1997
3.ª reimpresión: abril 1998

Bailén, 84 - 08009 Barcelona (España)

Printed in Spain
ISBN: 84-406-6057-X
Depósito legal: B. 13.374-1998

Impreso por LITOGRAFÍA ROSÉS

PEPE RODRÍGUEZ

La vida *sexual* del clero

PRÓLOGO MULTIDISCIPLINAR

DESDE LA TEOLOGÍA

Nadie puede poner barreras ficticias a lo natural

*por Enrique Miret Magdalena**

Estamos ante un libro sorprendente. Es una crónica negra del problema sexual de los clérigos y religiosos. Su atractivo consiste en lo históricamente vivo de estos relatos tomados directamente de la vida misma, cosa que todavía no se había hecho. Su lectura es muy diferente de otros tres libros de católicos, que tocan este tema desde otro punto de vista muy distinto: el histórico documental de Uta Ranke-Heineman; el médico del Dr. Solignac; y el más doctrinal que yo escribí, titulado *Amor y Sexualidad*. Sin embargo, ante el hecho de encontrarnos con un libro testimonial, sorprende el capítulo tan acertado dedicado a un análisis tan inteligente del Nuevo Testamento y del celibato en él. En pocas palabras no se puede decir mejor. Y lo mismo que señala sobre el

* Teólogo. Miembro de la Asociación de Teólogos Juan XXIII. Licenciado en Ciencias Químicas. Escritor. Ex Director General de Protección de Menores del Ministerio de Justicia.

ejercicio de la función sacerdotal por la comunidad primitiva, y no por un clero permanente, como han demostrado el profesor Guignebert, y los teólogos Ter Reegen, Schillebeeckx y Küng. Así esta obra sale fundamentada a la par en la vida y en el cristianismo, con un estilo vital que apasiona.

La necesidad de afecto, en clero y religiosos, es evidente. Santa Teresa de Jesús le decía a su confesor, el severo carmelita Padre Gracián, hombre apuesto y atractivo, que ella había sublimado sus pulsiones sexuales, pero de un modo humano, porque sentía, y no lo ocultaba, el afecto por los varones bien parecidos, aunque fuesen sus directores espirituales como él. Y le añadía que no esperase que ocultara tal realidad, porque este afecto era su «desaguadero». Lo mismo que recuerda Pepe Rodríguez de parejas de santos que sabían sublimar sus tendencias sexuales; y, por excepción, no iba la cosa más allá. En cambio en otros, como en san Jerónimo, según ha estudiado el psiquiatra católico Dr. Ey, se sabe ahora que él mismo se excitaba masoquistamente con sus penitencias físicas, aplicándolas a lugares corporales hoy bien conocidos por la excitación sexual indirecta que producen; y confiesa ingenuamente este santo que cuantas más penitencias, más tentaciones sexuales tenía. Ahora hay un jesuita —el padre José María Guerrero—, que ha estudiado estas costumbres afectivas entre religioso y religiosa; y las recomienda, a pesar de la gran dificultad que tiene la generalidad, de no acertar en el punto de sublimación, y caer en lo que es usual y plenamente sexual.

Otra costumbre extraña fue la de los monasterios en Irlanda —siempre estos originales celtas—, que eran comunes o mixtos. Esa costumbre fue llamada «agapetismo». Y a esas vírgenes, cuando se generalizó a ámbitos no monacales, se las denominó «sub introductae». Los monjes se acostaban con las monjas, en aquellos monasterios de Irlanda, para probar su autodominio, cosa que hubo que prohibir, porque el resultado no era siempre el previsto, como es natural.

Y, creo yo, que el significado real de las expresiones místicas eróticas pudieran ser nada más que símbolos de una sublimación freudiana de las pulsiones sexuales. Lo que no es de recibo es la interpretación falseante que se suele hacer del «Cantar de los Cantares» del Antiguo Testamento, como si fuera algo puramente místico, cuando es la exaltación del amor integral humano sin más.

El Concilio Vaticano II aceptó plenamente el sacerdocio de hombres casados católicos de rito oriental; y es absurdo que, en el rito latino, haya, en cambio, este empeño por desechar algo que es completamente natural en los seres humanos corrientes y normales. Obispos como el francés Riobé, y muchos latinoamericanos, quisieron que Roma cediera; pero prefieren allí, como señala Pepe Rodríguez, guardar hipócritamente las formas, antes que arreglar de una vez lo que durante siglos no se ha conseguido en la práctica de la gran mayoría, o casi en la totalidad del clero y religiosos. Ya en 1930, el canonista seglar español Torrubiano Ripoll, decía que su experiencia de contacto constante con el clero, demostraba que «el 90 % de los clérigos son fornicarios...; un 10 % escandalosos; y el resto discretos, que se creen en conciencia desobligados de cumplir una durísima ley puramente humana» (*Beatería y religión*, Ed. Morata).

Monseñor Fulton Sheen, el famoso obispo de la televisión de Estados Unidos, sostuvo, durante el Concilio Vaticano II, que el celibato no se había conseguido de hecho hasta el siglo XVI con la severa imposición del Concilio de Trento; pero sabemos hoy, gracias a libros como el de Pepe Rodríguez, que esto tampoco dio el resultado previsto, porque nadie puede poner barreras ficticias a lo natural. La teología católica tiene como principio básico que «la gracia no destruye la naturaleza, sino que la desarrolla y la perfecciona». Y, por eso, desde todos los puntos de vista, psíquico, médico, humano y religioso, fracasa cualquier decisión eclesiástica que vaya contra los principios fundamentales de la naturaleza.

Además, existe un caso bien curioso de realismo eclesiástico actual: lo que pasó en Hungría consagrando clandestinamente, con el permiso de Roma, a hombres casados como sacerdotes y obispos, para no llamar la atención durante el régimen estalinista, y poder ejercer la función sacerdotal sin sospecha alguna. Y ahora, oficialmente, el Vaticano no ha resuelto todavía su situación actual, tras la caída del muro de Berlín, por el temor de que esta excepción, que admitió por conveniencia suya, se generalice.

La Iglesia Católica de rito oriental siempre sostuvo que el sacerdote debía ser, en general, un hombre casado, y tener familia para vivir como los demás en el ambiente pastoral donde debía ejercer su misión. Y cuando en el Concilio Ecuménico de Nicea, en el año 325, aceptado por latinos y orientales, se quiso imponer el celibato del clero, se levantó uno de los obispos más respetados, el monje egipcio san Pafnucio, y convenció a la totalidad de los allí presentes de que no lo obligaran. Y en las «Constituciones Apostólicas» del siglo IV, se distingue: «Si algún obispo, sacerdote, diácono o cualquier otro miembro del clero se abstiene del matrimonio, del alimento animal y del vino por desprecio, y no por ascetismo, se muestra inconsciente del hecho de que Dios hizo todas las cosas sumamente buenas, y creó al hombre varón y mujer. En su blasfemia, tal clérigo condena la creación, por consiguiente que sea corregido y depuesto y sea arrojado de la Iglesia.»

Ojalá este libro de Pepe Rodríguez sirva para ser más sinceros, especialmente en las altas esferas del catolicismo, y para aceptar al sacerdote casado en el mundo occidental.

DESDE LA ÉTICA

Educados para ser santos

*por Victoria Camps**

La santidad no es de este mundo, ya lo advirtió Kant. Si todas las voluntades fueran santas, no habría deberes morales. Los deberes son imposiciones a voluntades que se dejan tentar y seducir por los atractivos del pensamiento. La razón humana no es pura: es también sensible. De ahí que el comportamiento nunca sea impecable.

Dadas estas premisas, los deberes pueden ser de dos tipos. Pueden constituir aquellos mínimos imprescindibles para la construcción de la concordia y la justicia. O pueden apuntar a formas de vida más ambiciosas y exigentes: formas de vida propias de espíritus puros, pero que difícilmente están al alcance de seres humanos. Unos imperativos morales de este tipo no tienen en cuenta la advertencia freudiana: los deberes irrealizables sólo sirven para producir patologías, individuos infelices y enfermos.

* Catedrática de Ética en la Universidad Autónoma de Barcelona. Senadora desde 1993.

Pero hay algo más. Los mínimos morales son universalizables. La moral más generosa no puede serlo. Es totalmente legítimo exigir a todos los humanos el respeto a los derechos fundamentales, la adecuación de su conducta a aquellas normas imprescindibles para que todos los individuos vean reconocida su dignidad. Éste es un imperativo categórico, volviendo a Kant. No es aceptable, en cambio, querer convertir en universales y que rijan para todo el mundo las normas prescritas por unos «elegidos» para vivir de una forma perfectamente respetable, pero que en nada contribuye a que en el mundo haya más paz y bienestar generalizados. Esas morales son particulares, privativas sólo de quienes voluntariamente las aceptan.

La religión católica oficialista cae en ese error y prescribe una moral de «elegidos». Además de los principios y mandamientos más universales y absolutos, tiene otros relativos a opciones vitales singulares. No sólo prescribe «no matar» y «no robar», sino «no fornicar», no cometer adulterio, incluso «no desear la mujer del prójimo». Como es prescriptivo también «santificar las fiestas» o «creer en un solo Dios».

El imperio eclesiástico ha sido potente y es propio de toda religión creer en que su verdad no sólo es suya, sino *la* verdad. La docencia del catolicismo ha llegado a millares de personas que han recibido como doctrina moral fundamental precisamente aquellos mandamientos que no valían para todos. No en la misma medida, sin duda. Si a los sacerdotes de la Iglesia se les exige ser célibes, al resto se le pide que ejercite la castidad de otro modo: que no convierta el sexo en fuente de placer, sino en el instrumento insustituible —mientras lo quiera la técnica— para la procreación.

Esta doctrina de la Iglesia, revitalizada y puesta al día por el Papa actual, no ha contribuido a cambiar las tendencias sexuales de las personas, sino a traumatizar las conductas y a crear confusiones complicadas de superar. Las víctimas de una formación excesivamente religiosa y pacata han tenido luego que corregir las enseñanzas recibidas no siempre con un buen criterio ni sentido común, sino optando por el extremo contrario del «todo vale», que es la negación del principio de moralidad.

Lo más grave del asunto es que los mismos que predican estas doctrinas o están más directamente vinculados a ellas, son los primeros en prescindir de ellas en la práctica. La norma del celibato se incumple o tiende a incumplirse en una proporción considerable. Porque quienes están sometidos a la norma no pueden acatarla o no creen en ella, dos razones en el fondo complementarias. Uno deja de creer en aquello que resulta impracticable.

Un libro como el de Pepe Rodríguez, acumulación de datos y ejemplos sobre las «desviaciones» sexuales de quienes tienen por norma de obligado cumplimiento el celibato, no debería interesar por sí mismo. ¿A quién le importa la vida privada de los curas? ¿Se explica sólo por el morbo inherente a la explicitación de lo prohibido?

El tema es morboso, sin duda. Conocer detalles y datos de lo sospechable, en un tema que sigue siendo tabú, es escabroso. Pero el libro no pretende explotar el morbo, sino poner de manifiesto la falta de algo bastante esencial en la prédica moral: la coherencia. El porcentaje de curas que transgreden olímpicamente la norma del celibato, según se deduce de la confesión de sus mismos protagonistas, sólo viene a demostrar dos cosas: que la ley que impera es la ley del embudo y que el precepto tiene poquísima razón de ser.

Uno de los elementos de la formación moral es el ejemplo. La teoría sirve de poco cuando se trata de moldear comportamientos. Uno se deja persuadir más por las conductas ejemplares que por las argumentaciones. Cuando el ejemplo no avala la prédica, ésta pierde todo su fundamento. Pero, al mismo tiempo, la refutación práctica de la doctrina induce a pensar si su contenido es correcto.

La validez de los imperativos morales —afirmaba Kant, que sigue siendo la máxima autoridad en estos menesteres— se mantiene aun cuando no haya ni un solo ejemplo que la ratifique, pues la moral no se deduce de la experiencia. Cierto: la moral se impone a la experiencia. Por abundantes que sean los ejemplos de torturas, esclavitudes e injusticias, habrá que seguir diciendo que la tortura, la esclavitud y la injusticia son inmorales. Antes me refería a los mínimos y los máximos de la moral. Son los mínimos, los universalizables, los que deben ser defendidos incluso contra los hechos. Pero los máximos son más revisables. Tal vez un precepto como el del celibato, tan inhumano, debería ser más opcional y no objeto de un mandato imperativo que obliga, sin excepción, a todos los curas. Teniendo en cuenta, sobre todo, su irracionalidad: es precepto porque así lo decretó la Iglesia, pero carece de otra justificación. Ni el sacerdote será mejor sacerdote por ser célibe, ni los textos evangélicos son diáfanos como soporte de dicha norma. Pepe Rodríguez sólo encuentra una justificación, la estrategia economicista: un sacerdote célibe es más barato que un sacerdote con familia.

Hay una cuestión más de fondo que ponen de relieve los varios testimonios agrupados en este libro. La evolución de las costumbres, el cambio político, el destape, produjeron en España el abandono masivo de la Iglesia o del sacerdocio por parte de quienes se vieron incapaces de seguir en la esquizofrenia de una doble moral. Salvo excepciones extremas que nada prueban, lo que un gran número de sacerdotes transgresores de la ley del celibato ha puesto de manifiesto es que éste debiera ser, en realidad, un problema menor para la credibilidad profunda en el mensaje cristiano. Son otros asuntos —como, por ejemplo, la justicia social, el servicio a la comunidad, etc.— los que hacen de la vida religiosa una vida ejemplar. Lo triste es que la centralidad dada por la jerarquía de la Iglesia Católica a la cuestión del celibato ha ocultado o ha abortado esos otros aspectos mucho más esenciales.

DESDE LA PSICOLOGÍA

La represión abona el terreno para la neurosis

*por María Martínez Vendrell**

El sentimiento colectivo más generalizado cree que la existencia del celibato obligatorio es algo esencial y ligado a la naturaleza misma del sacerdocio. Pero, sin embargo, no es exactamente así ya que la inclusión del celibato como condición imprescindible para ser consagrado sacerdote no empieza a consolidarse hasta unos trescientos años después de Cristo.

La exclusión de cualquier otra preocupación que no sea la de servir con plenitud a Dios y a la Iglesia pretende garantizar la máxima calidad de este servicio —elegido voluntariamente—, pero, no obstante, la historia ha demostrado la dificultad de la observación estricta de una condición que inhibe expresamente la manifestación de necesidades muy primarias del ser humano.

* Psicóloga clínica. Decana del Colegio Oficial de Psicólogos de Cataluña desde 1990.

Sólo a partir del Concilio Vaticano II, del que muchos aún guardamos memoria, se empezó a discutir abiertamente sobre la cuestión del celibato, pero, dado que su obligatoriedad sigue vigente —y su incumplimiento es evidente—, nos encontramos inmersos en un ejercicio de negación de la realidad en varios frentes distintos.

Por una parte, estamos acostumbrados a considerar la renuncia a compartir los sentimientos más profundos ligados a la especie humana como algo que, si bien no está exento de dificultad, resulta ampliamente compensado por el privilegio del ejercicio sacerdotal. La idea de que existe una especie de sublimación genérica en esta cuestión parece aceptada colectivamente, y es lo suficientemente importante para que, cuanto menos, resulte difícil el entrar con seriedad y profundidad en su análisis.

Por otro lado, está muy poco divulgada —y por ello resulta desconocida para la mayoría— la realidad psicosocial de un considerable número de sacerdotes que han renunciado a mantener el celibato aunque no por ello lo hayan hecho también de su fe ni del ejercicio de su «profesión». Esto es todo un síntoma.

La negación tácita de esta realidad nos impide una reflexión seria y comprometida y, consecuentemente, cualquier toma de posición lo suficientemente responsable.

Los psicólogos sabemos que difícilmente podemos llegar a una comprensión del mundo interno y del externo de cada individuo si no abordamos de forma decidida estas realidades y tratamos, en primer lugar, de conocerlas.

Por esta razón damos la bienvenida a este libro, en el que Pepe Rodríguez se propone, básicamente, un acercamiento documentado a una realidad difícil y, en muchos casos, dolorosa.

La soledad es el gran condicionante de la vida sacerdotal. Pero no se trata de una soledad externa, dado que la atención a los demás es el gran objetivo del ejercicio sacerdotal, la compañía y la inmersión social está garantizada. La soledad de la que hablamos es interna, absolutamente subjetiva, y se alivia a través del diálogo con Dios. Un Dios que puede ser sentido más cercano o lejano según el momento biográfico de cada persona, su capacidad para metabolizar las experiencias de manera que den respuesta positiva a los deseos y, también, según las motivaciones internas y externas que hayan tenido un papel decisivo en la elección de la carrera sacerdotal.

Esta soledad, este vacío interno que aparece dolorosamente en la vida de cualquier persona en algún momento de su trayectoria biográfica, adquiere un significativo primer plano en la vida sacerdotal y, inconscientemente, reclama defensas contra la angustia que le acompaña. Es entonces cuando aparecen la represión y la sublimación para auxiliar al solitario que sufre, para defender de la angustia a un Yo que progresivamente puede neurotizarse.

La represión rechaza fuera de la consciencia la situación interna que provoca la angustia, pero este rechazo no «liquida» totalmente esta situación, que sigue conservando su fuerza para actuar. La vuelta de lo reprimido, por tanto, tiende a reaparecer y a manifestarse reiteradamente, aumentando progresivamente el conflicto y colaborando activamente en la neurotización del individuo.

Podemos imaginar fácilmente el doloroso proceso inherente a la represión de las pulsiones y a la necesidad de sublimar la sexualidad mediante vías como la de depositar toda la libido en el servicio a los demás para servir a Dios, o tratando de anular cualquier otro tipo de comunicación interior que resulte profunda y satisfactoria para la naturaleza humana. El sacrificio exigido por el celibato es enorme y va contra la naturaleza de manera evidente.

En el mejor de los casos puede echarse mano de la sublimación, que es una forma «satisfactoria» de la represión, gracias a una mutación y a un cambio de finalidad que pueden permitir, por ello, un reajuste personal y un freno a la instalación de la neurosis.

Pero cuando las defensas necesarias para mantener un equilibrio personal tienden a instalarse de manera constante, lo único que se consigue es disfrazar el contenido latente, y el equilibrio que se puede llegar a conseguir es tan precario y la fragilidad del individuo sometido a estas presiones tan grande, que fácilmente se descompensa y se convierte en terreno abonado para la neurosis en general y la neurosis histérica en particular.

Con este trabajo, el autor proporciona nuevos elementos al conocimiento y, por ello, para la reflexión acerca de un problema sobre el que, desde prismas distintos, ya se había escrito algo, aunque todavía no lo suficiente para que la gente corriente —no los eruditos— pueda avanzar en la reflexión de la cuestión que nos ocupa.

Por otra parte, quizá lo único que actualmente podemos hacer sea conocer, tratar de comprender y avanzar en un proceso de maduración colectiva que no afecta solamente a la práctica religiosa, sino también a la recuperación de unos valores que el flujo y reflujo de la historia colocan, según el momento, en planos distintos.

Ojalá que este libro vea cumplidos los objetivos que su autor se propone: investigar, conocer, facilitar la expresión de quienes lo necesitan, propiciar la comunicación entre todos los que lo desean y avanzar en una reflexión que nos acerque a la comprensión de conflictos que no hacen otra cosa que reflejar el momento histórico en que vivimos, y que, aunque nos afectan negativamente, también lo hacen de forma positiva.

DESDE LA JUSTICIA

La justicia y el honor de Dios

*Joaquín Navarro Esteban**

El Derecho sigue siendo tres preceptos: vivir dignamente, no hacer daño a otro y dar a cada uno lo que es suyo. Así de sencillo y difícil. Así de contrario a las funciones que, según Tolstoi, ejerce todo poder, incluido el eclesiástico: embrutecer, intimidar, corromper y seducir. Así de inconciliable con la dominación, manipulación o instrumentalización de cualquier ser humano, sean cuales fueren los pretextos, las razones o las coartadas. León Felipe lo dijo de una forma muy «religiosa»: son dioses todos los hombres y mujeres de este mundo. Y los dioses no pueden ser esclavos, ni siervos, ni instrumentos al servicio de alguien. Son dignidad, libertad y justicia. Nada más y nada menos.

* Magistrado de la Sección X de la Audiencia Provincial de Madrid. Profesor asociado de Derecho Constitucional en la Universidad Complutense de Madrid. Fue senador y diputado entre 1977-1980 (año en que renunció a su escaño), y ocupó la vicepresidencia de la Comisión de Justicia e Interior del Congreso de los Diputados.

No es ésta la actitud del poder eclesiástico ni la de los «funcionarios» de Dios. Son hostiles a la libertad, y por tanto, a la propia raíz «divina» de la dignidad humana. Y al más mínimo atisbo de respeto a la «mismidad natural» del hombre y de la mujer. Su pesimismo sobre la naturaleza humana y su amor al poder les hace misólogos y misántropos: enemigos de la verdad y enemigos del hombre.

Ellos dicen que el mundo, el demonio y la carne son enemigos del alma. Pero el mundo es la razón, el demonio es la libertad, y la carne es el libre ejercicio de la sexualidad humana. Hacen imposible, por tanto, la Justicia y nos adentran en un mundo plagado de iniquidades en el que la coacción, la inquisición, la hipocresía y el encubrimiento campan por sus respetos. Un mundo en el que no se puede vivir dignamente, se hace daño a muchos y no se da a cada uno lo que es suyo. Un mundo, en fin, en el que no tiene cabida el Derecho y la Justicia porque se funda en el desprecio a la condición humana.

En primer lugar, a la condición de la mujer. Se la hace sierva y enemiga; instrumento sexual y agente provocador; mundo, demonio y carne a un tiempo. Casi todas las religiones concurren en esta actitud envilecida que impide una efectiva igualdad entre hombre y mujer, pero la jerarquía católica ha llegado a cumbres insuperables. La inferioridad fisiológica, moral, jurídica y política de la mujer ha sido y sigue siendo, abierta o encubiertamente, uno de los principios esenciales de la «antropología católica», causa y consecuencia a un tiempo del celibato obligatorio del clero y de la prohibición del sacerdocio femenino. Se ha dicho que la proclamación abstracta de la igualdad ante la ley, perfectamente compatible con las más abyectas discriminaciones, es un principio clave de la que Brodski llama «ideología del cow-boy». La jerarquía católica no llega ni a eso. Ni tan siquiera a la igualdad abstracta. La mujer es indigna del sacerdocio y de ser esposa o compañera de sacerdotes. Si no hay otro remedio, concubina; si lo hay, sólo aliviadero ocasional o meretriz; a ser posible, ni una cosa ni la otra. Una sufrida, sumisa, mansa y paciente Carnera de Panurgo.

Esta realidad constituye, de por sí, una perversión jurídica, una despreciable disociación entre la ley eclesiástica y la Justicia, entre la actitud de la jerarquía vaticana y la dignidad de la mujer, entre la cultura de la sumisión y la mansedumbre y sus derechos humanos más elementales. La desigualdad de siempre, la máxima injusticia. Punto de partida y de llegada de barbaries e iniquidades de toda laya.

Pero si esta desigualdad va acompañada de la coacción, la miseria jurídica alcanza su cenit. La imposición del celibato conduce necesariamente a la ocultación y al encubrimiento de sus inevitables transgresiones, con lo que ello conlleva de complicidad en el abandono de familia y niños, en la violación, en el estupro, en el aborto, en la tortura y malos tratos, en la vejación. Como decía Séneca en su bellísima reflexión *Sobre la Clemencia*, la ocultación de un crimen exige la comisión de otros muchos crímenes. Como tan luminosamente argumenta Pepe Rodríguez, no se castiga tanto la transgresión de la castidad como sus manifestaciones externas. Lo importante no es ser casto, sino parecerlo. Lo esencial no es que la mujer del César y el mismo César sean honestos, sino que lo parezcan. Dados los tremendos porcentajes de transgresión de la castidad, poco falta para que en este rosario delictivo de ocultaciones y connivencias sin cuento quepa la división de los jerarcas eclesiásticos en tres grupos penales muy clásicos: autores, cómplices y encubridores. La imposición obliga a la hipocresía y ésta al encubrimiento. En el reino teórico del amor en Cristo, de la caridad y de la fraternidad, se alientan objetivamente la irresponsabilidad, el abandono, la crueldad y el trato vejatorio.

Todo ello porque así lo exige el poder eclesiástico y porque así conviene a expectativas y realidades patrimoniales que nada tienen que ver con el reino del espíritu. El espectáculo brutal de esposas de sacerdotes agredidas y vejadas por elementos eclesiásticos que, a partir del siglo XII, intentaban imponer por la fuerza la integridad patrimonial de la Iglesia sobre la integridad moral, hizo estremecerse de indignación a Bertrand Russell, uno de los pocos liberales que prefería, en todo caso, la libertad a la propiedad.

¿Qué sentido de la «justicia religiosa» puede tener la mujer tratada como objeto sexual y clandestino por su compañero sacerdote, o la mujer abandonada y maltratada por éste? ¿Qué protección jurídica y humana pueden esperar los niños nacidos en una relación «sacrílega» a los que se niega el derecho más elemental a ser acogidos y reconocidos por su padre y conocer sus raíces familiares? ¿Qué sentido del Derecho pueden alimentar en su alma los niños abandonados a su suerte, o a su muerte, o los sobados y manipulados por los funcionarios de Dios que convierten en aberrante y clandestino uno de los elementos más hermosos de la comunicación humana? ¿Qué idea de la ley divina pueden tener las jóvenes estupradas o violadas impunemente por ministros de la Iglesia respaldados por la «prudencia» de sus jefes? ¿Admitirán su papel de víctimas sin derecho a reparación porque sus verdugos deben permanecer en la sombra para la mayor gloria de Dios y de su Iglesia?

¿Y qué decir de la cruzada contra los homosexuales? Frente a la resolución del Parlamento Europeo exigiendo la proscripción de toda discriminación contra los mismos, así como la igualdad jurídica efectiva de las parejas homosexuales en relación con las heterosexuales, el Vaticano opone su vieja doctrina de la aberración culpable o patológica y del repudio ético a cualquier asomo de igualdad legal. Doctrina que no es incompatible con la ocultación y el silenciamiento, en evitación de escándalos, de todo episodio de homosexualidad militante entre los miembros del clero.

La lectura de este libro de mi amigo Pepe Rodríguez me ha ilustrado y estremecido a partes casi iguales. Su contenido es una prueba incontestable de que la irracionalidad, la superstición y el dogmatismo son enemigos de la libertad y la dignidad humana e impiden el reino de la justicia y la lucha por el derecho. Nada hay más antijurídico que la irracionalidad, el abuso, la coacción y el torticerismo moral.

El reciente espectáculo ofrecido por el Vaticano en la conferencia de El Cairo, sobre Población y Desarrollo, sosteniendo posiciones contrarias a la libertad, a la cultura y a los derechos humanos básicos de la mujer, aliándose una vez más con toda suerte de fundamentalismos, tabúes y cruzadas inquisitoriales contra la libertad sexual y de conciencia, es una prueba más del imperialismo moral y el neocolonialismo ético y jurídico de la jerarquía eclesiástica. Su obsesión represiva frente al aborto y la anticoncepción, su insistencia en que la mujer que padece el drama humano y social del aborto y aquellos que la ayudan sean perseguidos, juzgados y condenados como vulgares delincuentes, conecta fatalmente con las más negras pesadillas inquisitoriales.

Es aún más reciente la destitución del obispo de Evreux, Jacques Gaillot, considerado durante largo tiempo «enfant terrible» del episcopado francés. Gaillot ha venido sosteniendo actitudes progresistas y discrepantes en materias sexualmente «sospechosas» como la ordenación de hombres casados, el uso de la píldora abortiva, la legitimidad y dignidad de los homosexuales o la utilización de preservativos. El comunicado vaticano sobre la destitución del obispo de Evreux afirma que «no es idóneo para el ministerio de unidad que es la primera misión de un obispo». Pero muchos teólogos y juristas católicos han expresado su repulsa por una medida que nos vuelve a remontar a Torquemada. El Consejo de la Juventud Católica de Bélgica se declara «aterrado y entristecido» y el teólogo y psicoterapeuta Eugene Drewermann ha dicho que Gaillot ha sido destituido «por vivir el Evangelio» y, además, «con menosprecio del derecho eclesiástico», añadiendo que, «es la hora de que Juan Pablo II dimita como Obispo de Roma y como símbolo de la unidad de la Iglesia».

Como se ve, el optimismo y la esperanza de algunos auténticos cristianos intentan llegar más allá de donde la realidad actual hace posible. Pero ellos son los que defienden el honor de Dios frente a la burocracia eclesiástica, la palabra frente a las letras, la libertad frente a la Inquisición y el amor frente a la opresión y la crueldad. Son, como decía Antonio Machado, los que «dicen Jesús y escupen al fariseo». Son los que viven la religión como liberación. Tengo entre ellos excelentes amigos y compañeros a los que mucho he querido y sigo queriendo. Ellos son incapaces de mutilar y encorsetar la libertad y la dignidad sexual de hermanos suyos o de perseguirlos, contra todo derecho, por no observar vitaliciamente una imposición execrable. Y son incapaces también de colaborar con cualquier colusión de silencio y encubrimiento con los que se comportan como verdugos, de grado o por fuerza, dejando a sus víctimas en el desamparo y en la miseria. Saben perfectamente que el único poder sobre la conciencia es la conciencia misma y que la irracionalidad y el tabú conducen fatalmente hacia el crimen.

LA VIDA SEXUAL DEL CLERO

INTRODUCCIÓN

NÁUFRAGOS ENTRE EL CIELO Y LA TIERRA

Afirmar que buena parte de los sacerdotes católicos mantiene relaciones sexuales puede resultar casi una obviedad para muchos, sin embargo, son muy pocos —al margen del propio clero— los que conocen algo de los hábitos sexuales de los sacerdotes, o de las motivaciones psicológicas que les llevan a romper su compromiso de celibato con tanta frecuencia. Este libro arrojará sobrada luz sobre este campo.

En este estudio, riguroso y documentado, se abren las ventanas de la realidad más celosamente guardada dentro de la Iglesia Católica. Ha sido muy difícil y duro completar este trabajo ya que, por su propia naturaleza, se ha tropezado a diario con hipocresías, miedos —terror sería la definición más exacta— a la jerarquía católica, ocultación de datos, falta de colaboración que en ocasiones derivaba en claras amenazas veladas, incomprensiones...

«¿Por qué te interesas por la vida sexual de los sacerdotes si tú no lo eres? —me han repetido hasta la saciedad sacerdotes en activo o secularizados—.

Éste es un tema que nadie que no sea un religioso puede entender en su verdadera dimensión. Es mejor que investigues sobre otra cosa, esta cuestión sólo nos afecta a nosotros, los curas.»

Pero la dimensión afectivo-sexual del clero, y las formas en que se expresa, afecta a muchos más que a los 20.441 sacerdotes diocesanos, 27.786 miembros de órdenes religiosas masculinas y 55.063 de femeninas que hay en España; o a los 1.370.574 miembros del clero y personal consagrado que hay actualmente en todo el mundo. El 17,6 % del total de la población mundial, y el 39,7 % de la europea, el llamado «pueblo católico», está directamente implicado en esta cuestión ya que los sacerdotes, básicamente, mantienen relaciones sexuales con creyentes católicos. Y, en todo caso, dado el peso institucional y moral que la Iglesia Católica pretende tener para el conjunto de la sociedad, conocer la realidad vital del clero es algo que nos compete y afecta a todos por igual.

Así, pues, guste o no al clero, dada su injerencia en la moral pública y privada de la sociedad, la vida sexual de los sacerdotes debe ser una cuestión abordable desde el debate público ya que afecta a la credibilidad de la Iglesia Católica ante el mundo, y a la idoneidad, capacidad y eficacia de sus ministros para servir a sus fieles. Y, a pesar de que ni el autor de este libro es sacerdote, ni lo serán la mayoría de sus lectores, los datos que se aportarán permitirán a cualquiera poder comprender en su «verdadera dimensión» el tema que abordamos. Otra cosa será, ciertamente, que la sociedad laica tenga o no la misma capacidad de *justificación* y encubrimiento que caracteriza a la jerarquía de la Iglesia y a sus clérigos en lo tocante a sus vidas afectivo-sexuales.

En parte por la razón anterior, pero también para evitar que se dude de la veracidad de los casos descritos en este libro, la mayoría de los relatos —ejemplificadores en grado sumo— identifican por su nombre y apellidos a los sacerdotes que los protagonizan. Sólo se ha enmascarado alguna identidad, o se ha recurrido al uso de seudónimos, cuando la persona que ha facilitado los datos así lo ha exigido (habitualmente por temor a sufrir posibles represalias desde la Iglesia —especialmente en los casos de profesores de religión—, o para evitar desmerecer ante el círculo social en el que vive la fuente informativa en cuestión). Y, en aras de esa misma credibilidad, en la medida de lo posible, siempre se ha preferido ejemplificar mediante casos ratificados por trámite judicial antes que usar hechos similares bien documentados aunque aún sin juzgar.

Convendrá aclarar también, para evitar que algún lector se forme conceptos apriorísticos erróneos, que este libro no va en modo alguno en contra de la religión, puesto que aquí no se va a tratar de una cuestión tan trascendental como es el *religare*[1], sino de asuntos —como el celibato obligatorio— que son específicamente humanos y mundanos, y nada tienen que ver, en principio, con Dios o con su servicio.

Tampoco se pretende atacar al clero sino que, por el contrario, se desarrolla un contundente alegato en favor de sus derechos humanos, vulnerados hasta hoy por una curia vaticana que ha violentado y manipulado reiteradamente el mensaje histórico del Nuevo Testamento. Aunque resulte evidente que mos-

1. En el sentido de «el vínculo de piedad que nos une a Dios» que definió ya Lactancio en su *Divinae institutiones*, IV, 28.

trar la cara oculta e hipócrita de la mayoría del clero actual no deja a éste en buen lugar, la pretensión central de este trabajo es mostrar cómo los sacerdotes son víctimas de sí mismos y, básicamente, de la estructura eclesial católica. Pero, eso sí, no cabe olvidar que son *víctimas* a las que debe atribuirse la responsabilidad de victimizar, a su vez, a una masa ingente de mujeres y menores de edad.

De todas formas, llegados a este punto, conviene recapitular para empezar por decir que, sin duda alguna, existen muchas tipologías distintas de sacerdotes en cuanto a sus vivencias sexuales. Los hay que han guardado siempre con fidelidad su compromiso de celibato y hasta se han mantenido básicamente castos (¿qué sacerdote no se ha masturbado con alguna frecuencia?). Otros han vulnerado ocasionalmente su voto, pero siempre entre propósitos de enmienda total. Algunos más viven instalados en los hábitos del autoerotismo de una forma neurótica. Y no son escasos, ni mucho menos, los que mantienen relaciones sexuales con plena intencionalidad y sin mala conciencia.

Personalmente, no me cabe la menor duda de que la castidad y el celibato, si se viven con madurez y aceptación plena, pueden convertirse en un valioso instrumento para la realización personal en el plano de lo religioso (aunque ésta, tal como demuestran otras muchas religiones tan dignas como la católica o más, no sea más que una de las varias vías posibles).

Pero andar por esta senda no es fácil ni posible para la mayoría de los seres humanos. Para hacerlo, el sacerdote o religioso/a debería aprender, desde joven y disciplinándose de forma progresiva, a sublimar sus pulsiones sexuales con madurez, en vez de limitarse a reprimirlas mediante mecanismos neuróticos, cargados de angustia, y básicamente lesivos y desestructuradores de la personalidad. Pero nadie forma a los futuros religiosos en esta vía. En los seminarios y casas de formación religiosa se teme tanto la sexualidad —de la que se ignora casi todo—, que incluso se ha llegado al extremo de proscribir su mera invocación naturalista y se trata de ocultar la realidad biológico-afectiva que, inevitablemente, acabará por hacerla aflorar con fuerza.

Los clérigos especializados en la formación de sacerdotes y religiosos/as afirman, con razón, que «en la lucha por la castidad perfecta rige la ley de la gradualidad. Un hábito inveterado no se cambia en un día; la pureza total no se logra sin penosos y largos esfuerzos»[2]. Pero resulta evidente que poco o nada podrá lograrse, por muchos esfuerzos que se hagan y leyes que se promulguen, si la persona no parte previamente de una sólida madurez psicoafectiva. Cuando, tal como es habitual entre el clero, se carece de la suficiente formación y madurez personal, la vida del sacerdote empieza a dar bandazos hasta llegar a convertirle en una especie de profesional del *vía crucis* sexual.

Intentar llevar un vida de castidad, en principio, no tiene por qué ser el origen de problemas emocionales o psicopatológicos, pero sí lo es, siempre y en todos los casos, cuando ésta viene forzada por decreto y sin haber pasado por un adecuado proceso previo de maduración-asimilación-aceptación y, también, cuando incide sobre personalidades frági-

2. Cfr. Jiménez, A. (1993). *Aportes de la psicología a la vida religiosa*. Santafé de Bogotá (Colombia): San Pablo, p. 82.

les y problemáticas (ya que suele hacer aflorar los conflictos larvados y conduce a situaciones netamente psicopatológicas).

Salta a la vista que la moral católica dominante ha considerado las sensaciones físicas (es decir, cualquier sensación placentera) como algo peligroso y amenazante para «el buen orden» físico y espiritual. Éste es uno de los motivos por los cuales la Iglesia Católica jamás se ha preocupado por enseñar a comprender el propio cuerpo y, a mayor despropósito y daño, no ha enseñado a *dialogar* con él, con sus pulsiones, más que a través de caminos moralizantes, culpabilizadores, fríos y carentes de todo afecto y de valores humanos.

El vacío afectivo —y no me refiero ahora a las necesidades sexuales— que experimenta un sacerdote, especialmente si es diocesano, no puede ni debe llenarse, sin más, con «los frutos de su labor apostólica», tal como propugna la teología vaticana. El sacerdote es un ser humano más y, en muchos momentos, para poder seguir adelante necesita de algún afecto humano verdadero, sólido, próximo y concreto; y de nada le sirven la *caridad*, el *afecto* chato, frío e institucionalizado que suele prodigarse el clero entre sí.

El trato afectivo con la mujer, con lo femenino, le es indispensable a todo varón para poder madurar adecuadamente y enriquecer su personalidad con matices y sensibilidades que el hombre solo es incapaz de desarrollar. Pero, en su lugar, los sacerdotes reciben una mezquina educación manipuladora que les hace ver el mundo de la mujer, y a ella misma en tanto que ser humano (siempre de naturaleza muy inferior al varón, para el clero), como sumamente peligroso y despreciable, y acaban sumergidos bajo un concepto sacralizado de la autoridad, y ahogados por una fuerza institucional que les obliga a aceptar que la negación de sí mismos (de los sentimientos más humanos) es el súmmum de la perfección.

Así nace un mundo de varones que han aceptado el celibato sólo porque es el precio que exige la Iglesia Católica para poder ser sacerdote o religioso —y disfrutar así de sus privilegios para subsistir—, que se han comprometido a ser castos en un momento de su vida en que aún ignoraban casi todo —o tenían una visión maniquea y deformada, que es mucho peor— sobre aquello que más teme el clero: la afectividad, la sexualidad y la mujer. Lo que sucede es que, con el paso del tiempo, la vida siempre se encarga de situar a cada sacerdote ante estas tres necesidades. Y la práctica totalidad de ellos suspende el examen de forma aparatosa.

Los sacerdotes, acosados por sus estímulos y necesidades afectivo-sexuales, se ven forzados a refugiarse en mecanismos psicológicos de tipo defensivo, tales como el aislamiento emocional o la intelectualización, o en otros más patógenos como la negación, la proyección y la represión, que, en todos los casos, les llevarán a tener que padecer cotas muy elevadas de sufrimiento y de deterioro de su salud mental; o sucumben a esas necesidades y empiezan a vivir una doble vida que, en todo caso, tampoco les servirá para realizarse mejor como personas ni, en general, les evitará sufrir estados de culpabilidad y neurosis más o menos profundos.

El psicólogo norteamericano George Christian Anderson, creador de la Academia de Religión y Salud Mental, sostiene, con gran acierto, que «una religión sana, lejos de alimentar una neurosis, puede favorecer nuestra salud mental; ayuda a estabilizar el comportamiento, a favorecer la madurez psicológica y a ser creativo e independiente»[3].

Sin embargo, lamentablemente, tal como iremos viendo a lo largo de este libro, la estructura formativa dominante dentro de la Iglesia Católica, especialmente en cuanto a la preparación de sacerdotes y religiosos/as se refiere, está aún muy lejos de poder ser considerada «una religión sana», razón por la cual tanto los clérigos como los creyentes se ven obligados a pagar un alto precio en sus vidas.

Náufragos entre el cielo y la tierra, espoleados por leyes eclesiásticas muy discutibles pero anclados por su indiscutible humanidad biológica, miles de sacerdotes y religiosos viven sus existencias con dolor y frustración; una sinrazón que, lejos de elevar por el camino de la espiritualidad, acaba embruteciendo todo aquello que pudo ser bello, liberador y creativo.

La ley del celibato obligatorio de la Iglesia Católica, tal como veremos en las páginas que seguirán, es un absurdo, carece de fundamento evangélico, daña a todo el mundo, responde a la visión maniquea del ser humano que aún sostiene la Iglesia, y sólo se mantiene por ser uno de los instrumentos de poder y control más eficaces que tiene la jerarquía para domeñar al clero.

En buena lógica, cuando una religión llega a convertir en incompatibles la expresión de lo humano y el servicio a lo divino, parece justo volver la cara hacia sus jerarcas y demandarles responsabilidades.

3. Cfr. Anderson, G.C. (1970). *Your Religion: Neurotic or Healthy?* Nueva York: Doubleday & Co., p. 26.

Dado que todo es —y debe ser— cuestionable y mejorable, este autor agradecerá todas las opiniones, datos, correcciones, ampliaciones o testimonios que puedan ser útiles para mejorar futuras ediciones de este libro.

La correspondencia puede enviarse a la dirección postal del autor:

Pepe Rodríguez

Apartado de Correos 23.251

08080 Barcelona

(España)

PARTE I

CELIBATO Y CASTIDAD, DOS PERLAS POCO ABUNDANTES ENTRE EL CLERO

«Si el eclesiástico, además del pecado de fornicación, pidiese ser absuelto del pecado contra natura o de bestialidad, deberá pagar [a las arcas papales] 219 libras, 15 sueldos. Mas si sólo hubiese cometido pecado contra natura con niños o con bestias y no con mujer, solamente pagará 131 libras, 15 sueldos.»

Canon segundo de la *Taxa Camarae*, promulgada por el Papa León X.

1

LA MAYORÍA DE LOS SACERDOTES CATÓLICOS MANTIENEN RELACIONES SEXUALES

Cuando Matilde Molina, presidenta de la Asociación de Padres y Amigos de Deficientes Mentales de Cuenca (ASPADEC), fue a solicitarle a monseñor José Guerra Campos, obispo de la diócesis, que pusiese bajo tratamiento psiquiátrico al sacerdote Ignacio Ruiz Leal[4], acusado de haber abusado sexualmente de tres disminuidos psíquicos de ASPADEC, el prelado ultraconservador le respondió:

«¡Señora, lo que usted me cuenta es imposible, los sacerdotes no tenemos sexo!»

Monseñor Guerra Campos faltaba a la verdad a sabiendas cuando asemejó los sacerdotes a los asexuados ángeles de la tradición cristiana. Los sacerdotes, evidentemente, tienen sexo —eso es que son seres vivos sujetos a los impulsos de la sexualidad— y buena parte de ellos lo usan para procurarse

4. Cfr. el capítulo 17 de este libro, dedicado íntegramente a la historia de este sacerdote.

placer, tal como lo hace cualquier otro varón de este planeta.

Otro sacerdote, José Antonio Navarro, párroco de la pequeña iglesia de Santiago Apóstol, situada en la parte alta de la ciudad de Cuenca, fue, en cambio, infinitamente más sincero que su obispo cuando mantuvo el siguiente diálogo con Jenny, una joven prostituta de la ciudad de las casas colgantes[5]:

JENNY: Siento tener que decirle que yo he tenido clientes sacerdotes y no han venido precisamente a bendecirme. Me parece curioso que los curas condenen la prostitución y que algunos participen en ella (...). Padre: usted, como ser humano, ¿no siente nunca apetito sexual?

JOSÉ ANTONIO: ¡San Pedro tenía suegra! En un concilio español nació el celibato de la Iglesia Católica. Nosotros tenemos votos de castidad, pero... castidad no es lo mismo que virginidad.

J.: ¡Al grano, padre! ¿No siente las mismas necesidades que el resto de los hombres?

J.A.: Pues claro que se sienten. Cuando nos hacen curas no nos castran, ni nos cortan nada; tenemos las mismas necesidades. Nos aguantamos o... nos masturbamos.

J.: ¿Los curas también hacen esas cosas?

J.A.: Sí, pero en ese caso es un pecado mortal y nos tenemos que confesar porque no podemos celebrar misa en pecado.

J.: Entonces, ¿a los curas también les gustan las mujeres?

J.A.: ¡Hombre, no nos gusta un elefante! Tendríamos un grave problema de aparcamiento. Lógi-

5. Cfr. Zamora, M. (1984, febrero 20). El cura y la prostituta. *El Mundo* (225), p. 13.

co que nos gusten las mujeres. No somos marcianos. Somos personas normales con sus sueños, sus pesadillas... y en este pecado caemos y nos levantamos. Lo que ocurre es que nosotros sabemos que hemos pecado y por ello tenemos que confesarnos. De lo contrario, hemos de apartarnos de la Iglesia.

Pero la Iglesia Católica —que sabe desde hace siglos que una gran parte de sus clérigos seguirán manteniendo relaciones sexuales a pesar de las prohibiciones canónicas que pesan sobre ellas— supo armarse del mecanismo de la gracia del perdón, a través de la confesión, y convertirlo en un instrumento utilitarista e hipócrita que protege a los sacerdotes que vulneran la ley del celibato obligatorio.

De este modo, tal como expresa gráficamente el padre José Antonio Navarro unas líneas más arriba, el clero católico «cae y se levanta» tantas veces como su apetito sexual se lo demanda, pero todo vuelve al orden después de una simple confesión y un acto de contrición que, si bien puede acallar la culpabilidad de la conciencia, pocas veces logra aplacar la pujanza de la bragueta. Este mecanismo real —que corrompe la hipotética función de la gracia del perdón— ha llevado a miles de sacerdotes a la íntima convicción de que lo que no pueden hacer nunca, de ningún modo, es casarse, pero sí pueden mantener relaciones sexuales con más o menos frecuencia, ya que éstas, en suma, no pasan de ser un *pecadillo* más que se lava definitivamente en la colada de la confesión regular y obligatoria.

El propio Código de Derecho Canónico, en su canon 132/1, especifica que «los clérigos ordenados de mayores [se refiere a la ordenación sacerdotal u órdenes mayores] no pueden contraer matrimonio [*a nuptiis arcentur*, eso es, deben mantenerse alejados del matrimonio] y[6] están obligados a guardar castidad, de tal manera que, si pecan contra ella, son también reos de sacrilegio».

Así, pues, en su sentido más estricto, este canon sólo prohíbe a los sacerdotes contraer matrimonio, ya que la interpretación del concepto de castidad (*castitas*), a pesar de corresponderse con una prohibición absoluta en el lenguaje moral, en su uso cotidiano permite una amplia indefinición que va desde la continencia sexual absoluta a la continencia relativa (esto es que el uso de la sexualidad es lícito cuando se emplea correctamente y, por eso, dado que la esfera de lo afectivo-sexual es básica en el ser humano, la sexualidad puede ejercerse sin dañar la «castidad» sacerdotal) y, por ello, en la práctica, no prohíbe expresamente los desahogos sexuales de los sacerdotes, ya sean en solitario o en pareja.

De hecho, buena parte de los prelados no tiene ningún escrúpulo en recomendar a sus sacerdotes «en riesgo» que echen una canita al aire en lugar de plantearse el abandono de su ministerio. Entre las muchísimas anécdotas similares, mencionaremos el caso del conocido paleógrafo Manuel Mundó.

En un momento de su vida, Mundó sintió la necesidad de intentar realizarse a través de la relación afectiva con alguna mujer y, en consecuencia, se planteó abandonar el sacerdocio antes de tomar este camino. Al encontrarse en un mar de dudas, Mundó le pidió consejo a un cardenal de la curia vaticana,

6. Este «y» es interpretado por reconocidos teólogos morales y canonistas como un «además», por lo que la frase siguiente tiene una menor fuerza imperativa.

pero éste, después de escuchar con mucha atención sus cuitas, le espetó: «Mundó, no te salgas, ve con mujeres.» Pero Mundó, hombre honesto, en lugar de seguir el camino de la hipocresía —habitual en la vida sexual del clero—, acabó secularizándose.

Resulta muy difícil establecer con exactitud la cifra de sacerdotes que mantienen relaciones sexuales de forma habitual, pero diferentes estudios realizados por expertos, y las apreciaciones fundamentadas que los propios sacerdotes tienen de su colectivo, pueden acercarnos a esta realidad de una forma bastante aproximada.

La práctica totalidad del casi medio centenar de sacerdotes a quienes hemos preguntado sobre esta cuestión[7], han cifrado en «muchos más de la mitad» el número de curas que mantienen relaciones sexuales con alguna regularidad y han concretado su estimación en un porcentaje del 60 % aproximadamente. Sólo un cura obrero del campo ha limitado la cifra a un 20 % «entre los que yo conozco», y algunos más han apuntado hacia un 80 % como posibilidad más realista. Y ello sin mencionar las prácticas masturbatorias,

7. Obviamente, estos sacerdotes, en activo unos y secularizados otros, fueron elegidos por el autor debido a que, por su posición presente o pasada dentro de la Iglesia, tienen un buen conocimiento directo del comportamiento afectivo-sexual del clero, y, por su personalidad, cabía esperar de ellos sinceridad y honestidad en las respuestas. Será ocioso señalar que, según la versión oficial de los obispos —y de los sacerdotes más conservadores, ingenuos, o de avanzada edad—, son apenas unos pocos los curas que infringen el celibato, pero eso ya no se lo cree nadie. En varias ocasiones he tenido el dudoso privilegio de escuchar a curas —que yo sabía que mantenían relaciones sexuales habitualmente— negando la premisa mayor y pidiendo poco menos que la guillotina para «los pocos compañeros enfermos que van con mujeres o abusan de niños».

que se atribuyen, en mayor o menor medida, al 95 % del clero.

«Como sacerdote que sigo siendo, aunque esté actualmente secularizado —me decía Manuel C.—, sé que apenas nadie cumple con la ley del celibato. Respecto al hecho de mantener relaciones sexuales, yo no confío en la castidad de casi ningún cura; pero en lo que hace a la masturbación, mi desconfianza es absoluta y total. La mayoría de los sacerdotes se acuestan con alguien y todos sin excepción se masturban.»

En el extremo opuesto, un sacerdote como Diamantino García, obrero del campo sevillano, de 51 años, sostiene una opinión bastante más moderada que la anterior, aunque no menos inmisericorde con una realidad que la Iglesia se empecina vanamente en negar:

«Desde mi experiencia personal, yo creo que los sacerdotes viven el sexo de una forma tan frustrante y limitada, y con rasgos tan obsesivos, que no son tantos los que, finalmente, llegan a materializar prácticas sexuales extra-celibato. Entre los curas que conozco personalmente, creo que no más de un 20 % de ellos se relacionan sexualmente con otras personas. Para mí, el primer pecado del clero es la soberbia y la falta de compromiso con la justicia social, luego vendría su apego por el dinero y en tercer lugar situaría el tema de la sexualidad. Lo más normal entre el clero que yo conozco es no tener relaciones sexuales, aunque la masturbación sí que es muy corriente, la mayoría se desahoga sexualmente de forma solitaria. De todas formas, a mí me preocupa más el hecho de que un celibato no asumido y obligatorio dé como resultado seres humanos tan complicados, tan frustrados y tan poco serenos como son la mayoría de los curas que yo conozco.»

La investigación realizada para este libro nos ha conducido a una serie de estimaciones que, aunque se valorarán en cada uno de los capítulos específicos, adelantamos ahora en el gráfico sobre los hábitos afectivo-sexuales del clero en activo que figura en la página 56.

Según nuestro estudio, estimamos que, entre los sacerdotes actualmente en activo, un 95 % de ellos se masturba, un 60 % mantiene relaciones sexuales, un 26 % soba a menores, un 20 % realiza prácticas de carácter homosexual, un 12 % es exclusivamente homosexual y un 7 % comete abusos sexuales graves con menores.

A estos porcentajes de práctica afectivo-sexual, sólo referidos a los sacerdotes actualmente en activo dentro de la Iglesia Católica, habría que añadir el notable 20 % de sacerdotes ordenados que —tal como veremos en el capítulo siguiente— se han secularizado y casado, o viven amancebados sin más.

Como complemento a estos datos, resulta interesante el gráfico que mostramos en la página 57, elaborado a partir de una muestra de 354 sacerdotes en activo que mantienen relaciones sexuales, donde se dibuja el perfil de las preferencias sexuales del clero analizado, con el siguiente resultado: el 53 % mantiene relaciones sexuales con mujeres adultas, el 21 % lo hace con varones adultos, el 14 % con menores varones y el 12 % con menores mujeres. Se observa, por tanto, que un 74 % se relaciona sexualmente con adultos, mientras que el 26 % restante lo hace con menores; y que domina la práctica heterosexual en el 65 % de los casos, frente al 35 % que muestra una orientación homosexual.

El elevadísimo porcentaje de sacerdotes actuales que mantienen relaciones sexuales tiene su origen en

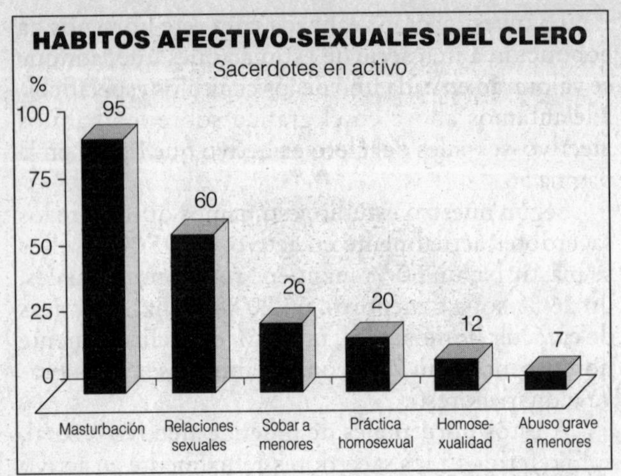

© Pepe Rodríguez

muy diferentes causas que iremos viendo a lo largo de este libro. Uno de los primeros motivos a valorar es el sentimiento de crisis estructural y de falta de sentido vocacional que se ha instalado progresivamente entre los clérigos durante la segunda mitad de este siglo, y que se ha ido agravando a medida que su inmersión en una sociedad de libertades les ha acentuado la realidad larvada de sus profundos problemas afectivo-sexuales.

Esta dinámica de crisis ha sido el motor que ha provocado un flujo inaudito de secularizaciones que, en España, durante las tres últimas décadas, ha hecho abandonar la Iglesia a no menos de 25.000 sacerdotes diocesanos y religiosos/as (y un fenómeno análogo se ha producido en el resto de la Iglesia Católica del mundo occidental moderno, que ha sido abandonada por unos 100.000 sacerdotes y no menos de

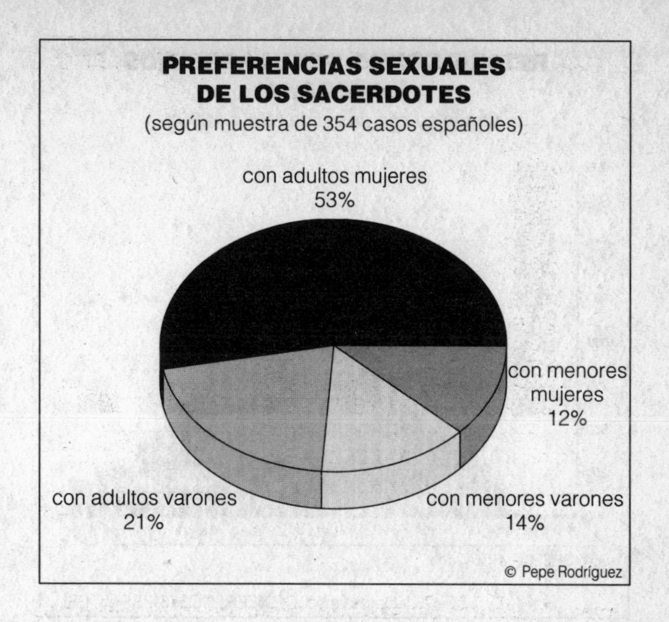

300.000 religiosos/as). El gráfico de la página 58, que recoge los datos oficiales disponibles (y probablemente incompletos) sobre el número de secularizaciones habidas en España entre los años 1954 y 1990, refleja muy bien la dinámica seguida en este proceso de crisis.

La tendencia secularizadora fue en aumento hasta el año 1975 y desde entonces ha ido decreciendo hasta estabilizarse en la década de los años noventa. Durante el período 1954-1959 se secularizó un 1 % del total de religiosos/as, en 1960-1969 un 25 %, en 1970-1979 un 54 %, en 1980-1989 un 19 %, y en el año 1990 un 1 %. El gráfico de la página 59 expone esta realidad en forma de porcentajes:

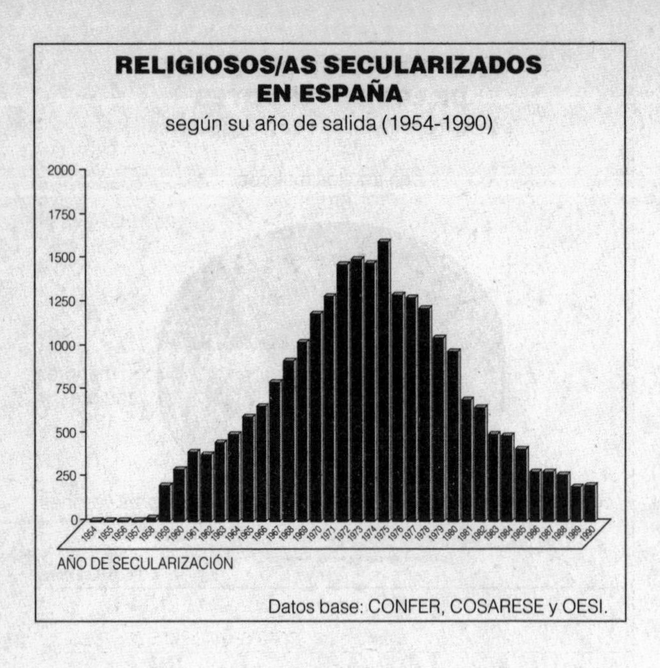

Entre las muchas razones que pueden explicar este comportamiento cabe citar las salidas *masivas* de clérigos a medida que fue aumentando entre ellos la frustración y el desencanto ante la evidencia de que los aires renovadores del Vaticano II (1962) no llegaban a ponerse en práctica; el progresivo incremento de la edad media de los clérigos, que incide negativamente en sus posibilidades de sobrevivir por sus propios medios fuera de la Iglesia y, por ello, hace decrecer las secularizaciones; y, por último, el incremento de la permisividad de la sociedad y de la jerarquía católica, que facilita que los sacerdotes puedan tener una vida afectivo-sexual más o menos apañada y, en consecuencia, permi-

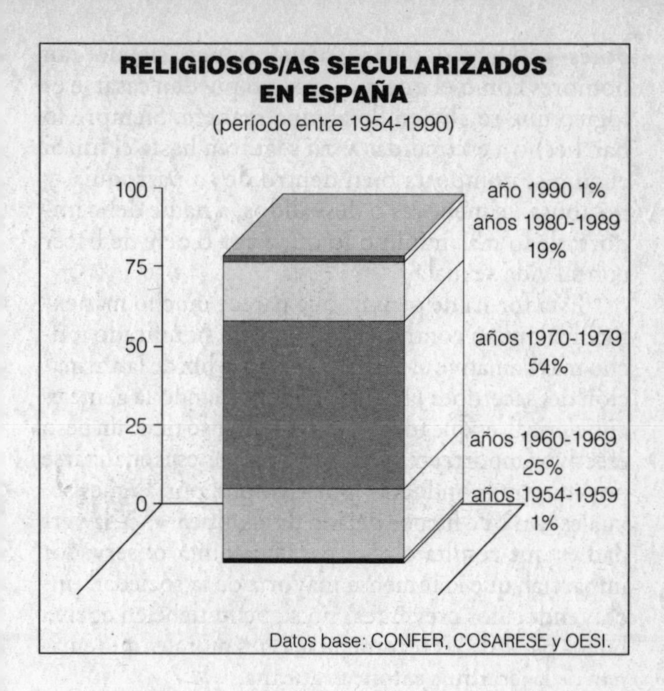

te mantener su doble vida sin necesidad de secularizarse.

Esta situación acomodaticia ha llevado a que sean legión los sacerdotes supuestamente célibes que mantienen relaciones sexuales con cierta frecuencia. Una realidad que, sin embargo, ya no parece escandalizar a casi nadie desde hace bastantes años. Buena parte de la sociedad —católica o no— asume como algo lógico e inevitable que los sacerdotes mantengan relaciones sexuales.

«—¿Y qué esperabas encontrar? —me han contestado muchos católicos practicantes cuando les he interrogado sobre la doble vida sexual de los sacerdotes—. Debajo de la sotana siguen siendo tan hombres como el que más, y si no pueden casarse es lógico que se alivien de alguna manera. Siempre lo han hecho a escondidas y así seguirán hasta el fin. Si el cura se comporta bien dentro de su parroquia, y no abusa de menores o desvalidos, a nadie debe importarle lo más mínimo lo que haga o deje de hacer con su vida sexual.»

Esta forma de pensar, que parece mucho más extendida que su contraria, adquiere un significado mucho más llamativo si la analizamos a la luz de la afirmación del sacerdote Javier Garrido: «cuando la gente es anticlerical, es que todavía el rol religioso tiene un peso efectivo importante. Cuando deja de escandalizarse por nuestras conductas, por ejemplo, por "ligues sexuales", es que hemos dejado de significar»[8]. Y la verdad es que resulta obvio, para cualquier observador imparcial, que la inmensa mayoría de la sociedad (incluyendo a los creyentes) no sigue ni tiene en cuenta buena parte de las recomendaciones morales que emanan de la jerarquía católica vaticana.

El jesuita y psicólogo Álvaro Jiménez tiene mucha razón cuando señala que «así como la falta de oficio, la vagancia y la desocupación originan muy serios peligros para la castidad, de la misma manera la entrega entusiasta y plenamente responsable al cumplimiento de una misión apostólica, con pureza de intención, crea un clima muy favorable para que florezca la castidad y defiende [a los religiosos/as] contra los peligros del ocio y de la pereza que "es madre de todos los vicios"»[9].

8. Cfr. Garrido, J. (1987). *Grandeza y miseria del celibato cristiano*. Santander: Sal Terrae, p. 24.
9. Cfr. Jiménez, A. (1993). *Op. cit.*, p. 100.

Pero ¿cómo mantener este ánimo favorable a la castidad en una Iglesia burocratizada[10], donde buena parte de los sacerdotes están desanimados y viven instalados en una rutina personal y religiosa muy mediocre? Hoy día es prácticamente imposible encontrar el "ardor adolescente" que recomienda el padre Jiménez en sacerdotes de mediana edad, que son, no por casualidad, los que más relaciones sexuales mantienen.

Los expertos religiosos suelen atribuir las secularizaciones y las transgresiones del celibato a la incidencia de diferentes tipos de crisis durante la vida del sacerdote. Javier Garrido, por ejemplo, distingue entre las crisis de autoimagen, de realismo, de reducción y de impotencia[11].

La *crisis de autoimagen* suele desencadenarse entre los 20 y los 25 años, produciéndose un desajuste entre el ideal del yo y el yo real que se traduce en frustración, insatisfacción, culpabilidad generalizada, incapacidad de autoaceptación, estado de confusión e inicio de una fase de autoconocimiento que, entre otras cosas, lleva hasta un primer intento de posicionarse ante el sexo opuesto (que a menudo suele estar aún bajo una imagen demasiado idealizada).

La *crisis de realismo* atraviesa el ciclo de los 30 a los 40 años (aunque en la mujer suele adelantarse) y

10. A este respecto, el teólogo Leonardo Boff, al explicar las razones por las que había abandonado el sacerdocio, afirmó: «Yo creo que en la etapa actual, bajo el actual pontificado, el sacerdote ha sido reducido a un burócrata de lo sagrado» [*Éxodo* (19), mayo-junio de 1993]. Y, sobre esta opinión, otro importante teólogo como es Raimundo Panikkar, apostilla: «Yo diría mucho más: ha sido reducido a un burócrata de una organización» [*Tiempo de Hablar* (56-57), otoño-invierno de 1993, p. 40].

11. Cfr. Garrido, J. (1987). *Op. cit.*, pp. 128-135.

lleva a una crítica sistemática del pasado, a desear vivir lo no vivido y a poder ser uno mismo —y no lo que el dogma religioso dice que se tiene que ser—, a la desorientación sobre el sentido de la propia vida, al cuestionamiento vocacional... y a la valoración de la vida afectiva como algo fundamental y particularizado (es decir, objetivado en una mujer u hombre en concreto, mientras que en la etapa anterior se pretendía *amar* a todos en general) que suele conducir a experimentar relaciones sexuales más o menos esporádicas, enamoramientos y al abandono del sacerdocio para casarse o, más comúnmente, a llevar una doble vida que compagina sacerdocio y prácticas sexuales ocultas.

La *crisis de reducción* es el momento culminante de la anterior, entre los 40 y los 55 años, y conlleva la desesperanza existencial, el distanciamiento de todo, la frustración y el relativismo feroz. «Tampoco de la afectividad se espera tanto —señala Javier Garrido—: ni se sueña con la mujer, ni brilla el rostro de ningún tú con fuerza de vinculación vital. Pero uno daría cualquier cosa por una sola caricia. Y se aferra al calor de las viejas amistades. Y se pueden hacer las mayores tonterías, como un adolescente: encapricharse con una chiquilla, jugar al amor con una viuda desolada...»

La *crisis de impotencia*, por último, corresponde a la enfermedad y la vejez, y conlleva diferentes tipos de balances vitales y actitudes frente a una muerte que se intuye próxima.

En todo caso, habrá que tener en cuenta que los grupos de edad apuntados para cada una de estas crisis no son matemáticos, puesto que la edad cronológica de una persona no siempre coincide con la madurez psico-afectiva que le correspondería y, además —tal como veremos en el capítulo 5 de este libro—, la formación religiosa de los sacerdotes tiende a retrasar sus procesos de maduración de la personalidad. Sin embargo, la realidad demuestra que la mayoría de los sacerdotes rompen el celibato en el transcurso de la citada *crisis de reducción* (40-55 años)[12].

Al valorar los datos conocidos de los 354 sacerdotes en activo que constan en el archivo de este autor como sujetos con actividad heterosexual u homosexual habitual, se llega a la conclusión de que el 36 % de ellos comenzó a mantener relaciones sexuales antes de los 40 años, mientras que el 64 % restante lo hizo durante el período comprendido entre los 40 y los 55 años. El gráfico de la página 64 ilustra claramente este hecho.

Si analizamos los datos oficiales disponibles sobre el ritmo de las secularizaciones del clero en relación a su edad en el momento de abandonar la vida religiosa, comprobaremos que el 80 % del clero que abandona la Iglesia lo hace entre los 30 y los 55 años de edad, es decir, durante los ya citados períodos de crisis de *realismo* y *reducción*. El gráfico de la página 65 es bien explícito al respecto.

Estos mismos datos, en porcentajes, indican que el 16 % del total se seculariza entre los 21-29 años, el 45 % lo hace entre los 30-39 años, el 29 % entre los 40-49 años, el 9 % entre los 50-59 años y el 1 % en-

12. En este crítico período de edad se encuentra actualmente más de la mitad de los sacerdotes españoles que, según las estadísticas de la Iglesia (referidas a 1988), se agrupan en los siguientes segmentos de edad: un 12,34 % tiene menos de 40 años, un 20,59 % tiene entre 40 y 49 años, un 35,27 % está entre los 50 y 59 años, un 23,34 % oscila entre los 60 y 69 años, y el 8,46 % restante supera los 70 años.

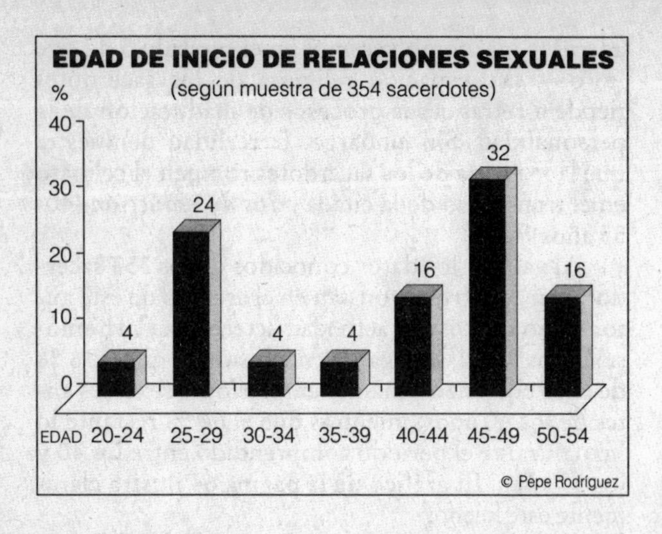

tre los 60-69 años. Y dibujan la gráfica que mostramos de la página 66.

De todos modos, con crisis o sin ella, también es cierto que para bastantes sacerdotes mantener relaciones sexuales después de su ordenación no es más que una mera continuación de los hábitos que ya tenían cuando estaban en el seminario, en el convento o en el ejercicio del diaconado. Sin embargo, a pesar de que dentro del marco eclesial se sabe casi todo de todos —pues el nivel de delación es muy notable entre los clérigos— y, por ello, se conoce perfectamente la vida y milagros de los seminaristas y diáconos, la ordenación de sacerdotes cuyo historial humano previo les señala como incapaces de mantener el celibato, es un hecho muy común en la Iglesia Católica.

Los obispos suelen pasar por alto de forma flagrante la doctrina que estableció Paulo VI en su *Sa-*

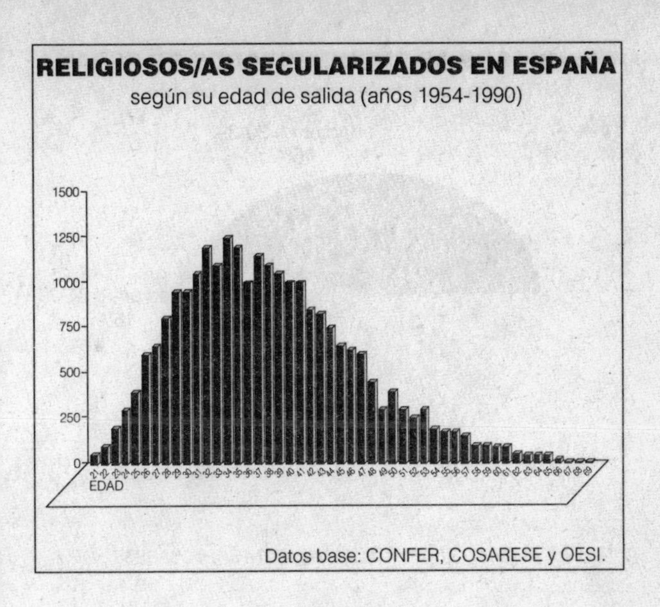

cerdotalis Coelibatus cuando afirmó que «los sujetos que hayan sido reconocidos como física, psíquica o moralmente ineptos, deben ser inmediatamente apartados del camino del sacerdocio; se trata de un deber grave que incumbe a los educadores. Éstos deben tener conciencia de ello, no deben abandonarse a engañosas esperanzas y a peligrosas ilusiones, ni permitir de ninguna manera que el candidato alimente ilusiones semejantes, vistas las consecuencias peligrosas que resultarían de aquí para el sujeto mismo y para la Iglesia (núm. 64)».

Las razones para que se impida el paso hacia el sacerdocio a bien pocos candidatos se deben a motivaciones bien fáciles de comprender: las vocaciones no abundan, escasean aún más los sacerdotes que sepan motivar y movilizar a la gente (a los jóvenes en

especial), y se prefiere pensar que el tiempo —y el silencio institucional— obrarán un *milagro* que casi nunca se produce... pero qué más da si así se dispone de un nuevo sacerdote; lo que le importa realmente a la jerarquía no es lo que hace un cura, sino el nivel de discreción en que permanecen sus actos. Más adelante, en los capítulos 9 y 10 —que estudian los casos de Salvans, Cané y otros—, veremos ejemplos patéticos de esta hipócrita y lesiva mentalidad prelaticia.

A este respecto, es acertada la acotación del psicólogo jesuita Álvaro Jiménez cuando recuerda que «muchas veces ha insistido la Iglesia en que es una compasión mal entendida admitir a la profesión perpetua o a la ordenación sacerdotal a un candidato que es incapaz de guardar la castidad. Bajo la capa de misericordia, se ocultaría un acto de crueldad para con él y para con la Iglesia»[13].

Pero la Iglesia Católica está mucho más preocupada por el balance negativo de sus estadísticas de personal que por la posible dignidad e idoneidad de sus religiosos. El último anuario estadístico de la Iglesia Católica española[14] muestra claramente las dificultades que ésta atraviesa para poder mantener un número suficiente de funcionarios clericales.

De los 20.441 sacerdotes diocesanos censados, sólo 17.925 están incardinados en diócesis españolas y son residentes en ellas; y de las 22.305 parroquias existentes, sólo 10.797 (un 48 %) cuentan con párroco residente. Además, mientras que, entre 1986 y 1990, el promedio anual de ordenaciones fue de 216 personas, el de fallecidos fue de 350, el de jubilados de 171, y el de secularizados de facto de 50; un descenso absoluto y progresivo de sacerdotes que es tanto más amenazador si tenemos en cuenta que la edad media del clero diocesano en activo era de 56,8 años en 1988 [fecha del último estudio oficial publicado] y habrá envejecido cuatro o cinco puntos en la actualidad, situándose entre los 60 o 61 años como promedio.

Y en parecida situación están los 27.786 miembros varones de congregaciones religiosas (de los que sólo 18.557 residen en España), 15.965 de los cuales (un 57 %), han sido ordenados sacerdotes y, los que están en activo, tenían una edad media de 53,67 años en 1988 (58 o 59 años actualmente).

Así las cosas, la Iglesia Católica se encuentra atrapada, más que nunca a lo largo de su historia,

13. Cfr. Jiménez, A. (1993). *Op. cit.*, p. 19.
14. Cfr. Oficina de Estadísticas y Sociología de la Iglesia (1992). *Estadísticas de la Iglesia Católica 1992*. Madrid: Edice.

entre la lesiva imposición del celibato obligatorio —que, como veremos en el capítulo 3, carece de legitimación evangélica— y la hipócrita costumbre de encubrir a los sacerdotes que mantienen relaciones sexuales para no perder a una buena parte de sus *sacros* empleados.

Hoy ya pasó oficialmente a la historia la institución de la barragana (concubina) que durante siglos satisfizo las necesidades sexuales de los sacerdotes católicos a pesar de los anatemas que, desde decenas de sínodos (entre los siglos III y XVI principalmente), pretendieron acabar —sin éxito alguno— con una práctica cotidiana entre sacerdotes, obispos y papas. Decretos como el de Trento, que obligaba a que las amas de llaves de los clérigos tuviesen más de 40 años, no son más que una anécdota en la profusa e intensa historia sexual del clero católico.

De todos modos, muchísimos sacerdotes supieron convertir en barraganas a sus amas de llaves y mayordomas parroquiales; mujeres jóvenes o de mediana edad, a menudo viudas y/o con escasos recursos, que estaban contratadas como empleadas para ocuparse de la intendencia de los párrocos.

En la España anterior a la muerte de Franco, en muchísimos pueblos era *vox populi* la relación de amantes que mantenían el sacerdote y su mayordoma (una mujer que, con frecuencia, ni estaba contratada ni vivía en la casa parroquial, pero iba unas determinadas horas al día para arreglar la vivienda del cura, ya fuera cobrando una pequeña cantidad o en concepto de ayuda voluntaria a la parroquia local).

«Yo me quedé viuda muy joven, con 31 años —me contaba Julia M.G.[15]—, y el párroco de mi ba-

15. En entrevista personal realizada el día 6-6-94.

rrio, el padre Antonio, me ayudó muchísimo a superar aquel doloroso trance. Entre él y mi trabajo pude salir adelante psicológicamente y el agradecimiento que sentía hacia él me llevó a ofrecerle mi ayuda para mantener en orden su vivienda. Hacía cosa de un año que había dejado de ir la asistenta que tenía y la verdad es que Antonio era un desastre.

»Como yo sólo trabajaba por las mañanas, y no tenía hijos, le propuse ir un par de horas cada tarde para asearle la casa. Al terminar siempre me invitaba a tomar un café con leche y galletas y charlábamos un poco de todo. Había mucha confianza entre nosotros y por eso no me extrañó nada cuando empezó a preguntarme si siendo yo tan joven no sentía necesidades sexuales. Yo le dije la verdad, que sí, que las sentía, pero que era incapaz aún de acostarme con un hombre ya que mi marido hacía apenas un año que se había matado en un accidente. Algunas tardes yo lloraba por sentirme sola y Antonio me reconfortaba y abrazaba.

»Durante medio año la cosa no pasó de aquí, pero una tarde, mientras estaba haciendo su cama, Antonio entró en la habitación y me violó. Estaba como fuera de sí y fui incapaz de zafarme de él o de resistirme lo suficiente. Cuando se hubo aliviado, empezó a llorar y me pidió perdón. Yo seguía sin saber cómo reaccionar y empecé a acariciarle la cabeza para tranquilizarle. Entonces me dijo que él necesitaba desesperadamente acostarse con una mujer y que desde que se había ido María [su asistenta] no lo había vuelto a hacer con nadie. Y, después de soltarme ese rollo de que los curas también son hombres y necesitan amor y poderse desfogar con una mujer, me pidió que yo fuera su amante.

»No volví a su casa en un mes ni quise verle,

pero al fin accedí a sus deseos. Durante cuatro años fui su criada y su amante. Él decía que me amaba... hasta que me dejó embarazada. Cuando le dije que iba a ser padre por partida doble se puso hecho una fiera, me trató de puta, me golpeó varias veces e inmediatamente se arrodilló y empezó a llorar y a suplicarme que abortara. En aquel instante sentí tanto asco por Antonio que le di una patada en los genitales y me fui para siempre. Evidentemente aborté, y jamás he vuelto a pisar una iglesia.

»Eso ocurrió a finales de 1986 y entonces no tuve valor para denunciarle ante el obispo. Hoy me arrepiento de no haberle hecho encarcelar por violación, pero ya es tarde, estoy casada de nuevo y no quiero complicarme la vida. El padre Antonio sigue en la misma parroquia y todo el barrio sabe que se acuesta con una mujer que tiene una parada en el mercado. ¿Cómo podrá ser tan cínico para hacer lo que hace y seguir de cura?»

Este tipo de doble vida, con todas las variantes posibles, está más o menos instaurada en un 60 % o más de los sacerdotes católicos y, tal como afirma Ayel, «resignados, con la muerte en el corazón, con una apariencia de fidelidad jurídica, encuentran más cómoda esta mediocre situación»[16].

16. Cfr. Ayel, V. (1976). *Compromiso y fidelidad para los tiempos de incertidumbre*. Madrid: Instituto Teológico de la Vida Religiosa. p. 126.

2

UN TERCIO DE LOS SACERDOTES CATÓLICOS ESTÁN CASADOS O CONVIVEN CON UNA MUJER

«Creo que va a ser inevitable que lleguen los curas casados —afirmó el papa Juan Pablo II[17]—, pero no quiero que ocurra en mi pontificado.»

Esta terrible frase del papa Wojtyla que, como otras suyas de parecido calado, denota capricho, empecinamiento y crueldad en su forma de gobierno del pueblo católico, es también profundamente miope. Le guste o no, los curas casados hace ya años que son una realidad imparable —aunque sumergida— y creciente dentro de la Iglesia Católica de rito latino[18].

17. En respuesta a la interpelación que, sobre el caso de los curas casados, se le hizo al sumo pontífice durante un encuentro privado con algunos periodistas mantenido durante su visita a Estados Unidos en 1987.

18. Y ello sin referirnos aquí al hecho fundamental, y aleccionador, de que en las Iglesias cristianas en general, y en la Iglesia Católica de rito oriental en particular, al ser opcional el celibato para sus sacerdotes, una gran parte de ellos están casados y comparten sin menoscabo alguno —antes al contrario— sus obligaciones familiares con las sacramentales.

Actualmente, en todo el mundo, hay 405.796 sacerdotes en activo —de los que 36.406 son españoles (9 % del total)—, pero a esta cifra, para ser exactos, hay que añadir los aproximadamente 100.000 sacerdotes ordenados que se han secularizado —sin perder por ello su carácter sacerdotal[19]— durante las últimas décadas.

La inmensa mayoría de esos sacerdotes secularizados, que suponen el 20 % del total de presbíteros ordenados, se ha casado o convive maritalmente con su pareja. Pero ellos no son, ni mucho menos, los únicos sacerdotes casados. Una gran parte de los sacerdotes en activo —especialmente los diocesanos— que trabajan en Latinoamérica, Asia y África[20] también viven amancebados con una mujer —ya que no pueden contraer matrimonio legalmente—, hecho

19. Las órdenes de derecho *divino* (según el canon 108.3 del *Código de Derecho Canónico*), si han sido válidamente recibidas, no pueden anularse, y las de derecho eclesiástico, aunque la Iglesia puede anularlas, no lo hace, y por lo mismo siempre pueden ejercerse válidamente. La secularización, incluso cuando se acomete mediante rescripto de la Santa Sede, no afecta más que a la pérdida de los derechos, privilegios y condición jurídica de los clérigos, al menos en lo que ésta tiene de favorable (según nota aclaratoria del canon 211 del *C.D.C.*).

20. En la revista *Vida Nueva*, en su número del 20-10-90, se reproduce la postura que los obispos de África Meridional mantuvieron durante un reciente Sínodo respecto al celibato: «La formación al celibato en el contexto cultural local es muy difícil: el celibato es visto como un hecho absurdo y su motivación cristiana resulta, simplemente, ni entendida ni rectamente interpretada por nuestra sociedad. Es la idea entera la que es extraña a la cultura africana, que contempla la formación al celibato como típica de personas psíquica y sexualmente inmaduras y limitadas, y que por eso necesitan someterse a la educación específica del seminario (...) Además, el sentido moral que prevalece entre nuestros estudiantes [seminaristas] es el que se refiere exclusivamente a la pública vergüenza, al miedo a perder el prestigio.»

que nos lleva a añadir al menos un 10 % global al porcentaje de sacerdotes secularizados citado anteriormente. De este modo, estimamos que, actualmente, un mínimo del 30 % del total de sacerdotes ordenados conviven maritalmente con una mujer, ya sea estando secularizados y legalmente casados o manteniendo uniones de hecho.

Las uniones de hecho, en todo caso, aunque son la norma en los países del llamado Tercer Mundo, tampoco resultan infrecuentes entre el clero europeo y norteamericano en activo. No pocos sacerdotes, también en España, simultanean su labor ministerial con una relación de pareja estable que, según los casos, es más o menos pública para su entorno social.

Josep Camps, por ejemplo, ex párroco del barrio barcelonés de Sant Andreu, estuvo conviviendo con su actual esposa, en la casa parroquial, durante nueve años. Su situación era pública y notoria tanto para sus feligreses —que le consideraban un excelente sacerdote y apoyaban su vida en pareja— como para el propio cardenal Narcís Jubany, que conocía y aceptaba tácitamente un concubinato que se vivía con amor y responsabilidad.

«A mis 40 años —relata Josep Camps[21]—, edad casi cómica para estos menesteres, la teoría [aceptación intelectual de que el celibato sacerdotal obligatorio no tenía sentido ni legitimidad] dio paso a la práctica. Había aparecido la persona, se fue produciendo un lento acercamiento, fraternal, simpático, sin pasiones furiosas, pero de una creciente profundidad. Empezó entonces una experiencia extraordinaria, de tan ordinaria como era. Pasaban los años y

21. En escrito dirigido a este autor y fechado el 25-10-94.

nuestra relación no podía ser más visible y transparente, y eso se convirtió, al parecer, en su mejor cobertura.

»No fue sino hasta seis o siete años después que las almas caritativas de tres párrocos vecinos empezaron a presionar al arzobispo para que tomara una decisión. Curiosamente, el tira y afloja con la autoridad, poco deseosa de conflictos, duró casi tres años. Era del tipo de "piénsalo", "ya está pensado", "escoge una cosa u otra", "escojo ambas a la vez", y así. Al final me sustituyó por otro párroco y me dejó sin oficio pastoral alguno. Y así sigo desde 1981, sin penas, ni sanciones, ni tampoco prohibición ninguna para celebrar misa o administrar sacramentos.»

El cese de Camps como párroco se debió, efectivamente, a las presiones *bienintencionadas* de dos párrocos vecinos muy conservadores, capitaneados por Josep Hortet Gausachs, ecónomo de la también vecina parroquia de Santa Engràcia y vicario episcopal de la zona, que acabaron forzando al cardenal Narcís Jubany a destituirle.

Pocos años después, ironías del destino, el *inquisidor* Josep Hortet —que, por su cargo, había sido el responsable de *forzar* la secularización o *regularización* de varios de sus compañeros— se enamoraría perdidamente de una ex monja, aunque él, finalmente, no llegó a abandonar el sacerdocio activo, en el que permanece actualmente como arcipreste de Sants-Can Tunis y párroco de la iglesia de la Mare de Déu del Port, a pesar de que, en su día, llegó a iniciar todos los trámites para lograr la dispensa y poderse casar.

Mosén Josep Camps tuvo que dejar paso a otro sacerdote en su parroquia e iniciar una nueva vida *civil* junto a su compañera sentimental de tantos años —con la que, desde entonces, ha tenido tres hijos—, aunque nunca ha dejado de colaborar activamente, puesto que sigue siendo sacerdote, con la comunidad de fieles de su parroquia.

«Yo me niego a pedir permiso a Roma para casarme por una cuestión de pura objeción de conciencia —afirma Josep Camps en su escrito—, ya que esta autorización la dan —si la dan— con la contrapartida de aceptar la barbaridad de la llamada "reducción al estado laical", con la obligación de abstenerse de todo ejercicio sacerdotal, de vivir alejado de las parroquias donde uno ha trabajado y otras insensateces por el estilo. ¿Por qué iba yo a renunciar a aquello para lo que estoy preparado, he deseado siempre hacer, y he hecho durante veinticinco años a plena satisfacción de todo el mundo? Estaría loco si accediera a tamaña barbaridad.

»Personalmente, me considero legítimamente casado por la Iglesia, sacramento incluido, ya que mis dos licenciaturas en teología (católica y protestante) me dan base sobrada para poder afirmarlo así. El matrimonio cristiano consiste en la unión de un hombre y una mujer basada en la fe, el amor, la indisolubilidad, la fidelidad y la disposición a la procreación, y que esto sea público para la comunidad. Pues eso es lo que hay en mi caso. Lo demás son lindezas jurídicas sobreañadidas y no esenciales.

»Pero, además, mi matrimonio es legítimo también desde el propio punto de vista del derecho canónico —asignatura en la que obtuve la máxima calificación por parte del profesor [Narcís Jubany], quien, años después, siendo obispo, me obligó a dejar mi parroquia— que, en uno de sus cánones, dice que toda pareja que, a lo largo de 30 días, no consiga un sacerdote que les pueda casar podrá contraer matrimonio sin sacerdote y con plena validez jurídica y sacramental. Y ése, y no otro, fue mi caso.

»Como sigo siendo sacerdote —aunque actualmente el obispo no me asigne ningún destino concreto—, tampoco quiero contraer matrimonio civil porque éste no es más que una mala copia de la liturgia cristiana, permite que el Estado vulnere mi intimidad, tiene un sentido meramente burocrático y, según la Iglesia, sería nulo [y merecedor de excomunión]. Para mí, los cristianos se casan *in Ecclesia* y no hay más, ya sea con juridicismos o sin ellos. Por eso, ante la falta de opciones para regular mi situación, prefiero vivir en la intemperie espiritual.»

Otro caso con algunas similitudes ha sido el protagonizado por Luis Hernández Alcácer, párroco de Sant Ernest al tiempo que popular alcalde de Santa Coloma de Gramanet (Barcelona). Mosén Hernández empezó a convivir públicamente con Juana Forner Navarro, en 1983, en una vivienda propiedad del obispado, pero el cardenal Jubany tuvo que tragarse el *sapo* de tener un cura que desafiaba las directrices del Vaticano que prohibían ser político y vivir amancebado ya que, de otro modo, la mayoría de los feligreses del pueblo hubiesen tomado partido por el cura *casado* y se habrían enfrentado al obispo.

Luis Hernández se había enamorado perdidamente de su feligresa Juana Forner cuando ésta solicitó su mediación para intentar resolver las disputas que mantenía con su marido, y pronto empezaron a convivir maritalmente junto a los dos hijos que Juana tenía de su anterior matrimonio. No había escándalo y todos apoyaban la vida familiar de su párroco y alcalde. Pero, unos años después, la situación cambió progresivamente cuando apareció en el pueblo

Nidia Arrobo Rojas, una ecuatoriana que había mantenido relaciones con Hernández cuando éste estuvo de misionero en su país.

Mosén Hernández contrató a Nidia como su secretaria particular en la alcaldía, y volvió a florecer un amor que obligaba al sacerdote a repartirse entre sus dos mujeres hasta que Juana, harta de la infidelidad con Nidia y en defensa de lo que creía suyo, acudió a las dependencias municipales y se enzarzó en una pelea con su rival. Las dos mujeres y Hernández acabaron en el Juzgado de Distrito número 1 de Santa Coloma, pero éste siguió contando con la aceptación de un pueblo que comprende el ardor y las necesidades afectivo-sexuales de su párroco quien, al fin y al cabo, no deja de ser un varón por el hecho de ser cura.

Al margen de estas situaciones de hecho, que en España pueden protagonizar, como promedio, un 1 % del total de sacerdotes en activo —habitualmente curas diocesanos que viven en grandes ciudades—, alrededor del 20 % de los sacerdotes ordenados, tal como dijimos, han optado por secularizarse y casarse. Así, por citar dos sociedades bien distintas, en Estados Unidos hay actualmente unos 19.000 sacerdotes católicos casados —el 50 % del total de curas menores de 60 años—, y en España la cifra se sitúa alrededor de los 8.000, que en su inmensa mayoría se han casado por lo civil[22].

José Antonio Carmona, brillante teólogo que se hizo empresario después de secularizarse, ilustra[23]

22. Según estimaciones de las organizaciones de sacerdotes casados que, como el Movimiento pro Celibato Opcional (MOCEOP) español, existen ya en unos veinticinco países y están unidas bajo una única Federación Internacional.

23. En entrevista personal mantenida el día 7-10-94.

muy bien el proceso evolutivo por el que han pasado miles de sacerdotes antes de abandonar su ministerio y llegar hasta el matrimonio.

«Mi vida viene marcada por haber destacado en los estudios desde el principio. Hijo de un zapatero de la ciudad gaditana de Chiclana, ingresé en el seminario con sólo 10 años y después de haber sobrepasado, dos cursos antes, el nivel máximo del colegio de los Hermanos de La Salle al que asistía. A esa edad tenía mucho miedo de abandonar la casa paterna para ir al seminario, pero era mi única oportunidad para poder seguir estudiando.

»Estábamos en 1950 y la cultura de posguerra hacía aún más pobre la dimensión de la realidad que se respiraba en aquel seminario, pero me volqué en el estudio, que era todo cuanto deseaba, y acabé por asumir como propios los valores del seminario, seguramente porque no tenía otros. A los 15 o 16 años creí que tenía vocación sacerdotal, aunque nunca fui dado a la oración ni a la vida de contemplación. Ignoraba completamente mi sexualidad, la masturbación nunca existió para mí y me autocastré convencido de que era una opción necesaria por el Reino de los Cielos; de hecho, no descubrí el sexo hasta que tuve 30 años. Tanto influyó en mí la visión clerical de la vida que, cuando estudiaba Teología [en Salamanca] me hubiera gustado ser ángel y no hombre, repudiaba mi cuerpo y deseaba dedicarme a la contemplación del ser en la línea de la metafísica aristotélica.

»La brillantez de mis estudios hizo que el seminario me mandara a licenciarme en Filosofía a Salamanca, donde llegué como un tomista radical, un integrista y, por influencia de algunos profesores progresistas y compañeros de clase, salí con una visión muy distinta de la teología. En mis últimos años de carrera adquirí una concepción del sacerdocio diferente y me convencí de que mi vocación era ser sacerdote católico y propagar el Evangelio. Y a tal punto era así que tomé por lema vital esta frase: "Desde el momento de mi ordenación sacerdotal, estoy a vuestra disposición para las cosas que son de Dios."

»Cuando salí de Salamanca, en 1963, ya había dejado de hablar de Dios para hacerlo del Padre. El concepto de Dios responde a la mentalidad filosófica, a la teodicea, mientras que el Dios de Jesús no aparece como el Absoluto sino como el Padre que se ha entregado —no habla de cosas, sino de relaciones; la gracia, por ejemplo, no es una cosa, es un tipo de relación con el Padre—. Jesús no habla de Dios sino de Abba[24], que en arameo es el diminutivo familiar de padre, es decir, papaíto. Por aquellos días ya había descubierto que la cultura católica no era evangélica[25].

»Regresé a Cádiz siendo el cura más joven de la diócesis, con un título universitario que casi nadie tenía y con un brillante expediente académico [62 matrículas de honor y 4 notables], me sentía pode-

24. Cfr. *Gál* 4,6.

25. La apreciación es exquisitamente exacta y correcta ya que el término *cathós* significa la cultura del hombre integral, pero jamás puede interpretarse, tal como ha hecho la Iglesia Católica, en el sentido de la universalidad de la estructura que se crea a partir del mensaje de Jesús. El *catholikos* es el hombre realizado, el hombre evangélico según las Escrituras; pero el católico, según la deformación dada por la institución eclesial, no es más que un seguidor burocratizado de una estructura humana denominada Iglesia Católica y, por ello mismo, por tener como referente a una institución en lugar del mensaje de los Evangelios, ser católico resulta estrictamente antievangélico.

roso —y vanidoso en grado sumo—, pero el obispo Añoveros me mandó al puesto más bajo que le fue posible y me subordinó al peor estudiante que hubo en mi curso en el seminario. Intenté ser humilde, pero no lo logré, así como tampoco me adapté al estatus distante y privilegiado que la Iglesia obligaba a mantener a sus sacerdotes; yo quería estar más próximo a la gente y a sus vivencias. Duré sólo nueve meses en esa parroquia, y unos dos años en otra que estaba regida por un sacerdote mercantilista y pesetero. Me pusieron a dar clases de ética y de introducción a la teología en Cádiz pero, como mi visión chocaba con la mentalidad monolítica de la Iglesia, empecé a tener problemas con todo el clero.

»El entorno en el que tenía que moverme aceleró en mí un largo y doloroso proceso de dudas. No entendía la obediencia incondicional a la autoridad —"Tú sabes mucha más teología que yo —me decía el obispo Añoveros—, pero obedece, hombre, obedece; limítate a obedecer"—. No podía aceptar que la administración de sacramentos hubiese quedado reducida a un mero ritualismo. Y, para mayor complicación, empezaba a descubrir, a mis 26 años, que la realidad humana era hombre/mujer.

»Pasé tres años sumido en esta problemática sin vislumbrar ninguna solución. Un día, mientras decía la misa en Puerto Real, me quedé atrancado en el credo y no pude continuarla, tenía mareos y sentía un gran rechazo en mi interior. La eucaristía, según los Evangelios, debe ser un acto comunitario, y allí estaba yo, investido de poder sacro y oficiando un espectáculo en lugar de una comunión; si yo tenía el monopolio de la palabra y los sacramentos, ¿qué pintaban los demás? Me resultaba imposible seguir por esta vía. Otro día, mientras estaba confesando, fui plenamente consciente de que aquello era una intromisión ilegítima en la vida de los fieles, y me salí del confesionario para no volver a entrar nunca más.

»Tuve que ponerme bajo tratamiento médico. Empecé a perder peso y entré en una crisis de fe, aunque, en realidad, no fue más que una crisis de confianza en la estructura, no de fe; pero como la Iglesia identifica su estructura con la fe, parece que pierdas la fe cuando pones en duda sus comportamientos. Me veía como parte de una hipocresía estructural y ontológica, así que, para ser consecuente, empecé a meditar sobre mi secularización. Yo no había encontrado ningún cauce para la realización de mi sexualidad, nunca lo tuve mientras permanecí en el ministerio, pero mi realidad biológica se había despertado y me afligía una sensación de soledad tremenda, al tiempo que una persistente frustración me amargaba la vida de manera radical.

»Finalmente solicité mi secularización ya que era incapaz de seguir obedeciendo a ciegas; me parecía nefasto para el creyente el comportamiento de la Iglesia al transformar la realidad sacramental en sacramentalización; y deseaba abrirme a la posibilidad de buscar la realización personal con una pareja si se llegaba a dar el caso.

»Después de doctorarme en teología, me trasladé a vivir a Barcelona, donde, mientras daba catequesis en una parroquia, conocí a Paqui, la mujer que se había de convertir en mi esposa. Cinco meses después de conocerla, en febrero de 1973, me llegó el rescripto de secularización, y un mes después formalicé las relaciones con ella.

»Con la relación de pareja yo he encontrado una vida de fe más purificada, más evangélica, y nunca me ha supuesto un obstáculo para seguir estudiando teología tal como he hecho hasta hoy, antes bien al contrario. A mí, como persona y como sacerdote, el matrimonio me ha aportado muchas cosas fundamentales para poder crecer como ser humano: una visión de lo concreto en la vida, la necesidad de lo estético, la capacidad de atención a los mil detalles de lo cotidiano, la percepción de verdad del enriquecimiento mutuo, la necesidad de la humildad y el silencio, el erotismo como una realización en el encuentro con el otro, y el erotismo como vía de encuentro con el Padre.

»El erotismo es un don, un enriquecimiento que nos ha dado el Padre, y en la unión de dos cuerpos se produce también la fusión de dos seres; cuando el uno abarca al otro y el otro se derrama en el uno, se llega a la intimidad del Ser. Lo religioso, el arte, la belleza, el erotismo, o la solidaridad/amor nos aproximan al Padre. Son puntos de encuentro con el misterio, con lo divino, con el Padre, y todos ellos los vivo ahora dentro de la pareja.

»Muchos compañeros sacerdotes siguen la ley eclesiástica y viven el celibato. Creen vivir un carisma aunque no lo es en absoluto; en puridad teológica, un carisma es un don dado para los demás, así que, en todo caso, el matrimonio sí lo es, pero jamás puede serlo el celibato. El ser célibe no te hace más disponible para los demás, tal como sostiene la Iglesia, el principio de "indivisibilidad del corazón" [no se puede amar a Dios y a una persona al mismo tiempo] que se nos inculca en los seminarios es una solemne tontería[26]. Al amor le sucede lo que al fuego, cuanto más se comparte, más se tiene.»

26. Sacerdotes como Javier Garrido, por ejemplo, sostienen que «el célibe no tiene por qué ser solitario, pero no debe hacer

Esta historia personal, francamente afortunada en comparación con otras muchas, es una más entre las de ese 20 % de sacerdotes ordenados que han tenido que secularizarse para poder llevar hasta su plenitud sus necesidades afectivo-sexuales. Algunos de ellos se han desvinculado de la Iglesia, pero son muchos los que, junto a su profesión civil y responsabilidades familiares, siguen ejerciendo como sacerdotes —cosa que nunca pueden dejar de ser una vez han sido ordenados—, dirigiendo comunidades católicas de base, oficiando eucaristías o colaborando activamente con la parroquia de su barrio.

A pesar de que la jerarquía católica estigmatiza a los curas casados presentándolos en sus documentos oficiales —*Sacerdotalis Coelibatus*, etc.— como «enfermos», los trata abiertamente como «desertores», y les priva de derechos humanos y religiosos de los que puede gozar cualquier *pecador* laico, la realidad es que, en general, entre sus filas hay una superior formación y cualificación humana, religiosa y teológica de la que poseen buena parte de los sacerdotes célibes en activo. No resulta desacertada la frase con la que Rosendo Sorando, abogado y sacerdote casado, me resumía la situación: «En las últimas décadas, los mejores y los peores sacerdotes se salieron de la Iglesia y sólo se quedaron los mediocres.»

Aunque, hoy, al menos según las encuestas, la

---

de la amistad una necesidad. Cabe, como diré más tarde, incluso la pedagogía del enamoramiento; pero la clarividencia en esta vocación depende, en primer lugar, de distinguir el nivel de intimidad con Dios del nivel de toda otra relación. Hacer depender mi vida afectiva de otra persona deteriora automáticamente la calidad de la vinculación a Dios». Cfr. Garrido, J. (1987). *Op. cit.*, p. 157.

inmensa mayoría de los sacerdotes —entre un 70 % y un 80 % del total— dicen estar a favor de la derogación del celibato obligatorio[27], no son pocos, ni mucho menos, los que, en la práctica, se oponen a ello porque prefieren estar *protegidos* por una ley que —tal como ya vimos en el capítulo anterior— les permite tener escarceos sexuales esporádicos pero, al mismo tiempo, les da la coartada perfecta para evitar asumir las responsabilidades y cargas a que obliga la vida marital.

Buena parte de los sacerdotes en activo le siguen temiendo al mundo de lo afectivo y de la mujer (de la convivencia en pareja con ella) porque han sido educados para limitarse a la práctica de un supuesto amor dicho *espiritual*, que carece de componentes afectivos y humanos en su sentido más amplio, y ésta es una carencia de formación que conmueve los cimientos de la personalidad de un sacerdote desde la primera vez que se descubre a sí mismo sintiéndose vivo, con sentimientos auténticos, frente a otra persona.

El trato habitual y normalizado con la mujer —con lo femenino— es indispensable para todo varón —sacerdote o no— debido a su indiscutible peso e importancia en aras de alcanzar una óptima maduración afectiva, adquirir riqueza y matices en

27. Ya en la famosa Asamblea Conjunta Obispos-Sacerdotes, que se celebró en España en 1971, un 60 % del clero presente votó a favor del celibato opcional. Entre el clero italiano actual, por ejemplo, un 49,2 % es favorable a la posibilidad de que los sacerdotes casados puedan ejercer su ministerio, y un 70,2 % se muestra favorable a que el celibato sea sólo opcional. Todas las encuestas realizadas revelan que la inmensa mayoría del clero católico —entre un 70 % y un 80 %— está a favor de que se pueda compatibilizar el sacerdocio y el matrimonio entre los ministros de la Iglesia Católica.

los sentimientos, desplegar mejores cualidades de comunicación interpersonal, etc., aspectos que, en definitiva, favorecen un desarrollo más positivo y armónico de la personalidad del varón y un mejor posicionamiento de éste ante sí mismo y frente a su entorno social cotidiano. Evitar este contacto, tal como la Iglesia Católica obliga a sus sacerdotes, genera muchos sufrimientos y, por lo que se ve, ninguna santidad.

«Yo descubrí un mundo maravilloso cuando descubrí a la mujer —me confesaba Rosendo Sorando[28]—; después de salirme de cura me enamoré y eso me humanizó muchísimo. Es brutal la prepotencia e ignorancia con la que sacerdotes y obispos hablan de cuestiones de pareja, sexualidad o afectividad; son seres de otro mundo que no tienen nada que ver con lo que nos pasa a los seres humanos.

»En mi última época de sacerdocio yo era secretario de un tribunal eclesiástico, y los abusos y malos tratos que vi cometer allí me hicieron nacer serias dudas sobre la bondad del camino en que estaba. Como esta situación de confusión me hacía sufrir mucho, un día le solicité la secularización al obispo de Lérida, Ramón Malla Call.

»"Oye, Rosendo —me preguntó monseñor Malla—, ¿lo tuyo es cuestión de faldas? Porque, si lo es, tira para adelante y arréglatelas como puedas, pero no te salgas." Yo no tenía ningún problema con el sexo, pero la actitud y el consejo de Ramón Malla me abrió los ojos; de repente se me acabaron todos los remordimientos y dudas, y decidí dejar el sacerdocio.

»Luego vino la guinda del rescripto de seculari-

28. En entrevista personal celebrada el día 4-7-94.

zación que, para obtenerlo, tienes que firmar que has perdido la fe. "Pero si yo no he perdido la fe —le repetía al obispo— y lo que quiero es casarme por la Iglesia, que por eso lo he solicitado", pero no hubo manera. Si quería casarme, tenía que pagar el precio de la humillación.»

Si bien es cierto que, en los últimos tiempos, las crisis de obediencia a la Iglesia, la rebelión contra sus hipocresías e injusticias, han cobrado una enorme y creciente importancia entre los desencadenantes para la secularización de sacerdotes, también es una evidencia que las carencias afectivas que sufre el clero nunca faltan tampoco entre los motivos básicos que llevan a colgar los hábitos.

«Como sacerdote, hubiese seguido el impulso sexual de haberlo tenido, pero jamás lo tuve —me comentaba Antonio Blanco[29]—; lo que me hizo abandonar el sacerdocio fue mi total desacuerdo con la política social de la Iglesia, que ni se huele qué es la justicia, y la necesidad de afecto y de equilibrio emocional que padecemos todos los curas y que, quizás, en mi caso, me llegó a resultar más insoportable que a otros compañeros.

»Desde mis tiempos de párroco del barrio valenciano de la Fuensanta, que fue donde viví con toda su crudeza la miseria en que está sumergida una parte importante de nuestra sociedad, intenté ir de reformador dentro de la Iglesia y luché para que ésta se interesara por la justicia social, pero después de años de darme de cabeza contra un muro me di cuenta, finalmente, de que aquello no tenía remedio. Entonces pensé en secularizarme, que venía a ser como hacer una especie de *huelga* contra mi *empresa*.

29. En entrevista personal celebrada el día 10-7-94.

»Estando en esta situación, la casualidad me hizo recuperar el contacto con Isabel, una chica de la que había sido confesor y que en aquellos días se estaba librando del sectarismo que había padecido dentro de la Iglesia. Nuestra amistad se iba estrechando cuando a mí me mandaron irme a Caracas.

»En Venezuela lo pasé muy mal, me encontraba sumido en un doloroso descontrol emocional, pero un jesuita me dio a tiempo un muy sabio consejo: "Cásate y haz feliz a esa chica —me dijo—, porque tú solo no puedes hacer feliz a todos los pobres del mundo." Y así lo hice. Estaba ya convencido de que la Iglesia no tenía solución y de que mi lucha en su seno era inútil. Me casé e inicié mi vida y mi carrera civil alejado de una Iglesia que, como afirma el padre Duch, "está satanizada porque es una estructura que obliga a decir lo que no quieres y manda sobre las conciencias... y si no respetan sus propias conciencias, ¿cómo van a respetar las de los demás?"»

En el sacerdote, como varón que es, el matrimonio, la relación afectiva completa con una mujer, surge como una necesidad pujante que, en todo caso, se incrementa por influencia de los diferentes episodios de crisis que ya comentamos en el capítulo anterior. Y carece de todo sentido, y hasta de la más mínima humanidad —salvo si pretendemos un mundo ascético, que no es el caso en que viven los sacerdotes—, afirmar, tal como lo hace el padre Javier Garrido[30] —y la propia jerarquía católica—, que «un célibe debe reencontrar siempre en la oración lo que podríamos llamar su fondo afectivo».

La oración, sin duda alguna, puede tener muchas bondades, pero jamás puede sustituir, ni por aso-

30. Cfr. Garrido, J. (1987). *Op. cit.*, p. 137.

mo, la profundidad humana y psico-afectiva que conlleva una auténtica relación de amistad o de amor/sexualidad. Pretender igualar y confundir un mecanismo teológico accesorio y una dinámica psicológica fundamental es absurdo, peligroso y hasta malvado.

«El celibato sólo puede sobrellevarse si se sublima con sentido de plenitud y de entrega sincera —afirma el teólogo y sacerdote secularizado José Antonio Carmona[31]—, y esto, si bien puede lograrse siendo un religioso que vive aislado en su comunidad monacal, resulta tremendamente difícil para un sacerdote diocesano. A los curas que están destinados en pueblos casi perdidos les resulta prácticamente imposible guardar el celibato ya que les falta todo el sentido ascético y el apoyo grupal que puede encontrarse, con alguna facilidad, dentro de un monasterio.»

Esta falta de sentido del celibato, para quienes viven entre el mundo real de las personas de carne y hueso —que nada tiene que ver, afortunadamente, con el universo de las imágenes de yeso y los mitos acunados entre parpadeos de velas—, lanza a miles de sacerdotes hacia la mediocridad humana y la soledad afectiva más atroz y, evidentemente, hacia cualquier vía, lícita o no, que sea capaz de aliviar su sufrimiento innecesario. Unos optan por mantener relaciones sexuales clandestinas, otros por casarse a la luz del sol.

Infinitas pequeñas historias personales, acaecidas dentro de la Iglesia, deberían servir para hacer reflexionar a todos sobre estos aspectos en lugar de convertirlas en objeto de chanza popular o de expe-

31. En entrevista personal celebrada el día 6-3-94.

diente canónico secreto. Anécdotas como la acaecida en el minúsculo pueblo murciano de Cañada de la Cruz, donde tres párrocos sucesivos se casaron con chicas del lugar y colgaron los hábitos —proceso que sólo se detuvo cuando el obispo mandó, no a uno, sino a tres sacerdotes a vivir juntos en la parroquia, de modo que se controlasen entre sí—, dicen mucho más acerca de lo equivocada que está la ley del celibato obligatorio que de la supuesta capacidad tentadora de las zagalas casaderas de Cañada de la Cruz*.

«Quien quiera ser célibe —sostenía Julio Pérez Pinillos, sacerdote casado, coordinador del Movimiento Pro Celibato Opcional, y presidente de la Federación Internacional de Sacerdotes Casados[32]—, que lo sea, porque así entiende su fidelidad al Evangelio; quien quiera casarse, que se case, porque así entiende, también, su fidelidad al Evangelio. Ya que tan servidor y tan pastor es quien se casó como quien optó por el celibato, toda vez que lo que se le pide al servidor es "ser hallado capaz de confianza" en el seguimiento radical al Cristo.»

Pero tanto miedo da hablar abiertamente del derecho al matrimonio de los sacerdotes que, en algu-

* Uno de esos tres sacerdotes, Miguel Mellado Carrillo, actualmente profesor de sociología de la Universidad de Murcia, le *pasará factura* a la Iglesia próximamente (1995) con la publicación de su tesis doctoral sobre *Religión y Sociedad en la Región de Murcia*. En su trabajo, el sociólogo muestra, entre otros aspectos, que el 64,3 % de la población está a favor de que los sacerdotes contraigan matrimonio y de que las mujeres puedan ser ordenadas para el sacerdocio.

32. En el discurso inaugural del III Congreso Mundial de Sacerdotes Católicos Casados, celebrado en el Convento de los Padres Dominicos de Alcobendas (Madrid), en el mes de agosto de 1993.

nos medios eclesiales contrarios al celibato obligatorio, se llegó a postular, en los años setenta, la llamada *tercera vía* que, en suma, consiste en que un sacerdote pueda mantener una amistad absolutamente íntima, total y exclusiva con una mujer, bajo un compromiso similar al matrimonial, pero excluyendo buena parte de los deberes y derechos maritales, y permitiendo toda expresión sexual pero sin llegar nunca a la penetración.

Esta propuesta, de hecho, no hacía más que actualizar la institución del *sineisactentum*, bastante extendida entre el cristianismo primitivo hasta el siglo VI, y que fracasó estrepitosamente en su intención de aliviar la soledad afectiva de los célibes mediante su convivencia con una mujer bajo el compromiso de permanecer castos. La intimidad, ayer como hoy, solía desembocar en naturales y lógicas relaciones afectivo-sexuales[33].

La *tercera vía* pretendía basarse en dos fundamentos: primero, dado que el campo afectivo-sexual es una necesidad básica de todo ser humano, no se puede renunciar a él sin dejar de ser una persona incompleta y castrada, cosa que, naturalmente, debe evitarse; y, segundo, dado que el celibato viene justificado por la posibilidad de renunciar a las responsabilidades del matrimonio para volcarse exclusivamente en el servicio a la sociedad, éste es legítimo y bueno para los fines de la Iglesia. La *tercera vía* podía permitir así que una persona fuera afectivamente completa sin dejar de ser un sujeto útil para la Iglesia.

33. A pesar de la existencia del *sineisactentum* en esa época, la Iglesia no obligaba aún a que sus clérigos fuesen célibes, y todos los obispos, presbíteros y diáconos que lo deseaban estaban casados y/o convivían con una mujer.

Resulta obvio, no obstante, que una *solución* de este tipo sólo puede imaginarse desde una mentalidad clerical, ya que, por abierta que se pretenda, sigue temiendo el mundo de lo afectivo-sexual y sus compromisos; aborda los sentimientos como si fuesen bloques sólidos que pueden manipularse de un lugar a otro; y sigue viendo a la mujer como un instrumento al servicio del varón, como un objeto de usar y tirar (en este caso de sentir y no complicar), que a nadie importa que sufra por su relación con un sacerdote. La *tercera vía* quiere ignorar absolutamente la posibilidad más natural: que entre los actos de consuelo y apoyo afectivo de ambos *jugadores* surja un amor auténtico y que, al no poderse realizar, acabe dañando aún más profundamente al sacerdote, pero, sobre todo, perjudique muy seriamente la vida personal y social de la mujer/*consolador*.

Hoy día ya nadie habla de la *tercera vía*, pero en realidad es una práctica muy frecuente entre los sacerdotes y es la coartada recurrente que justifica las situaciones que en la jerga clerical se conocen como de «doble vida». Tal como veremos a lo largo de todo este libro, los obispos prefieren aplicar de hecho la *tercera vía* (incluso sabiendo que lo habitual es mantener relaciones sexuales completas) y conservar así a sacerdotes que, si no dispusieron de esta posibilidad, abandonarían la Iglesia.

En los países desarrollados, las relaciones maritales de los sacerdotes se mantienen con la máxima discreción posible, pero en Latinoamérica, por ejemplo, es público y notorio que la jerarquía católica —para no perder a buena parte de su clero— tolera abiertamente la vida amancebada de la mayoría de los curas de sus diócesis. Y ello no es malo, sino todo lo contrario, tal como lo evidenció, por ejemplo, un obispo latinoamericano al comentar que «en su diócesis tenía en total a quince sacerdotes, de los que catorce vivían con su ama de llaves como esposa y que desarrollaban una tarea apostólica ciertamente sólida, mientras que el único sacerdote soltero de los quince se sentía vanidoso como un pavo real por su virginidad pero que, por lo demás, no hacía gran cosa de provecho»[34].

Pero, a pesar de la fuerza de los hechos, el papa Wojtyla, con un fanatismo integrista difícilmente comprensible a estas alturas de siglo, sigue sosteniendo un odio feroz y visceral hacia cualquier posibilidad de que se unan los conceptos de sacerdocio y matrimonio. Apenas tuvo en sus manos la tiara pontificia, Wojtyla ordenó congelar los 6.000 casos de dispensas a sacerdotes que estaban en trámite, y cuando la Congregación para la Doctrina de la Fe le presentó un listado con unos trescientos casos «graves y urgentes» [en los que el sacerdote ya tenía hijos y vivía en público concubinato], rogándole alguna solución rápida, el Papa se limitó a coger el papel y romperlo en mil pedazos.

Wojtyla, habilísimo manipulador de masas a través de los medios de comunicación —y mediante el inestimable asesoramiento del opusdeísta Joaquín Navarro Valls— sabe perfectamente que todo aquello que no exista oficialmente para él dejará de tener entidad real para buena parte de sus súbditos, por eso niega la premisa mayor y practica la política del avestruz.

El papa Wojtyla —así como sus influyentes aso-

34. Cfr. Mynarek, H. (1979). *Eros y clero*. Barcelona: Caralt, p. 68.

ciados del Opus Dei— menosprecia abiertamente el matrimonio —que es sólo «para la clase de tropa» en palabras de Escrivá de Balaguer—, al que sitúa muchos escalones por debajo del celibato; desdeña y margina a la mujer y su mundo; y, en consecuencia, desprecia *cristianamente* a los sacerdotes casados.

No obstante, a pesar de la persistente e interesada ceguera de este Papa, la evidencia real muestra que tres cuartas partes del clero actual se declaran a favor de que el celibato sea sólo opcional, y un tercio de los sacerdotes católicos ordenados están ya casados o cohabitan maritalmente con una mujer.

Aunque la Iglesia Católica sea contraria al divorcio, resulta palpable que buena parte de sus sacerdotes se están divorciando de ella. El silencio quizá pueda esconder esta situación al gran público, pero no detendrá la creciente cifra de partidarios de que los curas puedan casarse.

3

DE CÓMO LA IGLESIA CATÓLICA MALINTERPRETÓ DE FORMA INTERESADA EL NUEVO TESTAMENTO PARA PODER IMPONER SU VOLUNTAD ABSOLUTA SOBRE EL PUEBLO Y EL CLERO

La hermenéutica bíblica actual garantiza absolutamente la tesis de que Jesús no instituyó prácticamente nada, y menos aún ningún modelo determinado de Iglesia. Antes al contrario, los textos del Nuevo Testamento ofrecen diversas posibilidades a la hora de estructurar una comunidad eclesial y sus ministerios sacramentales[35].

Según los Evangelios, Jesús sólo citó la palabra «iglesia» en dos ocasiones, y en ambas se refería a la comunidad de creyentes, jamás a una institución actual o futura. Pero la Iglesia Católica se empeña en mantener la falacia de que Cristo fue el instaurador

35. Cfr., por ejemplo, los muy diversos modelos eclesiales de Jerusalén, Antioquía, Corinto, Éfeso, Roma, las comunidades Joánicas, las de las Cartas Pastorales, Tesalónica, Colosas...

de su institución y de preceptos que no son sino necesidades jurídicas y económicas de una determinada estructura social, conformada a golpes de decreto con el paso de los siglos.

Así, por ejemplo, instituciones organizativas como el episcopado, el presbiteriado y el diaconado, que empiezan a formarse hacia finales del siglo II, fueron defendidas por la Iglesia como dadas «por institución divina» (fundadas por Cristo)[36], hasta que en el Concilio de Trento, a mediados del siglo XVI, se cambió hábilmente su origen y pasaron a ser «por disposición divina» (por arreglo, por evolución progresiva inspirada por Dios). Y, finalmente, a partir del Concilio Vaticano II (documentos *Gaudium et Espes*, y *Lumen Gentium*), en la segunda mitad del siglo XX, la estructura jerárquica de la Iglesia ya no tiene sus raíces en lo divino sino que procede «desde antiguo» (es una mera cuestión estructural que devino costumbre).

Son muchas las interpretaciones erróneas de los Evangelios que la Iglesia Católica ha realizado y sostenido vehementemente a lo largo de toda su historia. *Errores* que, en general, deben atribuirse antes a la malicia y al cinismo que no a la ignorancia —nada despreciable, por otra parte—, ya que, no por casualidad, todos ellos han resultado inmensa-

36. En los tres primeros siglos no son reconocidas como tales. San Jerónimo, por ejemplo, uno de los principales padres de la Iglesia y traductor de la *Vulgata* (la Biblia en su versión en latín), jamás las aceptó como de institución divina y, a más abundamiento, nunca se dejó ordenar obispo; dado que en los Evangelios sólo se habla de diaconado y presbiteriado, San Jerónimo defendía que ser obispo equivalía a estar fuera de la Iglesia (entendida en su significado auténtico y original de *Ecclesia* o asamblea de fieles).

mente beneficiosos para la Iglesia en su afán por acumular dinero y poder. Pero en este capítulo vamos a ocuparnos sólo de dos mistificaciones básicas: la que atañe al concepto de la figura del sacerdote y la que transformó el celibato en una ley obligatoria para el clero.

Los fieles católicos llevan siglos creyendo a pies juntillas la doctrina oficial de la Iglesia que presenta al sacerdote como a un hombre diferente a los demás —y mejor que los laicos—, «especialmente elegido por Dios» a través de su *vocación*, investido personal y permanentemente de sacro y exclusivo poder para oficiar los ritos y sacramentos, y llamado a ser el único mediador posible entre el ser humano y Cristo. Pero esta doctrina, tal como sostienen muchos teólogos, entre ellos José Antonio Carmona[37], ni es de fe, ni tiene sus orígenes más allá del siglo XIII o finales del XII.

La *Epístola a los Hebreos* (atribuida tradicionalmente a San Pablo) es el único libro del Nuevo Testamento donde se aplica a Cristo el concepto de sacerdote —*hiereus*[38]—, pero se emplea para significar que el modelo de sacerdocio levítico ya no tiene sentido a partir de entonces. «Tú [Cristo] eres sacerdote para siempre según el orden de Melquisedec —se dice en *Heb* 5,6—, no según el orden de Aarón.»

37. Cfr. Carmona Brea, J.A. (1994). *Los sacramentos: símbolos del encuentro*. Barcelona: Ediciones Ángelus, capítulo VII.

38. *Hiereus* es el término que se empleaba en el Antiguo Testamento para denominar a los sacerdotes de la tradición y a los de las culturas no judías; su concepto es inseparable de las nociones de poder y de separación entre lo sagrado y lo profano (valga como ejemplo, para quienes desconozcan la historia antigua, el modelo de los sacerdotes egipcios o de los diferentes pueblos de la Mesopotamia).

Otros versículos —*Heb* 5,9-10 y 7,22-25— dejan también sentado que Jesús vino a abolir el sacerdocio levítico, que era tribal —y de casta (personal sacro), dedicado al servicio del templo (lugar sacro), para ofrecer sacrificios durante las fiestas religiosas (tiempo sacro)—, para establecer una fraternidad universal que rompiera la línea de poder que separaba lo sacro de lo profano[39]. Y en textos como el *Apocalipsis* —*Ap* 1,6; 5,10; 20,6—, o la *I Epístola de San Pedro* —*IPe* 2,5— el concepto de *hiereus*/sacerdote ya se aplica a todos los bautizados, a cada uno de los miembros de la comunidad de creyentes en Cristo, y no a los ministros sacros de un culto.

La concepción que la primitiva Iglesia cristiana tenía de sí misma —ser «una comunidad de Jesús»— fue ampliamente ratificada durante los siglos siguientes. Así, en el Concilio de Calcedonia (451), su canon 6 era taxativo al estipular que «nadie puede ser ordenado de manera absoluta —*apolelymenos*— ni sacerdote, ni diácono (...) si no se le ha asignado claramente una comunidad local». Eso significa que cada comunidad cristiana elegía a uno de sus miembros para ejercer como pastor y sólo entonces podía ser ratificado oficialmente mediante la ordenación e imposición de manos; lo contrario, que un sacerdote les viniese impuesto desde el poder institucional como mediador sacro, es absolutamente herético[40] (sello que, *estricto sensu*, debe ser aplicado hoy a las *fábricas* de curas que son los seminarios).

39. «Porque el hombre es el templo vivo (no hay espacio sagrado), para ofrecer el sacrificio de su vida (toda persona es sagrada), en ofrenda constante al Padre (no hay tiempos sagrados)», argumenta el teólogo José Antonio Carmona.

40. Y así lo calificaban padres de la Iglesia como San Agustín en sus escritos (cfr. *Contra Ep. Parmeniani II*, 8).

En los primeros siglos del cristianismo, la eucaristía, eje litúrgico central de esta fe, podía ser presidida por cualquier varón —y también por mujeres— pero, progresivamente, a partir del siglo V, la costumbre fue cediendo la presidencia de la misa a un ministro profesional, de modo que el ministerio sacerdotal empezó a crecer sobre la estructura socio-administrativa que se llama a sí misma sucesora de los apóstoles —pero que no se basa en la apostolicidad evangélica, y mucho menos en la que propone el texto joánico— en lugar de hacerlo a partir de la eucaristía (sacramento religioso). Y de aquellos polvos vienen los actuales lodos.

En el Concilio III de Letrán (1179) —que también puso los cimientos de la Inquisición— el papa Alejandro III forzó una interpretación restringida del canon de Calcedonia y cambió el original *titulus ecclesiae* —nadie puede ser ordenado si no es para una iglesia concreta que así lo demande previamente— por el *beneficium* —nadie puede ser ordenado sin un beneficio (salario de la propia Iglesia) que garantice su sustento—. Con este paso, la Iglesia traicionaba absolutamente el Evangelio y, al priorizar los criterios económicos y jurídicos sobre los teológicos, daba el primer paso para asegurarse la exclusividad en el nombramiento, formación y control del clero.

Poco después, en el Concilio IV de Letrán (1215), el papa Inocencio III cerró el círculo al decretar que la eucaristía ya no podía ser celebrada por nadie que no fuese «un sacerdote válida y lícitamente ordenado». Habían nacido los exclusivistas de lo sacro, y eso incidió muy negativamente en la mentalidad eclesial futura que, entre otros despropósitos, cosificó la eucaristía —despojándola de su verdadero sentido simbólico y comunitario— y añadió al sacerdocio una enfermiza —aunque muy útil para el control social— potestad sacro-mágica, que sirvió para enquistar hasta hoy su dominio sobre las masas de creyentes inmaduros y/o incultos.

El famoso Concilio de Trento (1545-1563), profundamente fundamentalista —y por eso tan querido para el papa Wojtyla y sus ideólogos más significados, léase Ratzinger y el Opus Dei—, en su sección 23, refrendó definitivamente esta mistificación, y la llamada escuela francesa de espiritualidad sacerdotal, en el siglo XVII, acabó de crear el concepto de casta del clero actual: sujetos sacros en exclusividad y forzados a vivir segregados del mundo laico.

Este movimiento doctrinal, que pretendía luchar contra los vicios del clero de su época, desarrolló un tipo de vida sacerdotal similar a la monacal (hábitos, horas canónicas, normas de vida estrictas, tonsura, segregación, etc.), e hizo que el celibato pasase a ser considerado de derecho divino y, por tanto, obligatorio, dando la definitiva vuelta de tuerca al edicto del Concilio III de Letrán, que lo había considerado una simple medida disciplinar (paso ya muy importante de por sí porque rompía con la tradición dominante en la Iglesia del primer milenio, que consideraba el celibato como una opción puramente personal).

El papa Paulo VI, en el Concilio Vaticano II, quiso remediar el abuso histórico de la apropiación indebida y exclusiva del sacerdocio por parte del clero, cuando, en la encíclica *Lumen Gentium*, estableció que «todos los bautizados, por la regeneración y unción del Espíritu Santo, son consagrados como casa espiritual y sacerdocio santo (...) El sacerdocio común de los creyentes y el sacerdocio ministerial o jerárquico, aunque difieren en esencia y no sólo en grado, sin embargo se ordenan el uno al otro, pues uno y otro participan, cada uno a su modo, del único sacerdocio de Cristo».

En síntesis —aunque sea entrar en una clave teológica muy sutil, pero fundamental para todo católico que quiera saber de verdad qué posición ocupa dentro de esta Iglesia autoritaria—, el sacerdocio común (propio de cada bautizado) pertenece a la *koinonía* o comunión de los fieles, siendo por ello una realidad sustancial, esencial, de la Iglesia de Cristo; mientras que el sacerdocio ministerial, como tal ministerio, pertenece a la *diakonía* o servicio de la comunidad, no a la esencia de la misma. En este sentido, el Vaticano II restableció la esencia de que el sacerdocio común, consustancial a cada bautizado, es el fin, mientras que el sacerdocio ministerial es un medio para el común. El dominio autoritario del sacerdocio ministerial durante el último milenio, tal como es evidente para cualquier analista, ha sido la base de la tiránica deformación dogmática y estructural de la Iglesia, de la pérdida del sentido eclesial tanto entre el clero como entre los creyentes, y de los intolerables abusos que la institución católica ha ejercido sobre el conjunto de la sociedad en general y sobre el propio clero en particular. Pero, como es evidente, el pontificado de Wojtyla y sus adláteres ha luchado a muerte para ocultar de nuevo este planteamiento y ha reinstaurado las falacias trentinas que mantienen todo el poder bajo las sotanas.

Vista la falta de legitimación que tiene el concepto y las funciones (exclusivas) del sacerdocio dominante hasta hoy en el seno de la Iglesia Católica, repasaremos también brevemente la absoluta falta de justificación evangélica que presenta la ley canónica del celibato obligatorio.

En el Concilio Vaticano II, Paulo VI —que no se atrevió a replantear la cuestión del celibato tal como solicitaron muchos miembros del sínodo— asumió la doctrina tradicional de la Iglesia al dejar sentado —en (*PO* 16)— que «exhorta también este sagrado Concilio a todos los presbíteros que, confiados en la gracia de Dios, aceptaron el sagrado celibato por libre voluntad a ejemplo de Cristo[41], a que, abrazándolo magnánimamente y de todo corazón y perseverando fielmente en este estado, reconozcan este preclaro don, que les ha sido hecho por el Padre y tan claramente es exaltado por el Señor (*Mt* 19,11), y tengan también ante los ojos los grandes misterios que en él se significan y cumplen».

A primera vista, en la propia redacción de este texto reside su refutación. Si el celibato es un estado, tal como se afirma, es decir, una situación o condición legal en la que se encuentra un sujeto, lo será igualmente el matrimonio y, ambos, en cuanto a *estados*, pueden y deben ser optados libremente por cada individuo, sin imposiciones ni injerencias externas.

En segundo lugar, el celibato no puede ser un don o carisma, tal como se dice, ya que, desde el punto de vista teológico, un carisma es dado siempre no para el

41. Resulta una hipótesis extraordinariamente atrevida y gratuita suponer que un hombre, del que no se sabe nada sobre su vida familiar y social real (salvo sus mitos canónicos), fuese célibe en las circunstancias en que se le sitúa: como judío que era y fue —el cristianismo como religión diferenciada del judaísmo fue instituida por el judío fariseo Saulo de Tarso hacia el año 49 de nuestra era, no por el mesías de Nazaret—, Jesús estuvo siempre sometido a la ley judía que instaba a todos los individuos, sin excepción, al matrimonio. En aquellos días y cultura, se hace muy difícil imaginar que un célibe pudiese alcanzar ninguna credibilidad o prestigio social.

provecho de quien lo recibe sino para el de la comunidad a la que éste pertenece. Así, los dones bíblicos de curación o de profecía, por ejemplo, eran otorgados para curar o para guiar a los otros, pero no podían ser aplicados en beneficio propio.

Si el celibato fuese un don o carisma, lo sería para ser dado en beneficio de toda la comunidad de creyentes y no sólo para unos cuantos *privilegiados*, y es bien sabido que resulta una falacia argumentar que el célibe tiene mayor disponibilidad para ayudar a los demás. El matrimonio, en cambio, sí que es dado para contribuir al mutuo beneficio de la comunidad.

En todo caso, finalmente, en ninguna de las listas de carismas que transmite el Nuevo Testamento —*Rom* 12,6-7; *1Cor* 12,8-10 o *Ef* 4,7-11— se cita el celibato como tal; luego no es ningún don o carisma por mucho que la Iglesia así lo pretenda.

La pretendida exaltación del celibato por el Señor, citada en los versículos 19,10 del *Evangelio de San Mateo*, se debe, con toda probabilidad, a una exégesis errónea de los mismos originada en una traducción incorrecta del texto griego (primera versión que se tiene de su original hebreo), cometida al hacer su versión latina *(Vulgata)*.

Según *Mt* 19,10 Jesús está respondiendo a unos fariseos que le han preguntado sobre el divorcio, y él afirma la indisolubilidad del matrimonio (como meta a conseguir, como la perfección a la que debe tenderse, no como mera ley a imponer), a lo que los fariseos le oponen la Ley de Moisés, que permite el divorcio, y él responde[42]:

42. Elegimos la traducción de la *Nueva Biblia Española* que, a diferencia de otras versiones de la Biblia «más clásicas», traduce con bastante exactitud y coherencia el primitivo texto griego.

«Por lo incorregibles que sois, por eso os consintió Moisés repudiar a vuestras mujeres, pero al principio no era así. Ahora os digo yo que si uno repudia a su mujer (no hablo de unión ilegal) y se casa con otra, comete adulterio. Los discípulos le replicaron: Si tal es la situación del hombre con la mujer no trae cuenta casarse. Pero él les dijo: No todos pueden con eso que habéis dicho, sólo los que han recibido el don [*ou pántes joroúsin ton lógon toúton, all'hois dédotai*]. Hay eunucos que salieron así del vientre de su madre, a otros los hicieron los hombres, y hay quienes se hacen eunucos por el reino de Dios. El que pueda con eso que lo haga.»

En este texto, que aporta matices fundamentales que no aparecen en la clásica *Vulgata*, cuando Jesús afirma que «no todos pueden con eso» y «el que pueda con eso que lo haga», se está refiriendo al matrimonio y no al celibato, tal como ha sostenido hasta el presente la Iglesia. Las palabras *ton lógon toúton* se refieren, en griego, a lo que antecede (la dureza del matrimonio indisoluble, que hace expresar a los discípulos que no trae cuenta casarse), no a lo que viene después. Lo que se afirma como un don es el matrimonio, no el celibato y, por tanto, en contra de la creencia eclesial más habitual, no exalta a éste por encima de aquél, sino al contrario[43].

La famosa frase «hay quienes se hacen eunucos por el reino de Dios», tomada por la Iglesia como la *prueba* de la recomendación o consejo evangélico del celibato, nunca puede ser interpretada así por

43. Esto, lógica e indudablemente debe ser así, puesto que, desde el punto de vista sociocultural, dado que Jesús era un judío ortodoxo, tal como ya mencionamos, jamás podía anteponer el celibato al matrimonio: la tradición judía *obliga* a todos al matrimonio, mientras que desprecia el celibato.

dos motivos: el tiempo verbal de un consejo de esta naturaleza, y dado en ese contexto social, siempre debe ser el futuro, no el pasado o presente, y el texto griego está escrito en tiempo pasado; y, finalmente, dado que toda la frase referida a los eunucos está en el mismo contexto y tono verbal, también debería tomarse como «consejo evangélico» la castración forzada («a otros los hicieron los hombres»), cosa que, evidentemente, sería una estupidez.

Resulta obvio, por tanto, que no existe la menor base evangélica para imponer el celibato obligatorio al clero. Las primeras normativas que afectan a la sexualidad —y subsidiariamente al matrimonio/celibato de los clérigos— se producen cuando la Iglesia, de la mano del emperador Constantino, empieza a organizarse como un poder sociopolítico terrenal. Cuantos más siglos iban pasando, y más se manipulaban los Evangelios originales, más fuerza fue cobrando la cuestión del celibato obligatorio; una cuestión clave, como veremos, para dominar fácilmente a la masa clerical.

Hasta el Concilio de Nicea (325) no hubo decreto legal alguno en materia de celibato. En el canon 3 se estipuló que «el Concilio prohíbe, con toda la severidad, a los obispos, sacerdotes y diáconos, o sea a todos los miembros del clero, el tener consigo a una persona del otro sexo, a excepción de madre, hermana o tía, o bien de mujeres de las que no se pueda tener ninguna sospecha»; pero en este mismo Concilio no se prohibió que los sacerdotes que ya estaban casados continuasen llevando una vida sexual normal.

Decretos similares se fueron sumando a lo largo de los siglos —sin lograr que una buena parte del clero dejase de tener concubinas— hasta llegar a la ola represora de los concilios lateranenses del siglo XII, destinados a estructurar y fortalecer definitivamente el poder temporal de la Iglesia. En el Concilio I de Letrán (1123), el papa Calixto II condenó de nuevo la vida en pareja de los sacerdotes y avaló el primer decreto explícito obligando al celibato. Poco después, el papa Inocencio II, en los cánones 6 y 7 del Concilio II de Letrán (1139), incidía en la misma línea —al igual que su sucesor Alejandro III en el Concilio III de Letrán (1179)— y dejaba perfilada ya definitivamente la norma disciplinaria que daría lugar a la actual ley canónica del celibato obligatorio... que la mayoría de clérigos, en realidad, siguió sin cumplir.

Tan habitual era que los clérigos tuviesen concubinas que los obispos acabaron por instaurar la llamada *renta de putas*, que era una cantidad de dinero que los sacerdotes le tenían que pagar a su obispo cada vez que transgredían la ley del celibato. Y tan normal era tener amantes que muchos obispos exigieron la *renta de putas* a todos los sacerdotes de su diócesis sin excepción; y a quienes defendían su pureza se les obligaba a pagar también ya que el obispo afirmaba que era imposible no mantener relaciones sexuales de algún tipo.

A esta situación intentó poner coto el tumultuoso Concilio de Basilea (1431-1435), que decretó la pérdida de los ingresos eclesiásticos a quienes no abandonasen a sus concubinas después de haber recibido una advertencia previa y de haber sufrido una retirada momentánea de los beneficios.

Con la celebración del Concilio de Trento (1545-1563), el papa Paulo III —protagonista de una vida disoluta, favorecedor del nepotismo en su propio pontificado, y padre de varios hijos naturales— implantó definitivamente los edictos disciplinarios de Letrán y, además, prohibió explícitamente que la Iglesia pudiese ordenar a varones casados[44].

En fin, anécdotas al margen, desde la época de los concilios de Letrán hasta hoy nada sustancial ha cambiado acerca de una ley tan injusta y falta de fundamento evangélico —y por ello calificable de *herética*— como lo es la que decreta el celibato obligatorio para el clero.

El papa Paulo VI, en su encíclica *Sacerdotalis Coelibatus* (1967), no dejó lugar a dudas cuando sentó doctrina con este tenor: «El sacerdocio cristiano, que es nuevo, no se comprende sino a la luz de la novedad de Cristo, pontífice supremo y pastor eterno, que instituyó el sacerdocio ministerial como participación real de su único sacerdocio» (núm. 19). «El celibato es también una manifestación de amor a la Iglesia» (núm. 26). «Desarrolla la capacidad para escuchar la palabra de Dios y dispone a la oración. Prepara al hombre para celebrar el misterio de la eucaristía» (núm. 29). «Da plenitud a la vida»

44. La ordenación sacerdotal de varones casados había sido una práctica normalizada dentro de la Iglesia hasta el Concilio de Trento. Actualmente, debido a la escasez de vocaciones, muchos prelados —especialmente del Tercer Mundo— defienden de nuevo esta posibilidad y han solicitado repetidamente al papa Wojtyla que facilite la institución del *viri probati* (hombre casado que vive con su esposa como hermanos) y su acceso a la ordenación. Pero Wojtyla la ha descartado pública y repetidamente —achacando su petición a una campaña de «propaganda sistemáticamente hostil al celibato» (Sínodo de Roma, octubre de 1990)—, a pesar de que él mismo, en secreto, ha autorizado ordenar varones casados en varios países del Tercer Mundo. En el mismo sínodo citado, Aloisio Lorscheider, cardenal de Fortaleza (Brasil), desveló el secreto y aportó datos concretos sobre la ordenación de hombres casados autorizados por Wojtyla.

(núm. 30). «Es fuente de fecundidad apostólica» (núm. 31-32).

Con lo expuesto hasta aquí, y con lo que veremos en el resto de este libro, demostraremos sin lugar a dudas que todas estas manifestaciones de Paulo VI, en su famosa encíclica, no se ajustan en absoluto a la realidad en que vive la inmensa mayoría del clero católico.

«Como sacerdote —explica el teólogo y cura casado Josep Camps[45]—, tuve que vivir muy de cerca —en algunos casos teniéndolas prácticamente en mis manos— terribles crisis personales de bastantes compañeros y amigos. Uno de ellos, un profesor prestigioso de una orden religiosa muy destacada, me confesó que estuvo diez años angustiado antes de decidirse a confesarse ¡a sí mismo! que deseaba abandonar el celibato. En el curso de unos tres años celebré las bodas de siete sacerdotes amigos, hasta llegar al punto de sentirme el *casacuras* oficial. Y rechacé en varias ocasiones proposiciones para casar bajo mano y sin dispensa a algún sacerdote que deseaba legalizar su situación y dejar el ministerio.

»Simultáneamente, un cierto acercamiento e interés por temas de psicología y psiquiatría me alertó y empezó a preocuparme. No me pesaba demasiado un celibato vivido y querido —aunque no fuese nada fácil mantenerlo— por una decisión libre y constantemente renovada, pero comencé a cuestionarme su imposición administrativa a una sola categoría de cristianos... porque es sabido que los sacerdotes de ritos orientales católicos pueden casarse, y lo mismo cabe decir de los ministros de las Iglesias surgidas de la Reforma protestante.

45. En escrito dirigido a este autor y fechado el 25-10-94.

»En pleno fragor de lo que la Iglesia llama "deserciones" de sacerdotes —con fines, entre otros, matrimoniales—, apareció, en 1967, la encíclica de Paulo VI, *Sacerdotalis Coelibatus*. Había llegado, para mí, el momento de aclarar todo este asunto del celibato.

»El texto de la encíclica es un bello panegírico, sabio y profundo, de la virginidad consagrada a Dios, que forma parte de los llamados tradicionalmente "consejos evangélicos" (por más que apenas se encuentre rastro de ellos en los evangelios). Sólo que al llegar al punto, para mí clave, de las razones por las que se exige el celibato a los sacerdotes seculares, la encíclica pierde piso y se hunde estrepitosamente: no hay verdaderas razones, sólo la "secular tradición de la Iglesia latina", o sea, nada. La encíclica mató en mí la idea del celibato —¡gracias, Paulo VI!— y desistí de él. En teoría, claro, porque no tenía prisas, ni especiales urgencias, ni había aparecido aún la persona con la cual establecer una relación profunda y seria.»

La Iglesia Católica, a lo largo de su historia, ha falseado en beneficio propio todo aquello que le ha interesado. Ha impuesto sobre el pueblo un modelo de sacerdote (y de su ministerio) mistificado y cínico, pero le ha sido de gran utilidad para fortalecer su dominio sobre las conciencias y las carteras de las masas.

Y, del mismo modo, ha impuesto sobre sus *trabajadores* pesos sacros que no les corresponden, y leyes injustas y arbitrarias, como la del celibato obligatorio, que sirven fundamentalmente para crear, mantener y potenciar la sumisión, el servilismo y la dependencia del clero respecto de la jerarquía.

«El celibato de los pastores debe ser opcional —afirma el sacerdote casado Julio Pérez Pinillos—, ya que el celibato impuesto, además de empobrecer el carácter de "Signo", es uno de los pilares que sostiene la organización piramidal de la Iglesia-aparato y potencia el binomio clérigos-laicos, tan empobrecedor para los primeros como humillante para los segundos.»[46]

En este final de siglo, cuando muchísimos teólogos de prestigio han alzado su voz contra las interpretaciones doctrinales erróneas y las actitudes lesivas que comportan, el papa Wojtyla los ha acallado con la publicación de una encíclica tan autoritaria, sectaria y lamentable como es la *Veritatis Splendor*. ¿Esplendor de la verdad? ¿De qué verdad? La mentalidad de Letrán y Trento vuelve a gobernar la Iglesia. Corren malos tiempos para el Evangelio cristiano.

46. Cfr. *Tiempo de Hablar* (56-57), otoño-invierno de 1993, p. 9.

4

LA LEY DEL CELIBATO OBLIGATORIO CATÓLICO: UNA CUESTIÓN DE CONTROL, ABUSO DE PODER Y ECONOMÍA

«El motivo verdadero y profundo del celibato consagrado —deja establecido el Papa Paulo VI, en su encíclica *Sacerdotalis Coelibatus* (1967)— es la elección de una relación personal más íntima y más completa con el misterio de Cristo y de la Iglesia, por el bien de toda la humanidad; en esta elección, los valores humanos más elevados pueden ciertamente encontrar su más alta expresión.»

Y el artículo 599 del Código de Derecho Canónico, con lenguaje sibilino, impone que «el consejo evangélico de castidad asumido por el Reino de los Cielos, en cuanto signo del mundo futuro y fuente de una fecundidad más abundante en un corazón no dividido, lleva consigo la obligación de observar perfecta continencia en el celibato».

Sin embargo, la Iglesia Católica, al transformar un inexistente «consejo evangélico» en ley canónica obligatoria —que, como ya vimos en el capítulo anterior, carece de fundamento neotestamentario—, se ha quedado a años luz de potenciar lo que Paulo VI resume como «una relación personal más íntima y más completa con el misterio de Cristo y de la Iglesia, por el bien de toda la humanidad».

Por el contrario, lo que sí ha logrado la Iglesia con la imposición de la ley del celibato obligatorio es crear un instrumento de control que le permite ejercer un poder abusivo y dictatorial sobre sus *trabajadores*, y una estrategia básicamente economicista para abaratar los costos de mantenimiento de su plantilla sacro-laboral y, también, para incrementar su patrimonio institucional; por lo que, evidentemente, la única «humanidad» que gana con este estado de cosas es la propia Iglesia Católica.

La ley del celibato obligatorio es una más entre las notables vulneraciones de los derechos humanos que la Iglesia Católica viene cometiendo desde hace siglos, por eso, antes de empezar a tratar las premisas de este capítulo, será oportuno dar entrada a la opinión de Diamantino García, presidente de la Asociación pro Derechos Humanos de Andalucía, miembro destacado del Sindicato de Obreros del Campo, sacerdote desde hace veintiséis años, y párroco de los pueblos sevillanos de Los Corrales y de Martín de la Jara.

«La ley del celibato obligatorio —sostiene Diamantino García[47]— es actualmente muy negativa y produce muchos más daños que beneficios. Desde el punto de vista histórico no se entiende, y evangélicamente no hay razones para imponer a los sacerdotes esta ley. Yo acepté en un documento el ser célibe, pero lo hice por la fuerza, no por voluntad propia.

»Personalmente aprovecho mi estado de célibe

47. En entrevista personal celebrada el día 3-5-94.

para estar más disponible para dedicarme a la lucha por la causa de los pobres, pero eso no significa, ni mucho menos, que si estuviese casado le podría dedicar menos energías. Tengo compañeros [sacerdotes] del Sindicato de Obreros del Campo que están casados, que han tenido cargos de responsabilidad como yo, y que han mostrado una mayor entrega que yo mismo. Tenían mujeres e hijos y, sin embargo, a la hora de arriesgar el pellejo lo hacían igual que yo, que era célibe. Y a la hora de ir a la cárcel, ellos han tenido incluso más disponibilidad que yo.

»El que los curas seamos célibes, según la Iglesia, es para estar más disponibles, pero esto apenas se consigue, porque yo he visto a muchos sacerdotes que no se han casado con una mujer pero que sí lo han hecho con el dinero y con intereses espurios que los han tenido más hipotecados que si hubiesen tenido familia. Yo no justifico ni comprendo la ley del celibato, y a la gente sencilla también le resulta mucho más comprensible que el sacerdote forme parte de una familia y, desde ella, dé testimonio de fe, esperanza y caridad. Me parece que esto es mucho más congruente con nuestra realidad humana y social.

»"¿Y tú por qué sigues ahí, como cura?", me pregunta mucha gente. Pero, yo, la verdad, aunque me siento mucho más próximo de lo secular que de lo eclesial —y a mucha honra— no he pasado por dificultades insalvables. El hecho de que la mayor parte de los sacerdotes diocesanos vivan en solitario, sin familia, es bastante duro y, en general, traumatizante; pero yo, afortunadamente, pasé a vivir desde un principio con un equipo sacerdotal que ha sido fundamental para poder superar las mil contradicciones con que nos desayunamos los sacerdotes, entre ellas la imposibilidad, por decreto, de poder formar una familia y tener hijos.

»Pero conozco muchos sacerdotes jóvenes que les resulta muy dura esta vida. Sacerdotes de 25 o 30 años, personas normales, que tienen que vivir, desayunar, almorzar y cenar en completa soledad, aislados... porque, evidentemente, la mayoría de los sacerdotes no disponen de medios económicos suficientes para poder tener alguna persona que les atienda, o para traerse consigo a algún familiar —madre o hermana—, y con la escasez de medios con que viven los sacerdotes en el medio rural, tienen que comer soledad y aislamiento. Y éste es uno de los motivos por el que algunos abandonan —a menudo de modo traumático—, o se producen desequilibrios emocionales que repercuten en la vida sacerdotal y pastoral, o se viven carencias muy importantes. Si se suprimiera el celibato, los sacerdotes rurales serían mejor comprendidos y aceptados por la gente sencilla, que es la mayoría, que hoy vive con absoluta indiferencia la existencia de la Iglesia.

»Ciertamente, a un sacerdote diocesano le cuesta muchísimo más que a un fraile respetar la castidad, ya que está viviendo de lleno en un mundo donde el afecto hombre-mujer es algo cotidiano y deseable. Y yo pienso que no debería ser contradictorio con la carga pastoral el hecho de poder constituir una familia, como tampoco debería serlo el hecho de poder hacer uso de la sexualidad; el sexo no tiene por qué ser entitativamente malo, ni ser un enemigo del trabajo pastoral del sacerdote. Sería muy saludable para los sacerdotes y para la comunidad a la que deben servir —que no es precisamente la Iglesia institución, sino el pueblo— que cada uno pudiese desarrollar su vida afectivo-sexual en la medida de las propias necesidades.

»Somos muchos los sacerdotes que reivindicamos la necesidad de un nuevo modelo formativo desde los seminarios, ya que el actual, después de dar un giro involutivo, está encasquillado en un conservadurismo cerrado al porvenir y a la sensibilidad social actual. El último papa [Juan Pablo II] ha sido decisivo para esta triste situación, pero también ha contribuido la ola de conservadurismo que se ha ido extendiendo por todo el mundo y que ha cogido a la Iglesia por la barriga, que siempre ha sido su punto débil.

»Tampoco debe olvidarse que el Concilio Vaticano II no ha sido convenientemente digerido por la jerarquía vaticana ni por la Iglesia en su totalidad. Y entre las consecuencias de esta indigestión está el cerrar puertas y ventanas en las casas de formación y el cultivar la nostalgia en lugar de la utopía; la nostalgia por una Iglesia de cristiandad con un cuerpo clerical célibe, obediente y sumiso a la jerarquía. De alguna manera se pretende el regreso a los años del *nacionalcatolicismo* español [poder totalitario de la Iglesia a partir de su íntima alianza con el régimen fascista de Franco], en lugar de dar la cara ante lo que el mundo y el siglo XXI le está pidiendo a la Iglesia: normalización, compromiso y, en definitiva, una Iglesia profética frente a las grandes injusticias de nuestro tiempo.

»Pero la corriente política vaticana actual es absolutamente contraria a los aires del Vaticano II. El termómetro que mejor mide el grado de conservadurismo y de cerrazón a todas estas novedades y esperanzas [las del Concilio Vaticano II] son, precisamente, los seminarios y las casas de formación. Y cualquiera puede ver que, hoy día, la mayor parte de los sacerdotes jóvenes que están saliendo de los seminarios lo hacen verdaderamente *acarajotados*. A mí me es mucho más difícil dialogar con sacerdotes recién salidos del seminario que con otros compañeros que llevan sesenta años ejerciendo el ministerio.

»En los seminarios actuales se han potenciado sobremanera tres obsesiones clásicas de la Iglesia: 1) formar gente muy disciplinada, muy obediente a la jerarquía, muy aseguradora del magisterio vaticano; 2) formar a gente que fomente una Iglesia de cristiandad, una iglesia de influencia; y 3) formar a gente que no se mezcle en política ni en causas sociales y que sean simples funcionarios tal como la jerarquía los quiere y necesita.»

Al hilo de estas últimas reflexiones de Diamantino García, es evidente que la ley del celibato obligatorio resulta un puntal básico para generar sacerdotes *acarajotados*, tal como él mismo los define.

Adelantándonos a las conclusiones del próximo capítulo, daremos por sentado aquí que las condiciones en que la mayoría del clero vive el celibato obligatorio son causa de una amplia diversidad de alteraciones psicológicas, frecuentemente neuróticas que, no por casualidad, convierten a muchos sacerdotes en seres sumisos, serviles y dependientes de la jerarquía; un material humano que, obviamente, es víctima fácil del poder abusivo y dictatorial que la Iglesia Católica ejerce sobre sus *trabajadores*.

El cumplimiento o no del celibato por parte de los clérigos ofrece una oportunidad magnífica a los abundantes seres mediocres y serviles que salen de los seminarios: la de convertirse en delatores de los vicios ajenos ante la jerarquía para así poder gozar de sus favores.

Ha llovido mucho desde que, en el Concilio de Arlés (1234), los delatores fueron instituidos oficialmente como vigilantes de la moral presentes en cada uno de los obispados. Hoy, que sepamos, ya no existe oficialmente esta ocupación, pero decenas de sacerdotes y religiosos/as siguen denunciando con gusto las miserias de sus compañeros/as ante sus superiores.

Es de todos sabido que la delación/castigo es un mecanismo habitual de control en el seno de instituciones y sociedades de corte autoritario —y la Iglesia lo es, sin duda alguna— que, al ser alentado por sus dirigentes, acaba implantándose como una dinámica compensatoria cotidiana entre los elementos más frustrados, mediocres y ambiciosos de la comunidad.

Bastantes sacerdotes secularizados —y unos pocos en activo— me han referido episodios personales como víctimas de la delación de algún compañero. Denuncias que siempre se refieren a vulneraciones del celibato —ciertas o no—, pero que jamás ponen en tela de juicio actitudes sacerdotales tan comunes como la excesiva afición por la riqueza o la falta de solidaridad. A menudo, también, la delación le sirve al sacerdote para acceder al puesto que ocupaba el compañero denunciado.

En cualquier caso, dado que la Iglesia prefiere antes a una persona *fiel* que a una inteligente, la delación por motivos de celibato le permite remover de algunos puestos a sacerdotes demasiado independientes o, al menos, tener algunos elementos íntimos para poder presionarles en caso necesario.

Las habituales trasgresiones del celibato, al chocar con la agobiante formación recibida y con la prohibición canónica, suelen generar mala conciencia y sentimientos de culpa —más o menos enfermizos— entre el clero, aspectos que le convierten en más fácil de manipular, gobernar y explotar por la institución católica. Y los curas en ejercicio que tienen hijos —que los hay y muchos—, hecho que pocas veces pueden ocultar a la jerarquía, se convierten en una especie de náufragos marginados y, debido a su «mancha negra», se ven forzados a adoptar una aún mayor sumisión a la voluntad de sus obispos ordinarios.

Pero, al margen de ser un instrumento fundamental para lograr el dominio y el control del clero, la ley del celibato obligatorio es una estrategia fundamentalmente economicista, que permite abaratar los costos de mantenimiento de la plantilla laboral de la Iglesia Católica y, al mismo tiempo, incrementar su patrimonio institucional.

El obligado carácter de célibe del clero, lo convierte en una gran masa de mano de obra barata y de alto rendimiento, dotada de una movilidad geográfica y de una sumisión y dependencia jerárquica absolutas.

Un sacerdote célibe es mucho más barato de mantener que otro que pudiese formar una familia, ya que, en este último supuesto, la institución debería triplicar, al menos, el salario actual del cura célibe para que pudiese afrontar, junto a su mujer e hijos, una vida material digna y suficiente para cubrir todas las necesidades habituales de un núcleo familiar. Así que, cuando oímos a la jerarquía católica rechazar la posibilidad de que los sacerdotes contraigan matrimonio, lo que estamos oyendo, fundamentalmente, es la negativa a multiplicar por tres su presupuesto de gastos de personal.

De todos modos, el matrimonio de los sacerdotes podría darse sin incrementar ninguna dotación presupuestaria. Bastaría con que los curas, o una mayoría de ellos, al igual que hacen en otras confesiones cristianas, se ganasen la vida mediante una profesión civil y ejerciesen, además, su ministerio sacerdotal; algo que ya llevan practicando, desde hace años y con plena satisfacción de sus comunidades de fieles, de sus familias y de ellos mismos, los miles de curas católicos casados que actúan como tales por todo el mundo. Pero la Iglesia Católica descarta esta posibilidad porque piensa, de un modo tan egoísta como equivocado, que si un sacerdote trabaja en el mundo civil rendirá menos para su institución.

En el contexto católico, la aceptación del celibato viene a suponer también acatar que el sacerdote dependerá toda su vida de la institución y, por tanto, ésta se despreocupa de formarle en materias civiles, lo que repercute muy negativamente en sus posibilidades de independencia y le somete aún más a la voluntad de su único y excluyente patrón.

«Un día fui a ver al obispo Iglesias —me comentaba José Boldú[48]— y le dije: "Llevo seis años de sacerdote y se me cae la cara de vergüenza por ser un burgués; entre mis feligreses todo el mundo trabaja excepto yo, y quiero prepararme." Le pedí permiso para ir a estudiar a la universidad, pero en lugar de eso me nombró secretario diocesano de obras pontificias. Tiempo después, cuando llegó un nuevo obispo [Ramón Malla] le hicimos explotar el problema de los curas ociosos y mal preparados y, finalmente, nos envió a cuatro sacerdotes a estudiar a Barcelona.

48. En entrevista personal celebrada el día 21-7-94.

»Yo me matriculé en Filosofía y Letras y en Derecho, pero pronto me enteré de que el obispo quería sacarme del secretariado de misiones —que yo había convertido en un órgano eficaz y con prestigio— porque estaba estudiando en una universidad civil y eso, al margen de ser "una puerta de salida" según lo ve la jerarquía, me alejaba del cliché de sacerdote que este obispo —así como todos los demás— deseaba tener bajo sus órdenes.»

Esta apreciación de Boldú encaja perfectamente con la realidad que se refleja en el último anuario estadístico de la Iglesia Católica: en 1990 sólo hubo 30 sacerdotes diocesanos matriculados en facultades de estudios civiles, eso es un 0,14 % del total del clero diocesano.

A la Iglesia no parece hacerle ninguna gracia que sus *trabajadores* posean titulaciones con validez civil, ya que eso les confiere un grado de independencia que repercute desfavorablemente en su sumisión[49]. Por el contrario, la jerarquía católica prefiere que sus curas se conformen con las titulaciones eclesiásticas ya que, como no tienen equivalencia posible en la sociedad civil, en caso de desear abandonar la Iglesia esta pérdida de referente o estatus académico-profesional se convierte en un poderoso freno ante cualquier posible planteamiento de *deserción*.

«Una de las aspiraciones del cura casado —afirmaba Olaguer Bellavista, ex párroco de San Martín del Clot (Barcelona)— es conseguir un título uni-

49. El canon 129 del *Código de Derecho Canónico* establece que «los clérigos, una vez ordenados sacerdotes, no deben abandonar los estudios, principalmente los sagrados; y en las disciplinas sagradas seguirán la doctrina sólida recibida de los antepasados y comúnmente aceptada por la Iglesia, evitando las profanas novedades de palabras y la falsamente llamada ciencia».

versitario. Pero ocurre que casi nunca se nos convalidan los estudios que ya tenemos por el título de bachiller superior, y hemos de acceder a la universidad por el sistema del examen para mayores de veinticinco años. Empezar una carrera, como yo, tras diversos intentos, a los 56 años, es algo indudablemente fuera de lo común y muy difícil.»

Una parte de los sacerdotes que han dejado su ministerio dentro de la Iglesia —los mejor cualificados en estudios civiles— no han tenido problemas para rehacer su vida ejerciendo la docencia, la abogacía o el periodismo, o trabajan en sectores como el de servicios o la función pública. Otros, los llamados en su día curas obreros, se han seguido ganando la vida desempeñando los oficios que les habían llevado hasta talleres, fábricas y campos agrícolas.

Pero muchos otros, alrededor de un 70 % de los secularizados —los que vivieron el sacerdocio de modo excluyente—, han tenido problemas importantes al abandonar la Iglesia y sus situaciones pasan por ejercer los trabajos más precarios y mal vistos de la sociedad, y hasta por la mendicidad; excepción hecha de quienes han logrado hacerse con un puesto como profesores de religión que, a cambio de un bajo salario, deben seguir mostrando sumisión al obispo de su diócesis so pena de perder, sin más, su precario empleo.

Otra importantísima ventaja económica que la ley del celibato le reporta a la Iglesia Católica es que —tal como veremos en el capítulo siguiente— la frustración vital que padecen los sacerdotes debida a sus carencias afectivo-sexuales se traduce en que una parte de ellos se ven espoleados a acumular riqueza como parte de un mecanismo psicológico compensatorio y, al ser obligatoriamente solteros, todos o casi todos estos bienes pasan, por herencia, a engrosar el patrimonio de la Iglesia.

Si los sacerdotes estuviesen casados, es obvio que la Iglesia no heredaría sus posesiones —incluyendo las apetitosas donaciones patrimoniales de beatas/os solitarios y ricos—, ya que sus bienes acabarían, lógicamente, en manos de su esposa e hijos. Por eso, y no por razones *morales*, desde el medioevo la Iglesia tomó la decisión de declarar ilegítimos a los hijos de los clérigos, pues de este modo se les impedía legalmente cualquier posibilidad de poder heredar el patrimonio del padre.

En concilios como el de Pavía (1020) se llegó a decretar, en su canon 3, la servidumbre [esclavitud] a la Iglesia, en vida y bienes, de todos los hijos de clérigos. «Los eclesiásticos no tendrán concubinas —ordenaba el canon 34 del Concilio de Oxford (1222)—, bajo la pena de privación de sus oficios. No podrán testar en favor de ellas ni de sus hijos, y si lo hacen, el Obispo aplicará estas donaciones en provecho de la Iglesia, según su voluntad.» La lista de decretos similares es tan extensa como cuidadosa ha sido la Iglesia en asegurarse los bienes de los hijos bastardos de sus sacerdotes.

Así, pues, aunque decenas de miles de sacerdotes abandonen la Iglesia, la ley del celibato obligatorio continúa siendo muy rentable para la institución, ya que sigue permitiendo una mejor explotación de todos cuantos aún permanecen bajo la autoridad eclesial.

El celibato obligatorio es un mecanismo de control básico dentro de la estructura clerical católica y, junto al culto a la personalidad papal y al deber de obediencia, conforma la dinámica funcional que hace posible que tan sólo 4.159 miembros del episcopado —149 cardenales, 10 patriarcas, 754 arzobispos y 3.246 obispos— controlen de forma absoluta las vidas personales y el trabajo de 1.366.669 personas que, según las últimas estadísticas de la Iglesia Católica (1989), se distribuyen entre 255.240 sacerdotes diocesanos, 146.239 sacerdotes religiosos, 16.603 diáconos permanentes, 62.942 religiosos profesos, y 885.645 religiosas profesas.

En el caso hipotético de que la Iglesia permitiese casarse a sus sacerdotes, la cifra del clero aumentaría notablemente, ya que se reduciría drásticamente el número de secularizaciones y se incrementaría la cantidad de nuevas vocaciones... pero, ante esta óptima perspectiva, la jerarquía de la Iglesia Católica, hoy por hoy, sabe perfectamente que puede sacarle muchísima más rentabilidad a cien curas sometidos al celibato por la fuerza que a trescientos casados.

La dependencia y el sentimiento de culpabilidad reportan siempre muy buenos dividendos a los gestores de las reglas de juego. La independencia y la madurez, por el contrario, acaban por arruinar el juego y a sus gestores; especialmente si el juego está trucado.

5

PROBLEMAS PSICOLÓGICOS Y SOCIALES CAUSADOS POR LA LEY DEL CELIBATO OBLIGATORIO

«Cuando decidí dejar el sacerdocio y secularizarme —me confesaba el abogado Manuel Castellá[50]— acababa de pasar por un calvario de varios años de dudas, angustias, soledad terrible y frustración, y, a mis 36 años, debía enfrentarme al hecho de verme en la calle, sin recurso alguno, teniendo que buscar algún trabajo y empezar a estudiar Derecho... y todo ello en medio de la incomprensión y oposición de todo el mundo. Mi propia madre me dijo: "Hijo mío, ¿por qué has dejado a Dios?" Y mi hermano, sacerdote del Opus Dei, no perdió ocasión de zaherirme con una frase tan absurda y malévola como inolvidable:

»"¿Ya sabes que tus futuros hijos serán sacrílegos?"

»Yo abandoné el ministerio porque me hice consciente de que la función del sacerdote, tal como la entiende y obliga a ejercer la Iglesia, está absolu-

50. En entrevista personal celebrada el día 27-7-94.

tamente descentrada y es inútil; porque ya no podía soportar más la hipocresía de la institución católica; y porque necesitaba compartir con otros mis sentimientos: me resultaba dramática la soledad y el aislamiento humano al que me habían condenado una serie de decretos canónicos absurdos. Otros muchos sacerdotes, en cambio, siguen en su puesto, a pesar de lo que sufren, por pura cobardía, porque, debido a su inmadurez, a la *formación* recibida en los seminarios, y a su nula cualificación civil, no se atreven a vivir fuera de la *madre* Iglesia.

»La ley del celibato obligatorio es la peor que puede existir para mantener y dignificar el celibato religioso, ya que ahoga a los curas bajo todo tipo de miserias psicológicas y, además, nadie o casi nadie la cumple. La inmensa mayoría de los sacerdotes acaban por llevar una doble vida para poder satisfacer sus necesidades de afecto y de sexo, pero también arrastran problemas de personalidad muy importantes.»

Defensores del celibato como el sacerdote Javier Garrido proponen mantenerlo a través de una vía psicológica que lleve a «la espiritualización de lo pulsional-afectivo sin caer en la represión»[51], pero este hipotético camino para guardar el celibato —que aunque no es imposible por definición, sí resulta altamente improbable en la práctica, tal como veremos en este apartado— se desdibuja a sí mismo cuando el propio Javier Garrido afirma que «les ocurre a muchos profesionales de la psicología, aunque acepten una cosmovisión religiosa. Inconscientemente, suponen que Dios no es Alguien real. Ciertamente, si Dios no es más que la Idea sublime

51. Cfr. Garrido, J. (1987). *Op. cit.*, p. 108.

de lo mejor de nosotros mismos, el celibato es sólo una sublimación alienante del deseo. Una idea no puede llenar necesidades básicas, las psicoafectivas. Si Él no es un Tú viviente, el celibato es una ilusión»[52].

Esta concepción basada en un *deísmo objetivo* —absolutamente rebatible desde el punto de vista de la antropología cultural y religiosa— viene a situar la fe como única base para el celibato: si Dios no es un ente vivo, tal como se propugna, el celibato será «sólo una sublimación alienante del deseo». Y, sea Dios «Alguien real» o no, la cuestión fundamental será: ¿es sana una fe que impida el desarrollo normal de la personalidad de un sujeto y llegue a anular y sustituir todo su mundo afectivo y sexual?

La fe es un concepto tramposo y vacío cuando se emplea como un supuesto elemento objetivo para justificar comportamientos humanos que, en puridad y rigor, pueden y deben ser contemplados y explicados únicamente desde la psicología, la antropología, la sociología u otras ramas del saber objetivo y objetivable.

«El celibato hace posible en el hombre/mujer lo mejor y lo peor —reconoce el propio Javier Garrido[53]—. Nada más peligroso que disparar el deseo hacia ideales inalcanzables, comprometiendo el fundamento del psiquismo, la afectividad. Si ésta se engaña y encubre motivaciones sospechosas, la sublimación puede transformarse en mecanismo neurótico de defensa, muy difícil de atacar: rigidez perfeccionista, delirio de autograndeza, desviaciones subrepticias de las pulsiones (obsesiones sexuales,

52. Cfr. Garrido, J. (1987). *Op. cit.*, p. 110.
53. Cfr. Garrido, J. (1987). *Op. cit.*, pp. 115-116.

fobias...), intolerancia ideológica, etc. Caben formas más suaves: pasividad y dependencia, incapacidad de entrega afectiva, manipulación de personas, jugar a gratificaciones indirectas (fantasías, flirteos...), etc.»

Lo mejor del celibato, según prosigue Garrido, es el logro de «libertad interior, no dependencia de necesidades inmediatas, amor desinteresado y fiel, nobleza y anchura de corazón, concentración de la existencia en la fe, y vida de alianza con Dios».

A partir de este momento daremos ya por conocidas las dulces mieles que promete el celibato católico y nos concentraremos en el estudio de las amargas hieles que suele reportar a sus forzados seguidores: problemas de inmadurez afectivo-sexual, culpabilidad existencial, fobias, parafilias, depresión, estrés, neurosis, ansias de poder y control, inseguridad y temor ante las personas del sexo opuesto, fracaso vital...

Antes de entrar a fondo en el análisis de las consecuencias psicológicas del celibato obligatorio, habrá que tener en cuenta un elemento básico como es la personalidad previa del futuro sacerdote, que, a menudo, presenta una estructura emocional inmadura y frágil y —aspecto fundamental— un apego a la figura materna que pasa, progresivamente, de una actitud infantil a un comportamiento adulto netamente psicopatológico; una buena parte de los casos de sacerdotes que figuran en este libro le deben el primer núcleo de sus problemas de personalidad, e incluso su *vocación*, a la errónea y lesiva relación/formación recibida de su madre[54].

54. Sobre la incidencia de la figura materna en la génesis de personalidades problemáticas en los hijos, pueden leerse otros libros de este mismo autor como, por ejemplo, Rodríguez, P.

La experiencia de este autor, así como la de diversidad de psicólogos, expertos en cuestiones de Iglesia, teólogos y sacerdotes con los que he analizado este tema, coincide en buena medida con el parecer del doctor Hubertus Mynarek cuando afirma que:

«Las personalidades vitales, biológica y éticamente fuertes, raras veces se quedan en el seminario. Deciden finalmente seguir otra profesión porque rechazan la atmósfera santurrona, amanerada, ungida, o bien autoritaria e intrigante que domina en muchas instituciones dedicadas a la formación de futuros sacerdotes. Pero es precisamente esta atmósfera la que aceptan aquellos jóvenes con extremada unión maternal, sin quejarse por ello, porque, en el fondo, representa como una continuación de la atmósfera hogareña en que han crecido (...) algunas tragedias de sacerdotes tienen sus raíces en esta fijación a la madre. En aquellos casos en los que la madre se siente *llamada* (pero, desgraciadamente, no es un hombre), proyecta su frustrado afán sobre el hijo y lo sujeta a ella hasta que éste ha interiorizado su deseo y, por decisión *propia y libre*, quiere llegar a ser sacerdote[55].

»Algunos seminaristas que me consultaron —añade Mynarek—, me informaron que habían llegado a comprender el mecanismo de la interiorización, pero que no se sintieron lo bastante fuertes para renunciar a todo aquello que se les había dado abundantemente hasta entonces, tanto en lo material

---

(1993). *El drama del menor en España (cómo y por qué los adultos maltratamos a niños y jóvenes)*. Barcelona: Ediciones B.; y Rodríguez, P. (1994). *Tu hijo y las sectas (Guía de prevención y tratamiento para padres, educadores y afectados)*. Madrid: Temas de Hoy.

55. Cfr. Mynarek, H. (1979). *Op. cit.*, pp. 70-71.

como en lo sentimental, en la casa de sus padres, y especialmente por parte de su madre. Y todo aquello se cortaría inmediatamente en cuanto se enfrentaran con el deseo materno.»

De esta manera se han creado cientos de sacerdotes forzados desde su más tierna infancia y obligados, posteriormente, a acatar leyes eclesiásticas inhumanas —como la del celibato— que ni han asumido con madurez, ni pueden compensar desde una *vocación* de la que realmente carecen. Y en parecido caso están el resto de clérigos que adoptaron esta profesión por tener problemas económicos familiares, por no saber negarse a las presiones recibidas mientras cursaban sus estudios en un seminario menor, o porque, tal como se reconoce en el *Diccionario de Teología e Iglesia*, el sacerdocio es un cómodo medio de subsistencia que asegura el futuro material en la vida.

Pensar que todos estos sacerdotes hayan podido llegar a ser personas realizadas con su estado es tan absurdo como creer que un pájaro puede llegar a alcanzar su plenitud viviendo dentro de una jaula. Y, de la misma forma, sólo un ignorante, un ingenuo o un cínico puede llegar a pensar que estas situaciones vitales no perjudicarán el psiquismo de quienes las sufren. Por eso, tal como veremos, las habituales transgresiones de la ley del celibato obligatorio no sólo son lógicas, sino que vienen forzadas por la propia estructura eclesiástica represora.

«A diferencia de otros impulsos en los que el principal placer deriva de su satisfacción —afirma Helen Singer Kaplan, psiquiatra y reconocida autoridad mundial en materia de terapia sexual[56]—, la

56. Cfr. Singer Kaplan, H. (1978). *La nueva terapia sexual*. Barcelona: Alianza Editorial, Vol. I, p. 212.

sexualidad ofrece placer incluso cuando se está acumulando la tensión sexual. Se ha especulado acerca de que la sexualidad goce de una íntima relación con los centros de placer del cerebro. Parece que sólo la estimulación química directa de estas áreas del placer, mediante narcóticos o electricidad, puede rivalizar con la intensidad del placer erótico y producir un ansia similar de satisfacción. No es extraño, pues, que el hombre busque constantemente el placer sexual desde la infancia y no abandone esta búsqueda hasta el momento de la muerte.»

Por otra parte, sigue apuntando la doctora Helen Singer, la educación represora «es una fuente muy importante y muy difundida de los tipos de conflictos que producen alienación y disfunciones sexuales. Una y otra vez las historias clínicas de los pacientes que presentan problemas sexuales revelan que la actitud que prevalecía en su familia durante la infancia era una actitud extremadamente punitiva y moralista. Las familias muy religiosas imbuyen en sus hijos una serie de conflictos sexuales muy graves»[57].

Los efectos patógenos de una educación familiar represora en extremo se arrastran de por vida —salvo que medie una terapia adecuada— y se agravan, obviamente, cuando el sujeto continúa *madurando* en el seno de ambientes igualmente castrantes, especialmente cuando éstos son muy cerrados, excluyentes respecto al otro sexo, y es sumergido en ellos siendo aún muy joven, caso que es bastante frecuente entre los seminaristas.

Aunque no siempre haya una correlación positiva entre la entrada a edad temprana en un semina-

57. Cfr. Singer, H. (1978). *Op. cit.*, p. 216.

rio y la inmadurez afectiva, lo cierto es que en la educación de los futuros sacerdotes no intervienen figuras femeninas, y éstos acaban por temerlas de un modo irracional, por mitificarlas (asimilándolas al mito de la pureza mariana), o por sentirse atraídos hacia ellas de un modo enfermizo debido al halo de misterio con que las conciben desde la distancia física y afectiva.

El sacerdote Javier Garrido se refiere a este aspecto del problema cuando apunta que «es muy importante cómo se ha internalizado la imagen del otro sexo. Es bastante frecuente la dicotomía que vive el varón respecto de la mujer: por un lado, la mujer ideal, pura, maternal; por otro, la mujer-objeto erótico. Consecuencia: desintegración de afectividad y genitalidad, con connotaciones obsesivas. Así como es frecuente, en la mujer de formación tradicional, separar la ternura y el deseo sexual»[58].

Durante los años de formación religiosa se vive inmerso en una absoluta —y potenciada— falta de afecto, e incluso los educadores han visto hasta hace muy poco con sumo recelo las relaciones habituales con los familiares (recomendando u obligando a no abrazar ni besar a la madre, hermanas y demás) y con más recelo aún los contactos amistosos con jóvenes de uno y otro sexo.

El teólogo Giovanni Franzoni, ex abad de la basílica romana de San Pablo Extramuros y uno de los eclesiásticos más influyentes en la Roma de Paulo VI —aunque posteriormente fue suspendido *a divinis* y reducido al estado laical por sus críticas a la Iglesia—, poco después de haberse casado hizo un comentario tan demoledor y doloroso como el siguiente:

58. Cfr. Garrido, J. (1987). *Op. cit.*, p. 102.

«Estoy recuperando la relación con mi madre, muerta hace ya muchos años —explicó Giovanni Franzoni[59]—. Una vez me reprochó que nunca le decía "te quiero". Yo le respondí: "pero es que eso no se dice". Ahora tengo remordimientos y lo entiendo mejor desde que tengo a una mujer a mi lado.»

Como consecuencia del aperturismo del Concilio Vaticano II este tipo de educación represora, culpabilizadora y maniquea, que anulaba los sentimientos en lugar de ayudar a formarlos con madurez, fue desapareciendo de muchos centros de formación religiosa que, además, por lo general, han potenciado que las últimas promociones de sacerdotes hayan mantenido un contacto normalizado con personas del otro sexo. Pero, en la actualidad, debido a la política ultraconservadora reinstaurada por el papa Juan Pablo II —y capitaneada por grupos como el Opus Dei o Comunión y Liberación que, especialmente el primero, han conquistado un poder e influencia inusitados en el seno de la Iglesia—, se está volviendo a las peores costumbres formativas de antaño y de nuevo cobra vigencia aquella clásica norma que rezaba: «entre santa y santo, pared de calicanto».

En este aspecto, cualquier analista religioso serio debe coincidir con el jesuita Álvaro Jiménez cuando afirma que «la formación en los seminarios y en las casas religiosas se ha centrado excesivamente sobre los aspectos académicos, con descuido inexplicable de la formación humana y psicológica de la personalidad»[60].

Sin embargo, este *descuido* puede ser fácilmente

59. Cfr. Arias, J. (1990, mayo 17). El abad benedictino de la basílica de San Pedro Extramuros contrae matrimonio con una japonesa atea. *El País*, p. 29.

60. Cfr. Jiménez, A. (1993). *Op. cit.*, p. 47.

explicable ya que ha servido para formar el tipo de personalidad que más interesaba a la jerarquía católica: personas apocadas, sin asertividad, sumisas hasta el servilismo, controlables sin dificultad alguna, incapaces de tomar decisiones y asumir riesgos, perfectos elementos de rebaño... Y, en todo caso, también debe señalarse que el logro de este tipo de personalidad gris y servil se ha potenciado mucho más en la formación de mujeres religiosas que en la de los hombres.

«En los seminarios —me comentaba el teólogo José Antonio Carmona— la madurez no cuenta para nada. No se apoya la capacidad crítica, sino todo lo contrario. Se machaca al futuro sacerdote con la virtud de la humildad, pero los formadores la confunden con el defecto de la simpleza y presionan en el sentido de que cuanto más infantil se sea más cerca se estará del camino de la *santidad*. Ponen la obediencia como la gran virtud del religioso, pero pervierten su verdadero significado; etimológicamente, obediencia viene de *ob audire*, que significa «el que sabe escuchar», pero en los seminarios no te educan para saber escuchar porque el que escucha se hace crítico, y la jerarquía quiere sacerdotes acríticos e infantiles. Lo terrible es que, como la sotana imprime carácter, esos sacerdotes incapaces convierten sus consejos a los fieles en lamentables actos de prepotencia y soberbia.»

Resulta chocante —aunque clarificador para ver cuán alejada está la Iglesia Católica de los textos dichos sagrados en que pretende ampararse— saber que en el Evangelio jamás aparece el término obediencia como actitud interpersonal dentro de la comunidad de fieles. Su sentido es el de abrirse y saber escuchar la palabra de Dios, cuyo seguimiento conlleva, automáticamente, a la rebelión, a la desobediencia contra la autoridad humana y religiosa. La Iglesia, sin embargo, ha pervertido el término y ha convertido la «santa obediencia» en simple sumisión a la voluntad humana, que no divina, de la cúpula clerical.

La imposición a sacerdotes y religiosos/as de una obediencia irracional y servil —que, afortunadamente, no siempre se logra—, conlleva consecuencias frecuentemente nefastas para la personalidad del clero *obediente*. Formar —amaestrar— para la obediencia supone fijar en el sujeto estructuras de personalidad infantiles que permanecerán de por vida, coartando seriamente el proceso evolutivo de la persona y limitando gravemente sus posibilidades vitales. El culto a la obediencia, por otra parte, va siempre unido, necesariamente, al culto a la personalidad y a los mecanismos de culpabilidad.

La fijación del culto a la personalidad —de la de cualquier figura investida de autoridad pero, en todo caso, en función de su peso específico dentro del organigrama jerárquico del clero que encabeza el Papa— conduce a pautas de idealización infantiles (asociadas a sumisión extrema) y/o a comportamientos serviles y dependientes originados en el temor que infunde toda figura autoritaria, especialmente si, tal como sucede dentro de la Iglesia, ésta viene validada por la presión sociocultural. En este contexto, para muchos sacerdotes y religiosos/as la búsqueda y consecución de la felicidad sólo pasa por su obligación de obedecer, eso es, de convertirse en sujetos mentalmente *castrados*.

La presión ilimitada que se ejerce hacia la consecución de la obediencia, además, desencadena a menudo comportamientos agresivos que, al no poderse materializar contra la autoridad victimizadora, se transforman en hábitos autodestructivos, pues se vuelven contra el propio sujeto. Este sistema patológico cierra su círculo —y se protege a sí mismo— mediante el mecanismo jurídico de la sanción y el neurótico de la culpabilidad. Cualquier desobediencia, aunque sólo sea imaginada o deseada, es reprimida o sancionada —también autorreprimida o autosancionada— por un fuerte sentimiento de culpa (la noción católica de pecado es básica para ello) y/o por el miedo a ser descubierto y sancionado por la jerarquía (con el consiguiente demérito y pérdida de prebendas eclesiales). El sistema clerical queda así siempre a salvo, pero a costa de dañar gravemente la personalidad de sus componentes.

La educación en los seminarios tiende a teñir de negativismo mecanismos psicológicos básicos como el autoconcepto y la autoestima, con lo que se modelan seres humanos descontentos de sí mismos, que se rechazan y desprecian, personas más influenciables, que tienen mayores dificultades para establecer relaciones interpersonales, que son más propensas a las alteraciones emocionales, están abocadas a padecer sentimientos generadores de sufrimiento, tienen más o menos mermadas sus capacidades para madurar correctamente y poder realizarse en su vida, etc.

En el otro extremo, como consecuencia del concepto de sacerdote que se transmite en los seminarios —y que suele ser el de un sujeto adornado por designio divino de una cualidad y misión superiores al del resto de los humanos—, también se crean individuos con complejo de superioridad, afectos a una autoimagen engreída, que son egocéntricos, autoritarios, demagogos, más o menos fanáticos, incapaces de reconocer errores o responsabilidades personales, seres mezquinos e interesados que desprecian a los débiles y adulan a los poderosos, etc. Cualquier conocedor del clero puede darse cuenta de que muchísimos sacerdotes se mueven entre estos dos tipos de personalidad.

Evidentemente, todos estos aspectos reseñados tienden a agravarse cuando, como es habitual, los propios formadores de sacerdotes presentan una personalidad inmadura en el plano afectivo-sexual, son autoritarios y represores, y tienen más conflictos emocionales sin resolver que sus propios pupilos.

Centrándonos ya en el aspecto específico de la ley del celibato obligatorio, hay que decir que su imposición, tal como se hace hasta hoy, suele acarrear una serie de problemas graves y poco menos que insalvables para la maduración de la personalidad del sacerdote. A continuación analizaremos algunos de los aspectos más importantes y lesivos.

En la formación de los sacerdotes, salvo excepciones, se desconoce absolutamente todo lo que se refiere a los aspectos biológicos y psicológicos de la sexualidad, se ignoran también todas las posibles desviaciones y pautas psicopatológicas que se pueden dar en este terreno, y se descontextualiza la afectividad de la esfera integral e integradora de lo sexual, con lo que se impide la posibilidad de acceder a un desarrollo psico-sexual adulto y maduro.

Ésta es la causa, por ejemplo, de la adopción de actitudes propias de ingenuidad adolescente, que se dan a menudo en sacerdotes cuarentones que acaban de descubrir los valores del otro sexo y la pujanza de la atracción sexual. Son manifestaciones que pueden implicar una *adolescencia* retardada y que los propios compañeros del cura implicado suelen vivir con sonrojo y aun calificar de ridículas, pero que no se deben más que a la ignorancia —hasta ese momento— de la riqueza de factores que caracteriza a la esfera afectivo-sexual humana.

«Del seminario recuerdo el sexo como una auténtica obsesión —me comentaba el sacerdote Diamantino García[61]—, en torno a la cual giraban todas las tentaciones, preocupaciones e inquietudes, que a su vez le restaban importancia a asuntos tan básicos como la preocupación por la justicia, la solidaridad o la sensibilidad social. En primer plano siempre estaba el objetivo de procurar ángeles castos, aunque éstos fuesen seres insolidarios e infantiles.

»En el seminario nos han educado fundamentalmente para ser personas castas y célibes, cosa que ha sido contraproducente ya que creaba tanta obsesión y deformación de la conducta afectiva que, en cuanto te veían hablar tres veces con el mismo compañero, ya te acusaban de tener amistades peligrosas; te llamaban los encargados de vigilarnos y te decían que tú tenías una "amistad particular" con un muchacho y que debías ponerle fin. Y tú realmente lo vivías también con auténtica obsesión, con lo que salía muy mal parada la formación de la personalidad y de la esfera afectiva que estaba creciendo en ti.

»La cuestión de la sexualidad, de la que no llegas a conocer nada objetivo en el seminario, acaba por obsesionarte y, cuando te lanzan a ser sacerdote y tienes que buscártelas por ti mismo, no posees la madurez afectiva, humana, ni sexual, como para saber relacionarte de un modo normalizado con las demás personas. Y ésta es la causa de la existencia de sacerdotes muy desequilibrados, agentes de la pastoral muy poco maduros y, desde luego, de cu-

61. En entrevista personal celebrada el día 3-5-94.

ras propensos a convertir las relaciones afectivas y sexuales en atropellos de todo tipo, en excesos sexuales que jamás cometería una persona madura y equilibrada.»

La educación sexual y afectiva en los centros religiosos debería plantearse como algo más normalizado, conforme a la mentalidad actual y mucho más integrado a la personalidad. Hay que dejar de tildar a la sexualidad de malvada y hacer ver a los futuros sacerdotes que lo único malo es estar obsesionado por ella y convertir la búsqueda de afecto y sexo en manía persecutoria o en una auténtica pesadilla. Pero, además, fundamentalmente, lo que hay que hacer es un replanteo mucho más liberador e integrador de la afectividad y del sexo entre los sacerdotes y religiosos/as y, paralelamente, derogar la obligatoriedad del celibato y convertirlo en opcional.

Así mismo, dado que la mayoría del clero ignora el sentido preciso del compromiso de castidad y del celibato, éste se vive como una renuncia dolorosa, como el precio que hay que pagar para poder ser sacerdote o religioso/sa, como una imposición canónica que añade frustración y castración al ministerio sacerdotal o a la vocación religiosa.

La gran mayoría de los sacerdotes que aún se mantienen célibes —no digo castos, ya que la masturbación es un hecho habitual en la práctica totalidad del clero masculino— suelen confundir la sublimación de lo sexual con la falta de actividad genital con una pareja, y eso es un error que se acaba pagando caro, generalmente cuando se llega a la mitad de la vida.

Sublimar, desde el punto de vista psicológico, supone una forma de desplazamiento en el que la energía se desvía hacia un objeto que tiene unos valores ideales; es, por tanto, un mecanismo psicológico complejo —cabría entrar a discutir si es también sano, útil y recomendable— que difícilmente puede abordarse sin tener una personalidad madura y estable y una situación social gratificante, especialmente en lo que hace al ámbito intelectual y a la interacción con el entorno.

Dado que los requisitos anteriores no se dan en la mayoría del clero y que, además, éste naufraga en una crisis institucional caracterizada, entre otras, por la pérdida de referencias y de *ideal*, la máxima *sublimación* que puede lograrse es la simple y pura represión del instinto sexual; un mecanismo defensivo que consiste en rechazar «fuera de la conciencia» todo aquello que resulta doloroso o inaceptable para el sujeto. Se entra así en una situación patógena que, además, no puede mantenerse indefinidamente y acaba por estallar de una manera directa o indirecta. Cruchon, superior jesuita, pone el dedo en la llaga cuando afirma que «para muchos, el voto se confunde más o menos con la obligación de luchar contra el pecado de la carne. Se les ha presentado la castidad como puramente negativa y como una renuncia a todo amor humano profundo. Pero algunos se preguntan si esto agrada a Dios. Algunos tienen miedo de amar, pensando que esto es contrario al voto de castidad. Ven en el amor conyugal solamente el placer de los sentidos. Otros han fundado la castidad sobre el desprecio a las mujeres y no ven que se puede amarlas sino por pasión. Ellas son objeto de tentación y son peligrosas»[62].

De esta manera, el clero llega a identificar amor con acto sexual, de modo que —piensan— debe re-

62. Cfr. Jiménez, A. (1993). *Op. cit.*, pp. 56-57.

nunciarse al amor para guardar la castidad, con lo que su desarrollo afectivo y las vivencias subsidiarias quedan muy mermadas o, simplemente, adoptan pautas psicopatológicas. «Muchos sacerdotes no quieren a nadie, salvo a sí mismos —me explicaba un párroco barcelonés— y, cuando sienten deseos sexuales, esos curas nunca hacen el amor sino que, simplemente, follan; se desahogan con una mujer con tan escaso afecto como cuando se masturban.»

Un número notable de sacerdotes acaba arrastrando importantes problemas psico-sexuales incluso después de haberse secularizado. Algunos, a pesar de haberse casado, continúan viendo la esfera de la sexualidad como algo sucio, pecaminoso y culpabilizador, por lo que tampoco acaban de lograr la plenitud afectiva con sus parejas y, en el mejor de los casos, pasan largos períodos de sesiones de terapia en consultas de psicólogos o psiquiatras.

Como varón sexuado que es, el sacerdote no puede evitar la existencia de impulsos sexuales que pugnan por aflorar y realizarse, y ello, naturalmente, al confrontarse con la prohibición canónica, se convierte en una poderosa fuente de angustia, estrés y neurosis. Una de las vías para intentar obviar esta angustia es mediante el recurso a los mecanismos, casi siempre complementarios, de la negación y de la represión, pero sus consecuencias son siempre nefastas para el equilibrio psíquico, y máxime cuando se dan en perfiles de personalidad inmaduros y problemáticos, casos muy comunes entre el clero.

Al sacerdote lo educan para ser una especie de ente angélico, sin embargo, su biología le desmiente a cada momento y le ancla aún más en una situación de crisis permanente. Pero en la formación de la mentalidad pro angélica no influye sólo la educación maniquea y puritana del seminario o del convento; con frecuencia esta mentalidad ya se había estructurado en el propio hogar familiar, especialmente por acción de un tipo específico de madre que, tal como ya citamos, aparece con claridad y muy a menudo cuando se investiga en profundidad la vida de los sacerdotes más problemáticos.

La pulsión sexual, la atracción hacia el otro sexo y la inseguridad que ello produce en la persona que quiere ser casta desde la inmadurez, también puede llevar al aislamiento emocional como mecanismo defensivo, es decir, a intentar protegerse de cualquier posibilidad de relación interpersonal profunda encerrándose bajo un escudo de frialdad y pose que, no por casualidad, todos hemos podido apreciar en bastantes curas. De este modo, una parte del clero malogra sus posibilidades de llegar a ser personas con capacidad de amar, de comprender, de brindar amistad, de saber estar afectivamente cerca del prójimo... y se convierten en funcionarios sacros fríos, distantes e inútiles para la comunidad en la que viven.

Entre el clero de mediana edad, la práctica del celibato y de la castidad potencia el desarrollo de personalidades más egoístas y estériles para todo y todos, siendo habituales los comportamientos compensatorios que llevan al sacerdote a cultivar en exceso placeres permitidos —comer, fumar o la buena vida en general—, a obsesionarse por hábitos íntimamente alentados por la jerarquía —como acumular riqueza y poder—, o a convertirse en seres autoritarios y egocéntricos que no sirven a nadie salvo a sí mismos.

En este contexto, son frecuentes los casos de sacerdotes que encauzan su desequilibrio psíquico utilizando la religión como plataforma para lograr el beneficio propio, como instrumento para controlar a los demás y abusar de ellos mediante manipulaciones y coacciones que, en general, llevan a la práctica con los creyentes más frágiles y les permiten servirse de éstos para fines personales de tipo económico, sexual o de influencia social.

Muy a menudo los sacerdotes viven de un modo ambiguo la castidad; desean guardarla, pero sueñan y añoran todo aquello a que ésta obliga a renunciar, con lo que se cae en un estado de tensión y de estrés tremendo que, si no se resuelve hacia alguno de los dos extremos, lleva a padecer existencias mediocres y amargadas, a la búsqueda de dinámicas sustitutivas (gula, ansia de poder y/o dinero, etc.) o al establecimiento de lo que entre el clero se define como «amistades pegajosas», relaciones obsequiosas y hasta cierto punto afectivas (abrazos, besos... frecuentes y cordiales) que no se definen hacia ningún lado y que, en caso de enamoramiento no asumido, suelen acabar por dañar al sacerdote y a su pareja (siendo un caso similar, aunque no tan institucionalizado, como la *tercera vía*, que ya citamos en el capítulo 2).

El sacerdote y psicólogo Álvaro Jiménez expone con claridad meridiana este aspecto cuando afirma que «pretender guardar una castidad ambigua sería como aplicar el freno en el último metro de terreno firme antes del abismo, cuando el coche va corriendo a 100 kilómetros por hora; marchar a toda velocidad con el acelerador hundido hasta el fondo (la rama simpática del sistema nervioso autónomo, cuya función es estimulante) y al mismo tiempo apretando el pedal del freno con todas las fuerzas (la rama parasimpática y los controles córtico-cerebrales que inhiben la acción externa). Tal remedo de castidad, la castidad ambigua, es un absurdo psicológico que puede dar origen a mucho estrés y a serios trastornos de personalidad; y es también un absurdo, desde el punto de vista de la espiritualidad, como muestra de profundo egoísmo totalmente opuesto a la entrega generosa que implica la castidad consagrada»[63].

Algunos clérigos propugnan la licitud del erotismo pero descartan totalmente la sexualidad; apuestan por que un sacerdote pueda tener amigas íntimas con las que vivir una relación de «erotismo elevado y sacro», pero sin llegar al uso de la sexualidad genital, y hablan de «amor platónico», de «vivir el ideal de María encarnado en una mujer viva y actual», y ponen como modelo las relaciones mantenidas por personajes históricos como Santa Clara y San Francisco de Asís o por Francisco de Sales y Jeanne-Françoise de Chantal, pero, tal como comenta acertadamente el teólogo Hubertus Mynarek[64], «quien conozca algo la vida y el intercambio epistolar de las dos personas últimamente citadas, le resultará imposible creer que no se produjo entre ellas ningún amor físico».

Dado que, tal como ya mencionamos anteriormente, es imposible para cualquier ser vivo poder acallar las pulsiones sexuales e impedir que se manifiesten mediante alguna de sus formas de expresión —a través de actos físicos o ensoñaciones eróticas—, y vista la educación maniquea y lesiva que ha recibido el común de los sacerdotes, no debe extrañar a nadie que sean tan habituales los casos de clérigos

63. Cfr. Jiménez, A. (1993). *Op. cit.*, pp. 89-90.
64. Cfr. Mynarek, H. (1979). *Op. cit.*, p. 53.

que malviven atenazados por sentimientos de culpabilidad más o menos morbosos.

La culpabilidad es un comportamiento neurótico clásico y muy común dentro de los sistemas de valores que son muy rígidos y/o excluyentes —tal como es el caso de una religión—, y de él pueden derivarse problemas tan lesivos como la pérdida de autoestima, angustia intensa, agresividad, tendencias autodestructivas, neurosis de tipo obsesivo-compulsivas, etc.

Estrechamente relacionada con los sentimientos de culpa está la personalidad masoquista, bastante común entre el clero, aunque habitualmente se la haga pasar por una actitud de *santidad*. Este tipo de neurosis, caracterizada por la tendencia a sentirse culpable y por los anhelos de dependencia, lleva al sujeto a no saber autoadministrarse sus fuerzas psíquicas y, acuciado por un incontrolable deseo de sufrir en aras de una necesidad de autosacrificio que se cree noble y deseable —y la «purificación» lo es y mucho en un ámbito religioso—, acaba por traspasar de modo cotidiano los límites de su seguridad física y psíquica.

En la IV parte de este libro veremos algunos casos de sacerdotes que padecen esta psicopatología y que, en el terreno de lo sexual, sólo son capaces de obtener placer dentro de una rueda que empieza por el alivio sexual/pecado/dolor, y concluye con la catarsis posterior del arrepentimiento/sometimiento a los dogmas y a la institución que dominan su personalidad.

La jerarquía católica y el común de los creyentes se engañan a menudo cuando equiparan el hecho de ser una persona religiosa a ser una persona equilibrada y, por ello, *buena*. En nuestra sociedad existe una presión cultural que fuerza a rechazar la idea de que un sujeto religioso pueda ser una *mala persona*, sin embargo, esta posibilidad es tanto o más real que la atribución —casi siempre gratuita— de *santidad* que habitualmente suponemos en cualquier religioso o creyente. Las razones son diáfanas para todos los que hemos analizado y trabajado casos de religiosos o creyentes con problemas derivados de su inmadurez.

Son muchos los psicólogos notables que advierten de los riesgos que, en un ámbito de religiosidad inmadura e infantilizante, puede correr el proceso de formación de una personalidad. Pero —para evitar suspicacias de anticlericalismo— nos limitaremos a comentar aquí la opinión del sacerdote y psicólogo Álvaro Jiménez, citado con frecuencia en este texto.

«En ningún área de la personalidad se encuentran tantos residuos infantiles como en el aspecto religioso —sostiene Álvaro Jiménez[65]—. Muchas personas cultas, universitarios y profesionales quedan estancados en una religiosidad juvenil, mientras la maduración intelectual, emocional y social se desarrolla de una manera más o menos satisfactoria (...) Hay que conceder que no solamente son frecuentes los casos de religiosidad inmadura, sino que en muchos pacientes se presentan elementos patológicos de carácter religioso (...) Este hecho no es de extrañar, dada la profundidad religiosa en la personalidad humana; la religión, lo mismo que el sexo y la agresividad, por su papel decisivo en la psicología humana, son energías potentísimas, que lo mismo pueden canalizarse para la autorrealización del individuo y el bien de la sociedad, o desviarse para el daño o destrucción propia y ajena.»

Lamentablemente, no sólo una parte del laicado

65. Cfr. Jiménez, A. (1993). *Op. cit.*, pp. 195-196.

católico puede verse reflejado en este retrato, también una porción muy notable del clero vive instalada en un infantilismo religioso que, sumado a todo lo dicho hasta ahora, explica sobradamente sus frecuentes comportamientos reprobables. «La religión inmadura, en el niño o en el adulto —sostiene Álvaro Jiménez[66]—, está impregnada de pensamiento mágico y busca satisfacción de la propia comodidad; la religión inmadura está al servicio de los motivos, las pulsiones y los deseos corporales.»

Una visión como la anterior es completada por Johnson[67] cuando afirma que «un dogmatismo rígido y compulsivo, la intolerancia de quien se cree mejor que los demás, una insaciable necesidad de seguridad, el ritualismo obsesivo, el temor al pecado imperdonable y la dependencia regresiva, son actitudes religiosas inmaduras».

Parece evidente que el sistema de formación de los religiosos —y la propia vivencia de la religión— merece un replanteamiento urgente y profundo en toda su dimensión, y en esta reforma deberá tener un lugar destacado la introducción de una educación positiva de la esfera afectivo-sexual y la derogación de la lesiva ley canónica del celibato obligatorio.

Wilhelm Reich sabía muy bien lo que afirmaba cuando, hace más de cinco décadas, escribió que «la represión sexual sirve a la función de mantener más fácilmente a los seres humanos en un estado de sometimiento, al igual que la castración de potros y toros sirve para asegurarse bestias de carga»[68].

66. Cfr. Jiménez, A. (1993). *Op. cit.*, p. 204.

67. Cfr. Johnson, P.E. (1959). *Psychology of Religion*. Nueva York: Abingdon, p. 96.

68. Cfr. Reich, W. (1974). *La función del orgasmo*. Barcelona: Paidós, p. 177.

cado en que [illegible] en [illegible]
fueron puestas [illegible] notable de [illegible]
[illegible]
[illegible]
[illegible]
[illegible]
[illegible]
[illegible]
[illegible] cuerpo [illegible]

[illegible] como [illegible] agrupada por
[illegible]
[illegible]
[illegible]
[illegible]
[illegible]
[illegible]

Parece [illegible] que [illegible] de [illegible]
[illegible]
[illegible]
[illegible]
[illegible]
[illegible]
[illegible]

[illegible]
[illegible]
[illegible]
[illegible]
[illegible]
[illegible]

(1) [illegible]

(2) [illegible]

6

LOS DERECHOS HUMANOS NO REZAN PARA EL VATICANO: EL RESCRIPTO DE SECULARIZACIÓN Y LA OBLIGACIÓN DE HUMILLARSE PARA PODER VOLVER A SER UNA PERSONA

Hoy día, a nadie puede sorprender ya la afirmación de que la Iglesia Católica, que se autoproclama —inmerecidamente— paladín de la defensa de los derechos humanos en el mundo, sea una institución que no respeta esos mismos derechos de su plantilla laboral, formada —según los últimos datos estadísticos oficiales de la Iglesia (1989)— por 1.366.669 miembros.

La Iglesia Católica, entre otros muchos agravios, mantiene un trato discriminatorio para la mujer —a pesar de que este colectivo representa el 65 % del total de la plantilla de religiosos[69]— y se le impide

69. Para mayor discriminación, la mujer ni tan siquiera merece la calificación de «clero» para la Iglesia. Clero sólo pueden serlo los varones ordenados, el resto sólo llegan a «consagrados». Los consagrados tienen un estatus muy inferior —y de servicio— con respecto al clero.

ejercer los derechos civiles y religiosos que están reconocidos para el resto de la sociedad. Se impide a la totalidad del clero el desarrollo de su vida afectivo-sexual, vulnerando con ello todos los derechos humanos —y mandatos constitucionales— que la convierten en un bien fundamental protegido. Se coartan igualmente otros derechos fundamentales como son la libertad de expresión, de cátedra, de conciencia, etc.

Esta situación, monolítica y abusiva, no admite ningún tipo de cambio en la actualidad, así que, los sacerdotes —y el resto del clero— que no están de acuerdo con este estado de cosas no tienen otra alternativa que salirse de la Iglesia dando un portazo (secularización *de facto*), o intentar iniciar un proceso jurídico de secularización, trámite que debe solicitársele al obispo ordinario y que se resuelve en Roma. Aunque, de todos modos, mientras Paulo VI sí daba salida a las peticiones de secularización de los sacerdotes, Juan Pablo II ha estado siempre cerrado a esta posibilidad y archiva —sin resolver— la práctica totalidad de las demandas que recibe.

Pero, secularizarse, en todo caso, no deja de ser un proceso humillante y degradante para la persona que quiere verse jurídicamente dispensada de todas las cargas inherentes a la ordenación sacerdotal. El trámite lo realiza la Sagrada Congregación para la Doctrina de la Fe (nombre actual del nefasto Tribunal de la Sagrada Inquisición) que, como una «gracia», puede conceder —o no— a un sacerdote su «reducción» al estado laical, sin permitirle opción alguna para poder volver al estado clerical.

Para mayor humillación, el candidato, además, está obligado a firmar una serie de motivos para su secularización (pérdida de la fe, incontinencia sexual, problemas psicológicos graves...) que casi nunca son ciertos, pero que deben aceptarse como prueba de sumisión a la jerarquía.

Paulo VI, en su encíclica *Sacerdotalis Coelibatus* (núms. 83 a 90) califica a los sacerdotes que solicitan su secularización de personas fracasadas e incapaces de juzgar lo que les conviene, y establece el procedimiento —«fuerte y al mismo tiempo misericordioso», «de la máxima discreción y cautela»— a seguir en este supuesto:

«Mientras alguien, en algún caso individual, no pueda ser ganado de nuevo para el sacerdocio pero muestre una voluntad correcta y buena de llevar una vida cristiana como laico —se dice en la encíclica papal—, la Sede Apostólica, situando el amor por encima del dolor y tras un escrupuloso examen de todas las circunstancias y con el asesoramiento del ordinario o de los superiores de la orden correspondiente, concederá la dispensa solicitada. Al hacerlo así, se impondrán algunas obras de piedad y de expiación, para que quede en el hijo desgraciado, pero querido, un signo saludable del dolor maternal de la Iglesia, así como un recuerdo vivo, y porque así lo necesitan todos los actos misericordiosos divinos.»

Con el habitual lenguaje cínico que caracteriza los actos y hechos de la Iglesia Católica, esta encíclica pretende hacer pasar por «dolor de hermano» y «caridad» lo que no es más que un castigo inhumano e inmerecido para todos aquellos sacerdotes que se atreven a dejar de ser sumisos y discrepan de sus obispos y, sobre todo, para todos aquellos clérigos que desean vivir su esfera afectivo-sexual a plena luz del día, respetando a la mujer y con honestidad, rechazando la brutal hipocresía de los obispos que les recomiendan e imponen la obligación de mantener sus relaciones sexuales a escondidas para no tener que dejar de ser sacerdotes.

Dado que los documentos de secularización son secretos y pocas personas, al margen de los propios interesados, han visto alguno, hemos juzgado interesante transcribir textualmente uno de ellos. El siguiente rescripto ha sido traducido de su original en latín, y se han resaltado en cursiva algunos de sus párrafos más reveladores.

> Cádiz y Ceuta.— Sagrada Congregación en defensa de la Doctrina de la Fe (Pro Doctrina Fidei).— Prot. N. 2.643/73.— Excelentísimo Señor, El Señor J.A.C.B., sacerdote de la Diócesis de Cádiz y Ceuta ha pedido la reducción al estado laical con la dispensa de todas las cargas que emanan de las sagradas Órdenes (y de la Profesión Religiosa), sin exceptuar la carga de guardar la ley del sagrado celibato.— El *Santísimo Señor Nuestro Pablo, por la Divina Providencia Papa VI*, el día 1 de Febrero de 1974, teniendo en cuenta el informe del caso emitido por la Sagrada Congregación Pro Doctrina Fidei, *se ha dignado concederla, como una gracia*, de acuerdo con las siguientes Normas:
>
> 1. El Rescripto concede de forma inseparable la *reducción* al estado laical y la dispensa de todas las cargas emanentes de las sagradas Órdenes. Nunca podrán separarse ambos elementos, o aceptar uno y rechazar el otro. Si, además, el peticionario es religioso, se le concede también la dispensa de los votos.
>
> En cuanto sea necesario, *conlleva también la absolución de las posibles censuras contraídas y la legitimación de la prole.*

El Rescripto entra en vigor en el momento en que sea dado a conocer al peticionario por el Prelado pertinente.

2. Si el peticionario es sacerdote diocesano, incardinado fuera de su Diócesis, o religioso, el Ordinario del lugar de la incardinación o el Superior religioso mayor notificarán al Ordinario del lugar la dispensa pontificia, y si fuera necesario, le pedirán que haga llegar el texto de este Rescripto al peticionario, junto con la delegación necesaria para que *pueda contraer matrimonio canónico*. Sin embargo, si las circunstancias así lo aconsejaran, dicho Ordinario recurra a la Sagrada Congregación.

3. En principio *el sacerdote reducido al estado laical* y dispensado de las cargas unidas al sacerdocio, y a fortiori, *el sacerdote unido en matrimonio, ha de ausentarse de los lugares en los que sea conocido su estado sacerdotal*. El Ordinario del lugar puede dispensar de esta cláusula si no prevé que la presencia del peticionario pueda ser motivo de escándalo.

4. En cuanto a la *celebración del matrimonio canónico, cuide el Ordinario que se celebre sin pompa, ni aparato, y delante de un sacerdote (bien probado) de confianza para el obispo, y sin testigos, o si fuera necesario, con dos testigos, cuya acta se conserve en el archivo secreto de la Curia.*

Al Ordinario del lugar corresponde determinar el modo de la dispensa. Y *si la celebración del matrimonio ha de ser secreta o pueda ser comunicada, con las precauciones necesarias, a los amigos y allegados, con el fin de salvar la buena fama del peticionario y para que pueda gozar de los derechos, económico-sociales, emanados de su nueva condición de seglar y casado.*

5. Se ha de anotar en el libro de bautismos de la parroquia, tanto del peticionario como de la cónyuge; pero se ha de consultar al Ordinario cuando se haya de examinar los documentos.

6. El Ordinario, al cual se refiere este Documento, ha de hablar con el peticionario, y lo ha de exhortar a que lleve una vida de acuerdo con su nueva condición, contribuyendo a la edificación del Pueblo de Dios, y a que se muestre amantísimo hijo de la Iglesia. Y a su vez le notifique lo que *le está prohibido*:

a) *ejercer cualquier función de las sagradas Órdenes*, excepto las que se contemplan en los cánones 882 y 892, par 2 [y que se refieren a la obligación que en conciencia tiene cualquier sacerdote —y el secularizado lo sigue siendo— de administrar la penitencia, en caso de necesidad, a un moribundo];

b) *participar en cualquier celebración litúrgica ante el pueblo, que conozca su condición, y que nunca pueda predicar la homilía*;

c) *actuar de Rector, Director Espiritual, Profesor... en los seminarios, Facultades Teológicas... y similares Instituciones*;

e) igualmente *no puede ejercer como director de una Escuela Católica, ni de profesor de Religión, etc.* Sin embargo, el Ordinario, bajo su prudente criterio, puede en casos particulares permitir que un sacerdote, reducido al estado laical y dispensado de las cargas inherentes a la sagrada ordenación, *pueda enseñar Religión en escuelas públicas, no excluidas las escuelas católicas, siempre que no sea causa de escándalo.*

Finalmente, el Ordinario *imponga al peticionario una obra de piedad o de caridad.* Y en el tiempo lo más breve posible envíe a la Sagrada Congregación la notificación de que se ha llevado a cabo lo mandado. *Y si lo exigiera la estupefacción de los fieles, déles una prudente explicación.*— Sin que pueda obstar nada en contra. S. C. pro Doctrina Fidei, a 1 de Febrero de 1974. Firma y sello.

Este documento, absolutamente inapelable por el sacerdote al que se dirige, es suficientemente elocuente por sí mismo pero, en todo caso, deja patente que el sacerdote, al ser *reducido al estado laical* (siempre muy inferior al clerical a ojos del conjunto del clero católico), está sufriendo un proceso de degradación social y personal en toda regla; pasa a ser una especie de apestado peligroso que hay que esconder y «en principio» forzar al destierro.

El matrimonio canónico de un sacerdote secularizado, aunque autorizado por el propio Papa, debe celebrarse en condiciones clandestinas —mientras que el mismísimo Evangelio llama al regocijo general en estos casos—, no vaya a ser que algún que otro cura oprimido por la ley del celibato tome su ejemplo... y que las feligresas dejen de acostarse con esos sacerdotes *célibes* si no se animan a formalizar sus relaciones ocultas, tal como lo ha hecho el cura recién casado.

Al sacerdote secularizado, que se supone que debe estar bien formado en materia de liturgia y religión, se le prohíbe participar públicamente en actos litúrgicos en los que cualquier laico puede hacerlo y, por supuesto, se le impide enseñar religión que es la única cualificación y posibilidad profesional que, en principio, puede tener un sacerdote que abandona su ministerio; una estrategia que, como lo deja en la calle, sin nada, y sin futuro, hace que muchos sacerdotes antepongan su panza a su conciencia cuando piensan en la secularización.

El supuesto rasgo de *humanidad* que muestra el rescripto al permitir la excepción de que «en casos particulares» se permita trabajar en la docencia a curas secularizados tiene una penosa trastienda: quienes lo hacen —siempre porque no han logrado otro tipo de trabajo mejor— dependen de su silencio y sumisión hacia el obispo para conservar su precario empleo. Durante la investigación básica llevada a cabo para escribir este libro me he encontrado con muchos profesores de religión que no se han atrevido a firmar las acusaciones que me hacían contra los obispos y la institución porque sabían que serían despedidos fulminantemente de sus puestos docentes si hacían pública su actitud crítica hacia la Iglesia.

«Mi caso debo silenciarlo por motivos de tipo práctico —me rogaba el sacerdote casado J.A.F.—, yo estoy dando clases de religión y como, desgraciadamente, los hombres a veces somos vengativos, el hecho de que yo pueda airear y contar cosas puede hacer que el obispo diga: "tú estás dando clases de religión con nuestra ayuda y benevolencia y ahora te pones a decir cosas..." La venganza puede venir en cualquier momento por ahí. De momento yo aún dependo de un sueldo como profesor de religión, y hasta que no consiga ganarme la vida de otro modo tengo que permanecer con la boca bien cerrada.»

El proceso que tiene que sufrir un sacerdote para acceder a su secularización lo resume con claridad Ramón Alario Sánchez, presidente del Movimiento pro Celibato Opcional, cuando señala que «en el fenómeno de los curas casados en el occidente católico —con o sin papeles, con permiso canónico o con rescripto negativo— se hace ostentosa en forma llamativa la violación de una serie de derechos»[70], y describe la situación como sigue:

«Tremendas dosis de oscurantismo y clandestinidad: lo que para cualquier otra persona es motivo de alegría, expresión y comunicación, es vivido en ocultamiento y sigilo clandestino. Cuántas libertades quedan relegadas y pisoteadas en un proceso como éste. Cuánto tapujo y mentira obligados.

»En caso de decidir la salida "legal", el procedimiento para obtener la secularización —el permiso— puede ser analizado como un ejemplo difícilmente superable de aplastamiento personal: presunción de culpabilidad, interrogatorio humillante, mentiras sutilmente aconsejadas, juicio encubierto con culpable sumiso y resignado a lo que sea para obtener los papeles. Y en caso de aventurarse por las sendas de la "irregularidad", la situación no es más halagüeña: pasas a cargar con una doble rebeldía, rompes una relación legalizada con la institución; los más radicales se tranquilizarían endosándote una excomunión.

»Después del proceso, lo normal y habitual es que te encuentres de golpe "en la calle y con lo puesto". Los años de trabajo a tiempo pleno, la dedicación total y sin condiciones, quedan recompensados, en algunos casos, con un "que Dios te ayude"; en otros, ni siquiera con esta limosna eufemística. ¿Dónde quedan el derecho a una seguridad,

70. Cfr. Alario Sánchez, R. (1989). Intervención del MOCEOP en el IX Congreso de Teología en torno al tema «Iglesia y derechos humanos». *Tiempo de Hablar* (41), p. 23.

a un despido digno, a una jubilación apropiada en ciertos casos?[71]

»Quien haya estudiado detenidamente el rescripto de secularización podrá constatar con nosotros el autoritarismo paternalista que condena al solicitante —"reducido al estado laical"— a una situación sublaical: le quedan vetadas hasta las tareas y cometidos que puede realizar cualquier creyente... Esto sí, para amonestarle finalmente sobre la importancia de que siga siendo miembro fiel de la Iglesia.»

71. En España, desde hace años, la Asociación COSARESE (Colectivo de Sacerdotes y Religiosos Secularizados) intenta llegar a un acuerdo con la Iglesia y la Administración para solucionar la situación de unas 15.000 personas, secularizadas, que no pueden acceder a la pensión de jubilación por no haber cotizado suficientemente a la Seguridad Social mientras estaban trabajando para la institución católica. El conflicto parece aún lejos de solución —mientras que en otros países europeos se resolvió fácilmente— debido, en gran parte, a las continuas zancadillas que le pone la propia Iglesia Católica al proceso negociador. A la Iglesia, que detesta a los *desertores*, le interesa más que el proceso de secularización siga estando penado económicamente.

7

LA JERARQUÍA CATÓLICA CALLA Y ENCUBRE LA HABITUAL ACTIVIDAD SEXUAL DE SUS SACERDOTES

Del comportamiento hipócrita que caracteriza la actividad pública del episcopado católico, destaca el férreo encubrimiento de las actividades sexuales del clero y, en lógica asociación, la prácticamente inexistente aplicación de sanciones a los sacerdotes que trasgreden la obligación canónica de guardar el celibato y la castidad.

A pesar de que el Código de Derecho Canónico (canon 132.1) tipifica como sacrilegio todo acto de un sacerdote que atente contra su castidad, y ordena penas que van desde la amonestación, en casos leves, hasta la suspensión *a divinis* (expulsión) en los casos graves, el número de clérigos sancionados oficialmente es prácticamente nulo.

El patente y patético incumplimiento del ordenamiento jurídico por parte de la propia jerarquía eclesiástica tiene un claro fundamento implícito: si aplicara la ley canónica vigente a todos los sacerdotes sacrílegos —según la Iglesia los define—, tendría que expulsar del ejercicio ministerial a la inmensa mayoría de ellos —ya mencionamos que un 60 % de los curas en activo mantienen relaciones sexuales y un 95 % se masturban—, y debería cerrar sus templos por falta de personal, con la consiguiente y grave pérdida de fieles y de ingresos económicos.

«El encubrimiento de los obispos —sostiene el sacerdote Diamantino García[72]— existe por corporativismo. Es una postura comprensible, aunque no justificable, intentar salvar la institución cuando es manchada por un escándalo sexual, e intentar salvar al sacerdote en cuanto a tal, para recuperarlo y mantenerlo como cura, ya que cada vez es más escaso su número al servicio de la Iglesia.

»Se encubre sobre todo para salvar el prestigio de la institución, de la empresa. Pero, de todos modos, a mí me parece que el sacerdote debe asumir sus responsabilidades como cualquier otro ciudadano, no puede haber trato de privilegio con los posibles delitos que pueda cometer un sacerdote, y creo que el mejor servicio que un obispo o un superior religioso le puede prestar a la causa de la verdad evangélica es, precisamente, que nunca utilice el trato de favor para proteger a un sacerdote que haya delinquido.

»La jerarquía debería concienciar al clero para que cada uno asuma la propia responsabilidad de sus actos y, obviamente, debe facilitar la acción de la justicia con imparcialidad exquisita. La verdad nos hará libres —se dice en el Evangelio—, y la verdad sobre nuestros sacerdotes tiene que ser de la misma categoría que la que obliga al resto de los ciudadanos. Pero tengo la impresión de que la Iglesia, como institu-

72. En entrevista personal celebrada el día 3-5-94.

ción, sale demasiado rápidamente a proteger, privilegiar y rescatar a los sacerdotes acusados de escándalos sexuales, tanto haciendo imprudentes declaraciones públicas como facilitándoles para sus defensas a caros y poderosos abogados —que suelen ser católicos practicantes—, y con ello se da un pésimo ejemplo a la sociedad.»

Siendo acertada esta apreciación del padre Diamantino García, también debe puntualizarse que los escándalos sexuales públicos a que se refiere apenas representan un 0,1 % de las prácticas sexuales reales del clero, que la Iglesia oculta celosamente el 99,9 % restante, y que, además de salir en imprudente defensa de los casos públicos, evita imponer la sanción canónica correspondiente (expulsión) retrasándola durante años aún en caso de tratarse de curas ya condenados mediante sentencia judicial por un tribunal ordinario.

En los casos en que las relaciones sexuales de un sacerdote empiezan a trascender entre su comunidad, los obispos reaccionan trasladándole a otra parroquia que, en función de la gravedad y publicidad del caso y de la notoriedad de los implicados, puede estar situada en la misma ciudad (si es grande), en la misma diócesis, aunque más o menos alejada de la parroquia de procedencia, o en otra diócesis en cualquier parte —alejada— del país o del extranjero (habitualmente Latinoamérica o África).

En capítulos próximos veremos con detalle algunos casos personales de sacerdotes que, a pesar de haber sido pillados *in fraganti* durante el curso de sus escarceos sexuales, no fueron expulsados del sacerdocio sino que, por el contrario, han sido trasladados, ocultados y protegidos. La pauta habitual del comportamiento clerical la dan historias como la de

Francisco Andreo, enviado a Kenia por el cardenal Narcís Jubany Arnau; Bartolomé Roselló, trasladado de Ibiza a Alicante por el obispo Manuel Ureña Pastor; Gonzalo Martín, traspasado de Toledo a Málaga por el cardenal Marcelo González Martín, etc.

El máximo castigo que recibe un sacerdote muy reincidente en lo que el clero llama «líos de faldas», es una serie de traslados sucesivos de parroquias grandes —y buenas por sus ingresos económicos— a otras cada vez más pequeñas y menos rentables. Éste es el caso, por ejemplo, del sacerdote Miguel S.P. que, a sus 58 años —ahora tiene 68—, fue *desterrado* como párroco a un pueblecito del interior de 320 habitantes; procedía de la parroquia de un pueblo montañés de 729 habitantes, al que había sido trasladado desde una villa costera de 2.949 habitantes, a la que previamente había llegado rebotado desde varias parroquias de una gran ciudad. Todos sus traslados han sido motivados por haber mantenido relaciones sexuales con mujeres de las respectivas parroquias por las que pasó.

Cuando un sacerdote se enamora —no digamos ya cuando gusta procurarse puros y simples alivios sexuales—, la praxis eclesiástica se limita a ordenar cortar la relación afectivo-sexual y a cambiar al sacerdote de destino y/o lugar de residencia... además de recomendarle, claro está, la práctica piadosa de «todos los medios ascéticos que tradicionalmente han apoyado el celibato: mortificación de los sentidos, modestia, distancia de la relación heterosexual y pudor»[73].

Pero el verdadero fondo de la cuestión no se re-

73. Cfr. Garrido, J. (1987). *Op. cit.*, p. 197.

suelve enviando a un sacerdote lejos de su amada, sino replanteándose en serio la calidad de su vocación sacerdotal, que hoy por hoy obliga a la castidad y al celibato. En el otro extremo de una diócesis, o del país, estos sacerdotes suelen reincidir una y otra vez en las relaciones afectivo-sexuales con sucesivas mujeres (o con hombres o con menores, según sea el caso). Cubrir las apariencias públicas jamás soluciona el conflicto emocional del sacerdote y perjudica a muchas mujeres (y hombres o menores), aunque, eso sí, beneficia a la jerarquía, que es lo único que parece importar.

El sacerdote alemán Heinz-Jurgen Vogels, miembro destacado de la Federación Internacional de Sacerdotes Católicos Casados, expresa lo que todo el mundo ya sabe cuando afirma que «las respuestas de los curas en ejercicio han revelado el malestar que muchos de ellos sienten ante la obligación del celibato —normalmente mal observada— y ante el rigor que los obispos aplican en el momento en que un cura les expresa su miseria o bien su deseo de casarse. Se le suspende repentinamente, mientras se tolera una relación clandestina. Justamente esta desproporción entre la indulgencia de los obispos para con los curas "concubinos", y su rigor con los que honestamente confiesan tener una mujer, ha provocado [en Alemania] la fundación de una Iniciativa de Mujeres Afectadas por el Celibato, que incluye a unas 200 mujeres que mantienen relaciones con curas en ejercicio»[74].

El encubrimiento a ultranza de los hábitos sexuales de los sacerdotes, la permisividad mostrada

74. Cfr. *Tiempo de Hablar* (41), octubre-diciembre de 1989, p. 27.

con los curas *concubinos*, y el rigor con que se presiona a los curas que desean mantener relaciones claras y honestas con una mujer, obedece a las consignas de la cúpula vaticana que, tal como ya hemos documentado en capítulos anteriores, necesita mantener la ley del celibato obligatorio como medio de control, pero no se puede permitir perder a todos los sacerdotes (60 %) que la infringen y, al mismo tiempo, precisa desesperadamente frenar el incremento —y el ejemplo— de los sacerdotes que dejan la Iglesia para casarse y/o convivir abiertamente con una mujer.

Aunque tanto en España como en el resto del mundo existe una minoría de obispos que, privadamente, repudian el comportamiento que acabamos de describir, ellos mismos lo practican y fomentan públicamente por servilismo a las directrices vaticanas y, básicamente, por cobardía, por miedo a perder algunas de sus prebendas episcopales y a truncar su futura carrera eclesiástica.

La servidumbre que el episcopado actual (mundial) le debe al Papa y a los 158 miembros del Colegio Cardenalicio se explica fácilmente si tenemos en cuenta que la jerarquía católica cuando nombra a un obispo, o a un cardenal, no lo hace en función de su talla humana, intelectual, teológica o pastoral, ni, mucho menos, por su compromiso social; antes al contrario, los sacerdotes promocionados a la prelatura son aquellos que ofrecen más garantía eclesiástica, es decir, los más conservadores y disciplinados seguidores de las directrices vaticanas y, por ello, defensores a ultranza de la organización clerical actual. Y lo mismo reza para la elección de rectores y formadores en los seminarios, o para los profesores de teología que son elegidos para ocupar cátedras clave.

Para muchos sacerdotes una de las raíces del problema que estamos tratando es la escasa cualificación de buena parte del episcopado actual; en este sentido, sacerdotes como Ramón V., por ejemplo, denuncian la situación con claridad meridiana al afirmar que «un obispo tiene que ser pastor y teólogo, pero actualmente prevalecen los canonistas [simples aplicadores de las leyes eclesiásticas], cuya formación teológica y capacidad de reflexión son muy deficientes —al tiempo que se ha silenciado a los teólogos que sí saben, mediante documentos como la *Veritatis Splendor*—, y que acaparan de forma totalitaria la función pastoral»[75].

Sea por los motivos aludidos hasta aquí, o por cualesquiera otros, lo cierto es que el habitual comportamiento hipócrita del episcopado le resta toda autoridad moral a sus frecuentes y duras críticas a la sociedad civil, así como también a sus injerencias en las vidas y conciencias privadas.

Cuando los obispos, tal como se muestra a lo largo de todo este libro, aceptan que la mayoría de sus sacerdotes mantengan relaciones sexuales clandestinas, encubren los abusos sexuales a menores, o recomiendan —y fuerzan— a los curas que abandonen a las mujeres que han embarazado, que las hagan abortar y/o entregar a su hijo «a las monjas», y

75. Completa esta corriente de opinión lo expresado por el teólogo Hubertus Mynarek al afirmar que «en general y dentro de los círculos de opinión eclesiásticos, los profesores de derecho canónico son considerados como quienes tratan los problemas sexuales de un modo mucho más brutal y desconsiderado que los profesores de teología moral, viendo además la sexualidad como algo aislado, que se contempla a través de los cristales de los párrafos del derecho canónico, sin la menor consideración para con sus características personales y humanas globales». Cfr. Mynarek, H. (1979). *Op. cit.*, p. 87.

que huyan de las responsabilidades de su paternidad, ¿qué valor pueden tener sus recomendaciones *pastorales* a una sociedad civil que, al menos en el ámbito afectivo-sexual, puede darles sobradas lecciones de honradez?

Dicho lo anterior, también es justo señalar que una parte notable de los sacerdotes ordenados —el 20 % de secularizados que ya citamos en el capítulo 2— ha mostrado más coraje y decencia que sus obispos y se ha negado a seguir lamentables e hipócritas consejos, dados, eso sí, «en bien de la Iglesia».

De todas maneras, tampoco sería justo ni exacto cargar las tintas sobre los sacerdotes de base y mantener al margen de las prácticas sexuales a los obispos actuales. Muchos prelados católicos también mantienen o han mantenido —pensemos en la avanzada edad de la mayoría de ellos— relaciones sexuales con mujeres o con hombres.

Los obispos, antes que nada, son varones y sacerdotes, y en el terreno sexual no se comportan de forma diferente a lo dicho hasta aquí.

Los obispos castos, simplemente, no existen; aunque también es cierto que sus prácticas sexuales —tanto las anteriores como las posteriores a su acceso al cargo episcopal—, por su misma posición de privilegio eclesial, social y económico, pasan infinitamente más desapercibidas que las de sus sacerdotes. En todo caso, algunos escándalos recientes protagonizados por prelados dan la medida de la realidad que se pretende esconder.

Así, por ejemplo, las acusaciones de homosexualidad de que fue víctima Rudolf Bär, de 64 años, obispo de Rotterdam, provenientes de los sectores más conservadores de la Iglesia Católica holandesa, forzaron la dimisión de su cargo del prelado más popular, abierto y dialogante de Holanda[76].

Otro prelado muy popular, Eamonn Casey, de 65 años, obispo de Galway (Irlanda), también tuvo que dimitir cuando se supo que pasaba dinero en concepto de manutención al hijo que había tenido, siendo ya obispo, con una ciudadana norteamericana[77].

En Canadá, Hubert Patrick O'Connor, de 62 años, obispo de Prince George, fue procesado bajo la acusación de haber violado a dos mujeres y agredido sexualmente a otras tres mientras ejercía su ministerio como sacerdote y era director de un colegio católico[78]. La muerte por infarto del prestigioso cardenal francés Jean Danielou, mientras estaba en íntima *comunión* con una despampanante cabaretera en el apartamento de ésta; la dimisión de Alphonsus Penney, arzobispo de San Juan de Terranova (Canadá), por haber encubierto los abusos homosexuales cometidos contra menores por más de veinte sacerdotes de su diócesis; y tantos otros casos similares, ponen al descubierto que la jerarquía de la Iglesia Católica mantiene casi tanto protagonismo al participar en las prácticas sexuales como en el encubrimiento de las mismas.

Pero los obispos no están solos, ni mucho menos, cuando se trata de encubrir y proteger al clero que protagoniza estos escándalos sexuales.

76. Cfr. Ferrer, I. (1993, marzo 18). El obispo más popular de Holanda renuncia al cargo tras ser acusado de homosexual. *El País*.

77. Cfr. González, E. (1992, mayo 9). Dimite el obispo más popular de Irlanda al conocerse que tenía un hijo en EE UU. *El País*.

78. Cfr. EFE (1991, febrero 7). Un obispo católico canadiense, acusado de violación y obscenidad. *El País*.

En la estructura judicial, algunos fiscales y, mayormente, magistrados, se han ocupado —y aún siguen prendidos de tan loable afán— de apurar los límites protectores de la presunción de inocencia para absolver a clérigos libidinosos por «falta de pruebas». Más adelante, en otros capítulos, estudiaremos con detalle varios casos importantes que demuestran lo que afirmamos.

En bastantes provincias españolas —obviamente en las más conservadoras y en las que aún se mantiene la influencia social del clericalismo— resulta prácticamente imposible que los abusos sexuales de un cura acaben ante un juzgado. La razón de ello es doble: la gente sencilla —habituales víctimas sexuales del clero— sigue teniendo miedo al poder de la Iglesia y no se atreve a denunciar a sus ministros, y, en caso de hacerlo, una parte notable de la misma sociedad suele fustigar y marginar al denunciante/víctima mientras loa histéricamente las presuntas virtudes del sacerdote encausado; y los tribunales acaban dando más credibilidad a la negación —en algunos casos patética— del sacerdote, que al testimonio de una víctima o de una docena de ellas.

La losa de silencio que pesa sobre el tema del celibato y de las relaciones afectivo-sexuales del clero la explicitó muy claramente Elías Yanes Álvarez, presidente de la Conferencia Episcopal Española, cuando este autor le requirió para dar su punto de vista —y los datos concretos de que disponía la Iglesia— sobre todos los aspectos tratados en este libro.

En mi cuestionario de nueve preguntas —claras, concretas y, por supuesto, comprometidas— le insistía a monseñor Elías Yanes en la importancia de incluir la visión oficial de la Iglesia en este trabajo y dejaba a su conveniencia la extensión de sus declaraciones y datos[79]. Pero, por toda respuesta, el máximo representante de la Iglesia española me remitió la carta siguiente:

Estimado señor:

Acuso recibo de su carta enviada por fax el pasado día 20 de junio. Por el mismo medio le remito mi contestación.

Siento mucho no poder responder a las cuestiones que me plantea, que no se pueden despachar con ligereza o superficialidad. Cumplimentarlas, sin embargo, exigiría un tiempo del que carezco, como consecuencia de mis obligaciones pastorales como Arzobispo de Zaragoza, a las que se suman las que se derivan de mi condición de Presidente de la Conferencia Episcopal Española.

Los datos de carácter doctrinal que usted busca están en los documentos de la Iglesia sobre el tema. Los de carácter estadístico, en los correspondientes anuarios y estadísticas especializadas. (1)

Reciba mi saludo cordial.

Elías Yanes Álvarez
Arzobispo de Zaragoza
Presidente de la Conferencia
Episcopal Española.

(1) Los datos no publicados no los conozco.

Cualquiera que sepa leer entre líneas el siempre sinuoso lenguaje episcopal, habrá adivinado ya el

79. «En aras de un trabajo, serio, riguroso, documentado y contrastado —le exponía en un párrafo de mi carta, fechada el 20-6-94—, le ruego dé cumplimiento a este cuestionario de la forma más extensa y detallada posible. Sus respuestas serán incluidas textualmente en los capítulos oportunos del libro y/o (en caso de ser demasiado extensas) en un solo capítulo específico.»

mensaje implícito que conlleva esta respuesta: «el tema es demasiado delicado como para que a mí me pille el toro de mis colegas conservadores, léase lo que han establecido Paulo VI y Juan Pablo II, que su papel es de ley y no hace comprometer a este pobre obispo; como oficialmente no sabemos nada de lo que a usted le interesa, repase nuestras estadísticas oficiales para convencerse de que la Iglesia no sabe nada oficialmente; y de los datos no publicados —de esos que con tanto secreto hablamos algunos de nosotros en reuniones íntimas—, ni idea, oiga usted. Y, dicho sea de paso y con cristiano respeto, ¡métase usted en sus asuntos y deje en paz la bragueta del clero y este montaje que tenemos organizado con lo del celibato obligatorio!».

Esta *traducción* no es literal, evidentemente, pero es exacta, tal como me lo ratificó un miembro de la Conferencia Episcopal, a quien comenté el caso, después de leer la singular respuesta de Elías Yanes. «Como sacerdote que soy —me confió el prelado, bajo demanda de confidencialidad— y como seguidor del Evangelio de Cristo, me avergüenzo de casi todo lo que tenemos que hacer y decir como obispos.»

A los prelados les horroriza oír hablar de los problemas del celibato obligatorio, de los curas casados y de las relaciones sexuales del clero. Prefieren seguir escondiendo la cabeza bajo el ala, mantener la estructura clerical actual, por errónea y lesiva que ésta sea, y proteger y encubrir la agitada vida sexual del 60 % de sus sacerdotes que, si bien no son ángeles, tampoco son demonios. Se limitan a ser varones, y a comportarse como tales.

PARTE II

SACERDOTES QUE ABUSAN SEXUALMENTE DE MENORES

«... y al que escandalizare a uno de estos pequeñuelos que creen en mí, más le valiera que le colgaran al cuello una piedra de molino de asno y le hundieran en el fondo del mar. ¡Ay del mundo por los escándalos! Porque no puede menos de haber escándalos; pero ¡ay de aquél por quien viniere el escándalo!»

Mt 18,6-7.

8

LA *TRADICIÓN* ECLESIAL DEL ABUSO SEXUAL A MENORES

A lo largo de toda mi vida, jamás he encontrado a nadie que haya estudiado en un colegio religioso y que no haya visto, oído o sufrido abusos sexuales por parte de algún sacerdote. Cualquier alumno de internado de esos colegios recuerda —ayer como hoy— las clásicas *reconvenciones* que algunos sacerdotes gustaban hacer a los niños más traviesos y guapitos, y que no tenían otra finalidad que la de servir de excusa para sobar a modo al menor.

Pero, con frecuencia, estas *reconvenciones* pasaban a mayores y se llegaba hasta la relación sexual más o menos completa. Jaime C.G., por ejemplo, es uno de los chavales del que se han servido para satisfacer su apetito sexual don Rufino y don Juan Carlos, dos sacerdotes salesianos de un popular barrio barcelonés. Jaime, que era sodomizado en el coro del propio colegio, acabó sin embargo, por sacarle partido a su situación y, junto con su colega B.G.M., ha estado chantajeando a ambos curas y sacándoles importantes cantidades de dinero hasta que, hace unos cinco años, acabaron todos en una comisaría por agresiones mutuas.

La experiencia de Marta A., joven periodista en la actualidad, fue muy diferente, pero expone otra práctica común entre el clero docente. Marta asistió a un colegio coruñés cuya jefa de estudios era Mercedes Morandeira —numeraria del Opus Dei— y el director espiritual y profesor de religión era el padre José Manuel, apodado el Pitoniso porque presionaba a las niñas para que *pitasen*, término con el que se designa, en el Opus Dei, el compromiso de afiliación a la Obra que hace un menor.

«El Pitoniso era extraordinariamente baboso. A algunas niñas [de 13 años] nos convencía —o forzaba— para ponernos un cilicio cruzado en el vientre, y luego nos hacía desnudar para comprobar —mirando y tocando— si habían quedado marcas de los ganchos en la piel. En las confesiones nos obligaba a estar frente a él, en la parte de los hombres, que no tiene rejilla separadora, y nos cogía de los hombros para mantenernos muy arrimadas a él. Era muy desagradable, pero había que aguantarse.»

Anécdotas como éstas —y otros casos que irán apareciendo en el resto del libro— ilustran un comportamiento clerical que resulta terriblemente frecuente: del total de la población española que ha sufrido abusos sexuales siendo menor de edad ¡el 9 % de los abusos sexuales cometidos sobre varones, y el 1 % de los sufridos por mujeres, han tenido como protagonista a un sacerdote!

Félix López Sánchez, catedrático de Psicología de la Sexualidad de la Universidad de Salamanca, en un reciente estudio[80], aporta una serie de importan-

80. Cfr. López, F. (1994). *Abusos sexuales a menores. Lo*

tísimos datos que, entre otros aspectos, permiten cuantificar, por primera vez, los abusos sexuales a menores cometidos por el clero.

Del total de la población española, según el citado estudio, un promedio del 19 % ha sufrido abusos sexuales (el 15,25 % de los varones y el 22,54 % de las mujeres). Y, del total de abusos, el protagonista ha sido un religioso en el 8,96 % de los casos de varones (y en el 0,99 % de los de mujeres), y el escenario un colegio abierto (8,96 % de varones, 0,99 % de mujeres) o, en menor medida, un internado (3,73 % de varones, 0 % de mujeres). El 5,69 % de los abusos de los religiosos se han producido en el medio urbano, y sólo un 1,6 % en el medio rural.

Las actividades sexuales realizadas en colegios abiertos son: caricias por debajo de la cintura (50 %), caricias por encima de la cintura (42,86 %) y masturbación (7,14 %). En los internados: caricias por debajo de la cintura (60 %), intento de coito anal (20 %) y proposición de actividad sexual (20 %). Resulta evidente, pues, que cuanto mayor es la intimidad y la confianza —internado—, más audaz resulta el tipo de abuso sexual detectado.

Por orden de preferencias, los sacerdotes han cometido el siguiente tipo de abusos a menores: caricias por debajo de la cintura (50 %), caricias por encima de la cintura (28,57 %), proposiciones de coito (7,14 %) y sexo oral (7,14 %).

Los abusos sexuales cometidos por los sacerdotes provocan en los menores los siguientes sentimientos, en escala decreciente: desconfianza (71,43 %); asco

---

que recuerdan de mayores. Madrid: Ministerio de Asuntos Sociales. La investigación se basa en las entrevistas realizadas a 2.100 personas estadísticamente representativas del conjunto de la población española.

(57,14 %); vergüenza (35,71 %); hostilidad hacia el agresor (28,57 %); miedo (21,43 %); ansiedad, angustia y desasosiego (21,43 %); marginación, ser especial (14,29 %); hostilidad hacia la propia familia (7,14 %); culpa (4,14 %); agrado, satisfacción (4,14 %).

Y las consecuencias psicológicas más destacadas después de sufrir el abuso sexual de un sacerdote son: pérdida de confianza en sí mismo y en el agresor (28,57 %); rechazo frente a la sexualidad o el sexo —varón— del agresor (21,43 %); pérdida de atención en clase (15,38 %); efectos diversos (14,29 %); dormir mal y tener pesadillas (7,14 %). Curiosamente, ninguno de los encuestados abandonó el colegio donde sufrió el abuso, lo cual ratifica que la inmensa mayoría de los abusos sexuales sufridos por los menores no se explican a los padres y, en caso de hacerlo, no son adecuadamente valorados ni creídos.

Si aplicamos los porcentajes hallados por el catedrático Félix López a la estructura de población actual, obtendremos que 2.917.630 varones y 4.478.022 mujeres actuales han sufrido algún tipo de abuso sexual mientras eran menores de edad. Y, de ese total, son atribuibles a la acción de sacerdotes 262.587 abusos sexuales a menores varones y 44.780 abusos sexuales a menores del sexo femenino.

Dicho de otro modo, lo anterior significa que la población española actual lleva sobre sus espaldas la cruz de los 307.367 abusos sexuales cometidos por el clero católico español sobre niños y adolescentes.

Con todos los datos conocidos hasta ahora, resulta prácticamente imposible inferir con exactitud el porcentaje de sacerdotes que hoy día abusan de menores, pero, partiendo de diversidad de aproximaciones, cálculos y extrapolaciones puede estimarse que, entre los sacerdotes en activo, alrededor de un 7 % —es decir, unos 2.500 sujetos—, ha cometido o comete algún tipo de abuso sexual serio —masturbación, sexo oral y, excepcionalmente, coito— contra menores, y que alrededor de un 26 % —es decir, unos 8.753 sujetos— ha sobado o soba a menores con finalidad libidinosa explícita e incuestionable.

Estos porcentajes citados no son excluyentes respecto a otros posibles hábitos sexuales, ya que pensamos que la mayoría de estos sacerdotes no son estrictamente pederastas y pueden procurarse satisfacción sexual manteniendo relaciones con adultos de ambos sexos.

La pederastia o pedofilia, tal como ya traté en un libro[81] anterior, es un trastorno psicosexual que consiste en una tendencia a realizar actos o fantasías sexuales, de modo único o preferente con menores de poca edad. Es una desviación del comportamiento sexual que se da casi exclusivamente en hombres, que suele iniciarse en la etapa media de la vida y prosigue hasta y durante la vejez. Sus causas son difíciles de determinar, pero siempre se da en varones que presentan sentimientos de inferioridad sexual e inseguridad para mantener relaciones normales con adultos; son sujetos inmaduros que tienen una muy baja autoestima.

Aunque, ciertamente, este perfil es común a muchísimos sacerdotes —como ya vimos en el capítulo 5—, pensamos que sólo una pequeña parte de

81. Cfr. Rodríguez, P. (1993). *El drama del menor en España (cómo y por qué los adultos maltratamos a niños y jóvenes).* Barcelona: Ediciones B., capítulo 8.

ellos padece este trastorno. La mayoría del clero que abusa de menores son sujetos que, por los condicionantes personales y eclesiásticos ya mencionados, se ven forzados a buscar esporádicas satisfacciones sexuales en aquellos *objetos* que menos se les pueden resistir[82].

Avala esta tesis el hecho de que la mayoría de los menores victimizados son preadolescentes o adolescentes (casi adultos físicamente, pero bien manipulables emocionalmente) y no niños/as, que serían el blanco preferido de un pedófilo. Y, también, que la práctica totalidad de los sacerdotes que han abusado —o aún abusan— de menores, según el balance de los casos conocidos que obra en mi archivo, mantienen a su vez relaciones sexuales con adultos.

En el acto de abusar sexualmente de un menor subyace siempre un ejercicio de poder, de prepotencia y hasta de magisterio —con alguna frecuencia buscan la coartada de erigirse como «educadores sexuales» del menor—, que casa perfectamente con las atribuciones incuestionables que una parte notable del clero actual cree inherentes a su ministerio sacerdotal.

Expertos como Michael Sipe, psicólogo y sociólogo norteamericano, sostienen que el 5 % del clero célibe norteamericano es pederasta, pero tal cifra sólo parece lógica y plausible si se refiere al hecho

82. Así, por ejemplo, en el punto 302.20 del Manual Estadístico y Diagnóstico de la Sociedad Americana de Psiquiatría —aceptado en todo el mundo—, se señala que «los actos sexuales aislados con niños no merecen el diagnóstico de pedofilia. Tal tipo de actos puede hallarse precipitado por discordias matrimoniales, pérdidas recientes o soledad intensa. En estos casos, el deseo de relaciones sexuales con un niño puede ser entendido como la sustitución de un adulto preferido pero no disponible». (*DSM-III*, p. 286).

genérico del abuso de menores grave y no al concepto estrictamente clínico de la pedofilia.

De todos modos, en Estados Unidos, único país donde se ha abierto públicamente la caja de Pandora de los abusos sexuales de sacerdotes católicos a menores, los datos que ya han sido comprobados son terribles. A principios de esta década, la Conferencia Episcopal norteamericana, tras verificar que en cien de sus 186 diócesis (56 %) hubo denuncias por violencia sexual, tuvo que solicitar del Vaticano la posibilidad de reducir al estado laical a los sacerdotes implicados.

El papa Wojtyla, en una carta pastoral dirigida a la Iglesia norteamericana, fechada el 11 de junio de 1993, tuvo que reconocer la gravedad y dimensión del problema de los abusos sexuales a menores cometidos por sacerdotes católicos. Y no podía ser ya de otra manera: en ese momento se había juzgado y condenado por abuso sexual de menores a unos 400 curas —por casos aflorados en los nueve años anteriores—, las diócesis norteamericanas habían pagado ya alrededor de 400 millones de dólares en indemnizaciones por los daños morales causados a las víctimas, y en los procesos judiciales en curso se jugaban otros mil millones de dólares en nuevas indemnizaciones[83].

En medio de esta difícil situación para la Iglesia, el trabajo de una activa organización, denominada Red de Supervivientes de los Abusos Sexuales de los Sacerdotes, empeñada en llevar ante los tribunales a otros sacerdotes, tampoco permitía el habitual en-

83. En Gran Bretaña, para intentar cubrirse de las responsabilidades económicas de los abusos sexuales del clero sobre menores, la jerarquía de la Iglesia Católica ha suscrito una póliza específica de seguros con la compañía Lloyd's de Londres.

cubrimiento eclesiástico habitual. Barbara Blaine, presidenta de esta asociación, es una entusiasta de la justicia —o quizá de la venganza, que para el caso es lo mismo— que arrastra en su pasado la tragedia de haber sido forzada repetidamente por su párroco cuando apenas había entrado en la adolescencia, y la de haber intentado suicidarse en dos ocasiones debido a este motivo.

Tal como sucede en el resto del mundo, los obispos de Estados Unidos supieron siempre lo que ocurría, pero lo silenciaron y encubrieron. Casos como el de James Porter, que sodomizó a 46 menores, o el de Gilbert Gauth, que abusó de 36 monaguillos, mientras ocurrían, no tuvieron más respuesta episcopal que el simple traslado de una diócesis a otra, hecho que, por supuesto, no evitó que el sacerdote reincidiera en sus prácticas delictivas.

La Conferencia Episcopal norteamericana, de momento, reconoce públicamente que el porcentaje comprobado de sacerdotes que abusan sexualmente de menores es de un 1,2 % de la totalidad. Pero todo el mundo sabe, también, que los casos comprobados no son más que la punta de un iceberg de dimensiones aún insospechadas. Si tomamos en cuenta la hipótesis habitualmente aceptada para los casos de maltrato a menores y mujeres —eso es que la cifra aflorada no representa más que un 10 % del volumen real del problema—, debería inferirse que la realidad de los abusos sexuales a menores puede extenderse hasta el 12 % del total del clero católico norteamericano.

Sea cual fuere la cifra real de los sacerdotes que cometen abusos sexuales serios contra menores —un 5 %, un 12 % o el 7 % que postulamos en este libro—, lo cierto es que éste es un problema muy grave y extendido que aún permanece enquistado entre las prácticas sexuales habituales del clero actual.

La práctica totalidad de las víctimas sexuales de sacerdotes son hijos e hijas de familias católicas que llevan a los menores a colegios religiosos, o los impulsan a participar activamente en las actividades de una parroquia. Por esta razón, el prelado norteamericano Joseph Imesch declaró, compungido, que «los padres nos confían a sus hijos y a causa de estos casos de pederastia va disminuyendo cada vez más la confianza en los sacerdotes». Pero el asunto no es sólo una cuestión de confianza en el clero. Ante el problema que nos ocupa, los menores permanecen indefensos ya que suele fallar estrepitosamente todo el sistema que debería protegerles: la familia, el episcopado y los tribunales de justicia.

Cuando un menor se atreve a confesar a sus padres que está sufriendo abusos sexuales —y especialmente si se acusa a un cura— casi nunca es creído y, en todo caso, aún en menos ocasiones se adoptan medidas útiles. A lo sumo, los padres se limitan a comentar el caso con la autoridad eclesial, pero ésta sólo encubre la situación; al no apartar al sacerdote de su puesto, la rueda de los abusos vuelve a iniciarse hasta la próxima protesta familiar, y así sucesivamente.

En caso de surgir un escándalo que afecte a varios menores, lo habitual es que la mayoría de las familias dichas *católicas* se nieguen a indagar y/o reconocer la realidad de los hechos, y se revuelvan con virulencia contra la familia que se atrevió a levantar la liebre del pecado. Los primeros encubridores de los sacerdotes que abusan de menores son los propios padres de las víctimas. Un comportamiento que, obviamente, alientan con gusto todos los obispos. Denunciar a un sacerdote ante el obispado no sirve nunca para nada; en los casos de abuso sexual de un menor, que es un delito penal, hay que acudir siempre a los tribunales de justicia civil, aunque, tal como ya advertimos en el capítulo anterior, no siempre resulte fácil poder juzgar a un cura por este tipo de delitos.

El sacerdote Francisco Conejero Ciriza, profesor de E.G.B. en el colegio Dos de Mayo de Castejón, por ejemplo, fue absuelto por la Audiencia Provincial de Pamplona a pesar de los testimonios acusatorios de cinco alumnas —de 8 a 10 años— que sostuvieron que el padre Conejero —de 56 años— «les subía la falda cuando salían a leer junto a su mesa y les tocaba *sus partes*», y les efectuaba diversos tocamientos tanto en clase como en el domicilio del cura, a donde solían ir a jugar y hasta habían llegado a ver la televisión tumbadas en su cama.

Al ser detenido, Francisco Conejero, que es «muy cariñoso» según sus familiares, manifestó que la denuncia se debía a «una mala interpretación por parte de las madres de las niñas», y en el juicio la atribuyó a la «fantasía exaltada de las niñas, movida por las circunstancias ambientales» y a una «cierta rivalidad al creer que yo apreciaba más a unas que a otras». Dado que esta defensa, textual, ya la ha oído este autor en otros muchos casos parecidos, uno no puede evitar tener la sensación de que todo el clero se ha estudiado el mismo guión para intentar superar este tipo de situaciones.

El fiscal, tras oír los testimonios de las cinco niñas —y los de otras ya mayores que confirmaron que, en su día, también sufrieron abusos similares por parte de Conejero—, solicitó una pena de cuatro años de prisión para el sacerdote, al que acusó de un delito continuado de abusos deshonestos. Pero la Sala que le juzgó estimó que «de ninguna de las pruebas practicadas se desprende con la vehemencia exigible, ni siquiera con indicios, la realización de abusos» y expresó «severas dudas sobre la veracidad de las ofensas sexuales denunciadas»[84].

Sin ánimo de criticar esta sentencia judicial, deben tenerse en cuenta dos cuestiones: a juicio de todos los expertos en abusos de menores, «los niños prácticamente siempre dicen la verdad cuando comunican que han sufrido abusos»[85]; y dado que otros tribunales han dictado sentencias condenatorias en casos similares —y aun avalados con menor carga probatoria—, cabría reflexionar sobre el peso de posibles elementos extrajudiciales que pudiesen favorecer una absolución en la clerical Navarra mientras que en un ámbito laico, el mismo hecho, acaba en condena. Si ello es así, parece evidente que determinados magistrados pueden estar siendo injustos con algunos sacerdotes condenados... o estar incumpliendo su deber de administrar justicia cuando los absuelven.

Casos como el de Harry Whelehan, fiscal general de Irlanda, dan una pauta de las estrechas relaciones de *subordinación* que pueden establecerse entre personajes de la Iglesia Católica y de la Administración de Justicia en una sociedad clerical. El ultracatólico fiscal Whelehan demoró durante siete meses la firma de la extradición del sacerdote Brendan Smyth, reclamado por la justicia de Irlanda del

84. Cfr. Muez, M. (1986, diciembre 27). Absuelto el sacerdote acusado de abusos deshonestos con sus alumnas. *El País*, p. 22.
85. Cfr. López, F. (1994). *Op. cit.*, p. 112.

Norte por un delito de pedofilia. El escándalo, en el que se documentó la relación del fiscal con un prelado católico *interesado* en el futuro de Smyth, afloró en el momento en que Whelehan fue nombrado presidente del Tribunal Supremo, provocando la dimisión del primer ministro Albert Reynolds y de su ministra de Justicia, además de un delicadísimo cambio de gobierno[86].

El machismo exacerbado que impera en los ámbitos clericales —y del que no escapa una parte, en recesión, de la magistratura—, influye también en que no se consideren delitos de abuso sexual los tocamientos que realizan, como mínimo, un 26 % de los sacerdotes. Y dado que tampoco suelen llegar hasta los juzgados el 7 % de sacerdotes que, según hemos estimado, cometen abusos sexuales serios contra menores de ambos sexos, la Iglesia descansa su falaz imagen de honorabilidad sobre un silencio social cómplice.

Los 307.367 episodios de abuso sexual que el clero ha infligido a la población española actual son demasiados para seguir callando por más tiempo. El abuso sexual de menores representa una *tradición* inconfesable dentro de la Iglesia, un delito terrible que —tal como demostraremos en varios de los capítulos que siguen— los obispos siempre conocen y encubren.

86. Cfr. Galán, L. (1994, noviembre 17). Los laboristas rompen la coalición de Gobierno en Irlanda y amenazan el proceso de paz en el Ulster. *El País*, p. 3.

9

ALBERTO SALVANS, ABUSOS SEXUALES A MENORES Y ESTUPRO CON ENCUBRIMIENTO DEL OBISPADO

En 1984, al igual que hacían otras muchas niñas y niños, hijos de familias católicas, Asunción Pié, de 13 años, frecuentaba la parroquia barcelonesa de Sant Pius X; lo hacía desde unos tres años atrás y se sentía bien en aquel ambiente. Pero, por entonces, el párroco, Carles Soler Perdigó, encargó al dinámico diácono Albert Salvans Giralt la organización de la formación de los más jóvenes. Y las ideas más que peculiares de Salvans pronto se pusieron en práctica.

La atractiva convocatoria de un viaje cultural a Londres puso en contacto a Asunción Pié —Assun— con Albert Salvans, quien no tardó en convencerla para que se integrara de forma activa en el grupo de jóvenes que ya había puesto en marcha el diácono.

Carles Soler había dejado las manos libres al diácono Salvans para que organizara las cosas a su gusto, y éste así lo hizo, dirigiendo al mismo tiempo un grupo de jóvenes de la parroquia y otro del barrio. A la vuelta del viaje a Londres, Salvans seleccionó a unos determinados menores de la parroquia, nueve en total. Tres de ellos estaban etiquetados de *problemáticos* (Antonio, deficiente psíquico; Jordi, ex toxicómano; y José, que padecía importantes trastornos emocionales), pero el resto eran los más vivarachos, inquietos e independientes que pudo encontrar en el barrio: Lluís, Marc, Àlex, Eulàlia, Marta y Assun.

Salvans reunía cada día a su grupito —en especial a los seis últimos— en la parroquia y les daba charlas sobre cómo enfocar la vida como cristianos. La presencia en el grupo de los otros tres menores con problemas servía, principalmente, para justificar los viajes y excursiones, que se planteaban oficialmente como actividades lúdico-terapéuticas para ellos.

Albert Salvans supo camelar al grupo de menores y, poco a poco, adquirió un gran ascendiente sobre ellos. Todo era normal y agradable, y quizá por eso Assun no creyó a una adolescente de otro grupo cuando, en diciembre de 1984, le confesó que había tenido relaciones sexuales con el diácono Salvans y que éste le había propuesto practicar el sexo en grupo.

Los tres años que Asunción Pié pasó en el grupo del diácono Albert Salvans, en la parroquia de Sant Pius X, los resume ella misma en el testimonio siguiente[87]:

«Albert estuvo un año *comiéndonos el coco* sin que sucediera nada fuera de lo común, salvo sus personales interpretaciones de la doctrina cristiana que le llevaban a decirnos que, por ejemplo, "cualquier

87. En entrevista personal celebrada el día 26-2-94.

persona puede llegar a ser Dios como Jesús, puesto que Jesús no nació siendo Dios, sino que se hizo Dios"; o que "María no era Virgen, al menos en el sentido físico de la palabra, sino que tan sólo lo era espiritualmente". Pero, pasado ese tiempo, Albert empezó a criticar con más fuerza a la Iglesia y a introducir el tema del sexo en sus charlas.

»—Tenéis que aprender a querer —nos adoctrinaba Albert— y como el sexo es el máximo exponente del amor, tenéis que aprender a hacer el sexo.

»Un día yo le pregunté:

»—Albert, ¿cómo ves tú el hacer el acto sexual a la luz de lo que dice la doctrina católica?

»—Practicar el sexo es otra manera de querer a la Iglesia —me respondió él.

»En sus charlas en la parroquia nos decía que en realidad todos somos bigenitales antes que bisexuales, es decir, que todos podemos funcionar con los dos sexos y que eso era el estado ideal al que debíamos aspirar. A la Iglesia, nos decía, tanto se la puede querer practicando relaciones heterosexuales como homosexuales o bisexuales.

»Poco a poco, nuestro grupo, que estaba en la órbita de la asociación Nous Camins[88], fue convirtiéndose en una especie de secta. Se fomentaba la pérdida de nuestra identidad en aras de lograr una

88. La asociación Nous Camins, presidida en ese momento por M.ª Ángeles Fornaguera Martí, es un grupo vinculado a la Casa de Santiago, un seminario creado por el cardenal Narcís Jubany para alentar las vocaciones tardías. De él se derivó lo que se denominó internamente como «casitas», grupos externos dirigidos por sacerdotes y/o diáconos afines. La *casita* que dio lugar a Nous Camins era la que controlaba el sacerdote Francisco Andreo García, y de ella partieron ramificaciones controladas por los diáconos Alberto Salvans Giralt, Pedro Cané Gombau, Jesús Navarro Lardies y Luis Bultó Serra.

identidad meramente grupal, se nos inducía a llevar todos el mismo tipo de peinado y a colorearnos el cabello con *henna*, a compartirlo todo, etc. Estábamos sometidos a un constante asedio afectivo, se nos enseñaban métodos para captar a otros jóvenes, y se nos prohibía tajantemente contar nuestras ideas y actividades a personas ajenas al grupo, especialmente si se trataba de nuestros padres o amigos íntimos.

»Albert se convirtió en nuestro líder y nosotros, críos confiados y sin experiencia de la vida, en sumisos adeptos suyos. Continuamente dejaba bien claro que él era allí la única autoridad, e incluso remarcaba a aquellos que le merecían más confianza —que eran quienes le obedecían de una forma más ciega— y comenzó a castigar a los que se le resistían en algo. En una reunión, por ejemplo, le entregó a Lluís R. una cruz que simbolizaba la confianza que Albert tenía en él, y al resto nos dio otra cruz inferior que significaba que, como máximo, nos consideraba candidatos para ganar la otra cruz. Con trucos sencillos como éste, pero que en aquel ambiente funcionaban, nos manipulaba para que fuésemos tan sumisos como nuestro compañero Lluís.

»Un día estábamos Albert y yo solos en una sala de la parroquia de Sant Pius X, hablando de los problemas del Tercer Mundo, cuando, de repente, empezó a besarme y a acariciarme con furor por todo el cuerpo. Yo tenía 14 años y Albert 28, y no recuerdo muy bien si intenté oponerme o no. Todo era muy confuso para mí mientras sus manos me palpaban por todo el cuerpo. Finalmente caí en una crisis epiléptica (tenía ya antecedentes clínicos anteriores) y me quedé inconsciente.

»Me fui a casa muy conmocionada y sin entender nada de lo que había sucedido. Era incapaz de pensar qué significaba todo aquello. Me sentía fatal. Pero, al día siguiente, cuando le llamé por teléfono, él estaba muy tranquilo y me dijo que lo que había hecho era perfectamente lícito para la Iglesia y muy normal entre amigos que se querían. Eso me tranquilizó y dejé de preocuparme.

»Dos o tres meses después, fuimos a pasar un fin de semana a la casa que Àngels Fornaguera Martí [presidenta de la asociación Nous Camins] tiene en Centelles. Allí nos reunimos tres menores de mi parroquia —Lluís, otro y yo—, Albert Salvans, y un grupo de jóvenes de la parroquia de Sant Domènec, que estaban bajo la responsabilidad de Pere Cané [diácono acusado igualmente de forzar las mismas prácticas sexuales que Salvans].

»Después de cenar y charlar en grupo, todo el mundo se fue a dormir excepto Lluís, Albert y yo, que nos quedamos hablando un ratito más. A una señal sutil de Albert, Lluís también se fue a la cama y nos quedamos los dos solos. Acto seguido, él me llevó hasta su habitación.

»Esa noche fue la primera vez que tuvimos una relación sexual con penetración. Yo era virgen y para mí fue muy traumática. Me penetró tres veces y fue muy doloroso ya que me hizo más de un desgarro. Yo no sentía nada más que dolor y lloraba, pero Albert ni se inmutó, fue a la suya hasta que eyaculó, y luego se quedó dormido.

»Después de esto yo creía que me había ganado el cariño de Albert; de hecho, me había dejado forzar para no defraudarle. Físicamente era atractivo, es cierto, pero para nosotros era como un dios. De la misma manera que Albert nos decía que Jesús se hizo Dios a sí mismo, también nos insinuaba con toda claridad que él había logrado igualmente hacerse Dios. Y nosotros le creíamos.

»El domingo por la mañana, al levantarme, a pesar de lo mal que lo había pasado horas antes, me sentía muy bien, me sentía como una mujer. Albert sabía conseguir que todos nos sintiésemos adultos —nos dejaba conducir el coche, nos llevaba a bares, etc.— y no niños, que era como nos trataban todos los demás, y lo que en realidad éramos aunque nos empeñásemos en ser mayores.

»Medio año después volvía a no entender nada de lo que me estaba sucediendo. No comprendía por qué se tenía que querer a su manera [la del diácono Salvans] y no tal como otros lo deseaban. Y si no lo hacíamos como él quería nos castigaba psicológicamente y nos humillaba.

»"Parece que vengas aquí por mí —me increpó Albert un día—, pero a los otros también les tienes que querer". Y eso, en el lenguaje que usábamos, tenía un significado muy claro: como eres cristiano y tienes una gran capacidad de querer, tiene que haber promiscuidad sexual entre todos los miembros del grupo. Yo debía acostarme también con otros.

»Un día, por no querer darle un beso a Jordi, uno de los chicos del grupo, todos mis compañeros me machacaron hasta hacerme sentir muy culpable, como una especie de Judas que traiciona todos los ideales del grupo y pone en peligro la vida del resto de compañeros. En un principio fue Albert el que orientaba y dirigía todas las agresiones del grupo contra aquellos que nos saltábamos alguna norma, pero al final ya era el grupo el que atacaba por propia iniciativa. Nos habíamos convertido en sus marionetas.

»Yo sentía que todo aquello no estaba bien, que había algo que no encajaba del todo, pero, en mi estado de sumisión, no lograba atinar el qué. Desde que conocí a Albert Salvans las relaciones con mi familia fueron enfriándose progresivamente y empecé a mentirles; y mis estudios de BUP también fueron de mal en peor; suspendí casi todo a partir del año siguiente de caer en sus manos. Desde que tuve mi primer contacto sexual con él me prohibió terminantemente que comentara eso o cualquier otra cosa del grupo con mi madre. Y lo mismo les sucedió al resto de mis compañeros.

»Me sentía como atrapada y finalmente llegué a tener ocho contactos sexuales con Albert; unas veces era en la parroquia, otras en alguna casa o en el piso donde vivían los diáconos, y hasta lo hicimos en un jardín y en un cine.

»Así, un día me llevó a tomar una copa a un bar de alterne de las afueras de Barcelona y al salir, como encontramos las cuatro ruedas pinchadas y tuvimos que esperar a la grúa del Real Automóvil Club de Cataluña, hizo que me enrollara con él en un jardincito que había junto al bar. Y otro día, en un cine, me obligó a hacerle una felación, pero como nunca la había hecho no debió resultarle satisfactoria del todo y me dijo: "Como cristianos, tenemos que aprender a hacer esto."

»Siempre era él quien iniciaba las relaciones, aunque a veces yo también sentía deseos de estar con él, ya que era el líder y así tú eras su preferida en ese momento. Yo sabía que él también mantenía relaciones sexuales con al menos unos diez más como yo —entre los que se contaban Lluís, Marta y Eulàlia— y eso me hacía sentir celos; a todos los demás también les pasaba lo mismo porque Albert jugaba mucho con esto y lo potenciaba haciendo que todos, de una forma u otra, acabasen por enterarse de con quién se acostaba, al margen de que algunas veces forzaba a mantener actividades sexuales en grupo.

»Durante las vacaciones de Semana Santa de 1987 fuimos de viaje a Cáceres, junto a otros muchos jóvenes de la parroquia y de Nous Camins, que resultó durísimo. Durante el trayecto se nos machacaba con una lectura continua de libros sobre realismo existencial y comunas, y en las paradas realizábamos charlas grupales sobre esas lecturas, se nos forzaba a realizar confesiones públicas, vulnerando cualquier intimidad, y no se nos permitía dormir más allá de tres o cuatro horas diarias. Se implantó también una política de premios y castigos desmesurados que administraba Albert a su antojo.

»En esta excursión venía también Pere Cané, el diácono de la parroquia de Sant Domènec, que no perdía ocasión de entrar a hablar con las chicas mientras estábamos desnudas en la ducha.

»Para mí empezó a ser el principio del fin. Albert Salvans quiso acostarse conmigo pero yo me negué tajantemente a mantener ninguna relación sexual más con él. Al día siguiente fui marginada del resto del grupo y lo pasé muy mal. Cuando regresamos a Barcelona la presión contra mí fue incrementándose progresivamente hasta que se me hizo insoportable y, en vez de ceder, que es lo que pretendía Albert, tomé la decisión de abandonar el grupo.

»Finalmente, en abril de 1988, le dije que ya no pensaba volver por el grupo y me fui. Mi amiga Marta R. me dijo, poco después, que todos en el grupo me consideraban "Satanás" y que había dejado de existir para ellos, razón por la cual dejaron de saludarme por la calle y me volvían la espalda cuando me veían. Eso me hizo sentir muy mal, con un insoportable sentimiento de culpabilidad y de traición, y dos semanas después regresé con ellos. Pero no pude soportar de nuevo la presión a la que me sometían y, pasados un par de meses, les dejé definitivamente.

»Decidí contárselo todo a mis padres, pero antes quise comentarle a Marta R., que aún estaba con Albert Salvans, todo lo que me había pasado. Ella no me rebatía nada de lo que le contaba, pero permaneció todo el rato en una actitud tirante y rígida, y en todo momento tomó partido a favor del diácono. "¿Qué es Albert para ti?", le pregunté finalmente al ver que no conseguía dialogar con ella de una manera coherente. "Albert es el pastor y nosotros las ovejas", me respondió Marta. Fue entonces cuando vi claramente que mi amiga no estaba normal, que algo grave estaba sucediendo y que Albert, de alguna forma, había llegado a controlar todas nuestras vidas y sentimientos.

»Además, hacía ya bastante tiempo que por la parroquia corrían rumores acerca de las actividades sexuales del diácono Salvans con muchos menores. No era fácil ocultar que se estaba acostando con no menos de diez personas en la misma época, y mi madre, como otros muchos padres y el propio mosén Carles Soler, había oído los comentarios; pero, como Salvans era idolatrado por todo el mundo, nunca nadie les concedió la más mínima veracidad ni se tomó la molestia de indagar qué estaba pasando. No lo dudé más y hablé con mi madre.

»—Mamá, en la parroquia hay mucho follón.

»—¿Con quién? ¡No me digas que con Albert!

»—Sí.

»—¿Cómo lo sabes? ¿Estás segura de lo que dices, Assun?

»—¡Lo sé!

»—¡No me fastidies, eh, Assun! —me espetó mi madre después de haber estado mirándome, durante unos segundos eternos, con cara de espanto.

»—¿Tan grave es lo que ha pasado? —acerté a preguntarle, insegura de mi propia idea de lo ocurrido.

»Yo aún no era consciente del verdadero alcance de todo lo que había sucedido durante los últimos tres años, así que no podía entender la reacción aparentemente desmesurada que había tenido mi madre. Nos sentamos y le relaté todo lo que me había sucedido con Albert Salvans y su grupo.

»Acto seguido mis padres se pusieron en contacto con los de mis compañeras Marta R. y Eulàlia G., y las tres familias denunciaron los hechos ante el rector de la parroquia de Sant Pius X, Carles Soler. Mosén Carles se espantó y llamó a Albert para que diera su versión de los hechos. Obviamente, lo negó todo y lo atribuyó a nuestra imaginación, pero poco después acabó confesando que todas las acusaciones eran ciertas.

»Mosén Carles Soler Perdigó [que entonces era también Vice-Provisor y Juez Pro-Sinodal de la Curia de Justicia del Arzobispado de Barcelona y miembro de la Junta Directiva del Montepío del Clero], decidió zanjar el asunto enviando a Albert Salvans al monasterio de Montserrat e intentando convencer a las familias de que allí no había ocurrido nada: "Ya ha pasado todo —decía—, ahora vamos a olvidarlo."

»Pero Carles Soler Perdigó, que hoy es obispo auxiliar de Barcelona, no quería quedarse sin la parte más apetitosa del caso, así que nos dijo con semblante impertérrito: "Creo que os tendríais que confesar."

»Me pareció tan humillante y desvergonzada su imperativa propuesta que no me molesté ni en negarme. Fui a confesarme con mosén Soler, efectivamente, pero no le dije más que tonterías sin importancia. Si quería escuchar detalles morbosos tendría que buscar a otra chica, yo ya estaba suficientemente herida. Pasaba el tiempo de la confesión y como yo no soltaba prenda me incitó a hablar "de lo otro". Había rebasado el límite de su decencia y de mi paciencia, así que le corté de cuajo: "Mosén Carles, hasta aquí llega mi confesión y aquí termina. Yo no soy culpable de nada más, así que me levanto y me voy."

»Mis padres intentaron prevenir a las otras familias que tenían a sus hijos en el grupo de Pere Cané, en la parroquia de Sant Domènec, pero no sólo nadie les hizo caso sino que todos defendieron ciegamente a los diáconos Cané y Salvans. Finalmente fueron mis padres quienes acabaron destrozados y llorando; fue un verdadero drama.

»Marta y yo denunciamos el caso por escrito ante el obispado, pero todo fue tan humillante como inútil. Carles Soler y el cardenal Narcís Jubany [en un ejercicio de clásico machismo eclesial] no parecían interesados más que en preguntar insistentemente si hubo penetración o no.

»Después de habernos oído, Jubany nos insinuó que tanto Albert Salvans como Pere Cané ya estaban sentenciados. De hecho, ambos debían ordenarse como sacerdotes pocas semanas después de nuestra denuncia, pero la investigación abierta por el cardenal Jubany lo impidió entonces. No obstante, hoy, tanto Albert como Pere son ya sacerdotes y siguen gozando de la protección de la Iglesia.»

Albert Salvans, efectivamente, no logró ser ordenado sacerdote en Cataluña, pero, finalmente, alcanzó su deseo de vestir sotana en Londres, ciudad donde fue ordenado, en 1992, en el seno de la misma Iglesia Católica que había encubierto sus tropelías sexuales y que no había tomado más medidas que la de *recomendarle* al fogoso diácono que, si deseaba hacer carrera eclesiástica, debía desaparecer de Barcelona y buscar amparo en alguna diócesis lejana. Salvans aceptó la pragmática sugerencia de su obispo —aunque no se molestó en irse demasiado lejos—, y hoy es un activo sacerdote volcado en la *evangelización* de los más jóvenes en el barrio londinense de Kentish Town, situado al noroeste del Regent Park.

Para arrojar más luz sobre este caso son bien ilustrativos los documentos que reproduciremos literalmente a continuación y que obran tanto en poder del Arzobispado de Barcelona como de este autor.

Pocos meses después de la denuncia, Albert Salvans, desde el monasterio de Montserrat, le escribía de puño y letra la siguiente carta a Asunción Pié:

> *Assun:*
>
> *Estoy lejos de Barcelona, encerrado en un monasterio. No sé cuánto tiempo voy a estar aquí, pero seguramente que será mucho.*
>
> *Estoy profundamente triste, pero no por estar aquí, que es un lugar lleno de paz, sino por todo lo que he hecho, que tanto me hace sufrir y que tanto os ha perjudicado a muchos.*
>
> *Es extraño, la gente muchas veces cree que los monjes viven fuera de este mundo, desconectados de lo que pasa. En cambio, la presencia continua en las manos de Dios les da una clarividencia muy grande para las cosas humanas. Yo,*

ahora, desde este aislamiento, me doy cuenta del activismo progresivo que fue apoderándose de mí durante la última época de St. Pius X. Muy a menudo no tenía tiempo para pensar, ni para orar tanto como habría deseado.

Yo no guardo —ahora menos que nunca— ningún rencor a nadie. Estoy seguro que tú quieres ser, en el fondo y antes que nada, una buena cristiana. Te pido, pues, perdón de todo corazón por todo el mal que te haya podido hacer.

Para mí no queda más que una sola cosa: abandonarme completamente en las manos de Dios.

Os pido que me encomendéis a la intercesión misericordiosa de María.

Albert

PD: siento la necesidad de escribir también unas palabras a tus padres.

Esta carta, así como la que envía a los padres de Assun en términos parecidos, denota una personalidad capaz de protagonizar una y otra vez los hechos anteriormente relatados; sin embargo, Albert Salvans es hoy un sacerdote más en una parroquia de Kentish Town.

La actitud de la jerarquía eclesiástica, tal como siempre sucede en este tipo de casos, fue el silencio y el encubrimiento. Los propios afectados tuvieron que esperar largo tiempo antes de recibir alguna noticia sobre el desenlace de la denuncia. Las dos cartas que reproducimos a continuación, una del padre de Assun y otra del cardenal Narcís Jubany, hablan por sí mismas.

Sr. Obispo:

Largo tiempo después del hecho, que sin duda está en su conocimiento, acaecido, en la Parroquia S. Pío X, a varias niñas del barrio, entre ellas mi hija Assun, que a no ser por nuestra denuncia al obispado (Dr. Dalmau) a buen seguro en estos momentos sería sacerdote de su Iglesia [se refiere a Albert Salvans], después de insistir en que quería conocer el desarrollo de los hechos y recibir por lo menos una satisfacción, largo tiempo después, repito, aún estoy esperando.

Quiero que entienda el golpe moral y a la fe que ha recibido mi esposa y mi hija, no por el hecho en sí, sino por la despreocupación de la Iglesia hacia ellos, después de las asistencias, participación e integración a la Parroquia; el sentimiento de culpabilidad de mi esposa es notable, puesto que fue ella quien de alguna manera «empujó» a nuestra hija hacia la Parroquia pensando que era el medio óptimo para su desarrollo moral.

Quiero denunciar la ceguera por parte de los responsables de tal Parroquia, de no ver qué clase de individuos se preparaban para mañana seguir llevando por el camino del engaño a más gente; medios tendrá la Iglesia para investigar la vida personal de sus integrantes.

Defraudada ha sido mi esposa e hija, y en cierta forma también yo, por tolerar, a pesar de mis advertencias, de lo nefasto que puede ser un fanatismo hacia cualquier tipo de creencias, tolerar digo, su constante asistencia a la Parroquia.

Atentamente.
Marcelo Pié

La respuesta del cardenal Narcís Jubany al padre de la víctima de los abusos sexuales está fechada el día 3-11-88:

Apreciado señor:

Recibí su atenta carta del día 25 de septiembre último. Perdone mi tardanza en contestarle: el trabajo que ha recaído sobre mí durante estas últimas semanas, me ha impedido darle una contestación.

El asunto de que me habla es muy delicado y ha sido muy penoso para mí. Comprendo que V. desee conocer el desarrollo de los hechos denunciados. Puedo notificarle que, después de instruido el oportuno expediente, el consabido diácono ha sido reducido al estado laical, a tenor de lo dispuesto en el vigente Código de Derecho Canónico.

Con la expresión de los mejores sentimientos de estima y consideración, queda suyo affmo.

Narcís Jubany
Cardenal-Arquebisbe de Barcelona

Sin embargo, tal como veremos en la continuación y ampliación de este asunto en el capítulo siguiente, Albert Salvans nunca fue reducido al estado laical.

El cardenal Jubany faltó a la verdad, pero, fundamentalmente, hizo dejación muy grave de su responsabilidad como prelado.

El cardenal Narcís Jubany y otros responsables del arzobispado —que hoy son obispos en Barcelona— encubrieron, como mínimo, la comisión de un gravísimo delito de estupro[89] y, al presionar a la víctima para evitar su denuncia ante la jurisdicción penal ordinaria, ayudaron a Salvans a eludir la acción de la justicia; acto que les convirtió en cómplices morales de toda una cadena de abusos sexuales a menores.

Tan importante parece para la doctrina cristiana la protección de los menores, que tres de los cuatro Evangelios reproducen las palabras de Jesús cuando dice a sus discípulos que el que *escandaliza* a un niño merece ser arrojado al mar con una piedra de molino colgada al cuello. Obviando el sentido literal de la frase, queda patente que los prelados católicos actúan al margen de la doctrina cristiana y de la justicia civil.

89. El Código Penal considera que comete estupro «la persona que tuviere acceso carnal con otra mayor de doce años y menor de dieciocho, prevaliéndose de su superioridad, originada por cualquier relación o situación... (Artículo 434)», y «la persona que, interviniendo engaño, tuviere acceso carnal con otra mayor de doce años y menor de dieciséis... (Artículo 435)». En el primer caso, la pena es de prisión menor y, en el segundo, de arresto mayor.

10

EL SILENCIO DE LOS OBISPOS: O CUANDO FRANCISCO ANDREO, PEDRO CANÉ Y OTROS *APÓSTOLES* DEL SEXO CON MENORES Y ADOLESCENTES LOGRARON LA IMPUNIDAD

La historia de Albert Salvans y sus tropelías sexuales y sectarias no fue un acto aislado, ni mucho menos. Forma parte de un escándalo mayúsculo que tanto las familias afectadas como el episcopado barcelonés se han cuidado muy mucho de ocultar a todo el mundo.

El origen del caso se sitúa en la llamada Casa de Santiago, una residencia-seminario ideada por el cardenal Narcís Jubany para fomentar las vocaciones sacerdotales tardías. Al frente de la misma puso al sacerdote Alfred Rubio de Castarlenas y éste, a finales de la década de los setenta, decidió reorganizar la Casa de Santiago bajo una estructura piramidal.

Entre la media docena de formadores que Rubio incorporó al *seminario* estaba Francesc Andreo García, sacerdote de 38 años que había desarrollado una activa labor entre los jóvenes de parroquias de la periferia barcelonesa como la de Santa Coloma (Santa Coloma de Gramanet) y la de Santa María (Badalona).

Alfred Rubio es un conocidísimo sacerdote barcelonés, licenciado en Filosofía y Teología y doctor en Medicina, padre teórico del *realismo existencial*, una peculiar filosofía de la vida que se promueve desde entidades como Universitas Albertina o el Ámbito de Investigación y Difusión María Corral, y propagador de una discreta «doctrina del desnudamiento espiritual y físico ante Dios» que postula, en sus últimas consecuencias, hábitos sexuales promiscuos y dinámicas de vida comunitaria sectarias. De su mano e inspiración nació también un sistema organizativo basado en *casas* y *casitas* que ha dado lugar a diversidad de entidades que, salidas de la Casa de Santiago, han expandido su peculiar doctrina entre sacerdotes y familias católicas catalanas.

Paco Andreo, fiel seguidor de las doctrinas de Rubio, organizó rápidamente su área mediante un sistema de cuatro *casitas* —células o grupos— autónomas entre sí, y puso a otros tantos jóvenes al frente de las mismas. Así entraron en escena Albert Salvans Giralt, Pere Cané Gombau, Lluís Bultó Serra y Jesús Navarro Lardies, todos ellos discípulos de Andreo en la parroquia badalonesa de Santa María, con edades comprendidas entre los 22 y los 25 años, y sin vocación sacerdotal por aquellos días (Cané, por ejemplo, tenía novia formal).

Después de un tiempo de estudios, los cuatro fueron ordenados diáconos y, en calidad de tales, empezaron a trabajar en diferentes parroquias. Salvans fue destinado a la parroquia de Sant Pius X —como ya vimos en el capítulo anterior—, Cané a la de Sant Domènec de Guzmàn, Navarro a la de

Santa María (Vilafranca del Penedès), y Bultó se quedó en su parroquia originaria de Badalona.

Los jóvenes diáconos comenzaron a organizar grupos idénticos en cada una de las parroquias, y también a extender el concepto *sui géneris* de «crecimiento personal» de Alfred Rubio y de Paco Andreo, materializado organizativamente en la constitución, en 1981, de la asociación Nous Camins, que es presidida por María Àngels Fornaguera, también discípula de Andreo en la parroquia de Badalona.

Cuando Paco Andreo tuvo problemas en Badalona —debido a las denuncias de algunas familias que se percataron de que sus hijos eran manipulados y dominados por el sacerdote— y fue trasladado a la parroquia de Sant Nicasi, en Gavá, por decisión de Narcís Jubany, nadie pareció reparar en que sus cuatro pupilos aventajados, que trabajaban con grupos parroquiales de postconfirmación (14 a 17 años) y aún con chavales de 12 años, estaban actuando de la misma forma que su *maestro*: llevaban a los menores a casas de colonias y reinterpretaban las Escrituras a su conveniencia para demostrarles que había «una nueva manera de vida cristiana».

Al igual que ya vimos en el testimonio de Asunción Pié sobre su relación con Albert Salvans, los diáconos modifican progresivamente la moral sexual de los menores hasta convencerles de que no se puede amar a los demás sino dándose plenamente, eso es en alma y cuerpo, manteniendo relaciones sexuales. Poco a poco, la dinámica manipuladora sectaria y despersonalizadora de los diáconos fue logrando que algunos jóvenes —a su mayoría de edad, o con permiso paterno cuando eran menores— pasaran a vivir con ellos en dos pisos que, aunque separados por sexos y con entradas diferentes, se comunicaban internamente.

En síntesis, la doctrina sexual propagada por el sacerdote Paco Andreo, tal como me la han explicado ex miembros del grupo, es un amasijo de *dogmas* que no persiguen otra cosa que la sumisión sexual de quienes los aceptan. Así, por ejemplo, se postula que «la pareja estable debe ser rechazada por ser una manifestación nefasta del egoísmo, que limita el dar amor a una sola persona, excluyendo a todas las demás».

El inicio de las relaciones sexuales, según ha enseñado Paco Andreo, «le corresponde solicitarlo al varón, ya que por naturaleza es más activo y menos constante [infiel], mientras que la mujer es más pasiva; por ello debe ser el varón quien decide con quién, cuándo y de qué manera quiere hacer el amor».

«El pastor de cada *casita* tenía el privilegio de desvirgar a las chicas —según me contaba una ex miembro del grupo de Pere Cané[90]—; hasta antes de los 16 años sólo podías hacer el amor sin penetración, pero cuando llegabas a esa edad te decía "venga, que ya te toca", y tenías el primer coito completo. Las relaciones sexuales se mantenían en el momento y lugar que el líder decidía; él escogía a la chica y cada una se sentía muy contenta por ello ya que, al haber fomentado previamente una gran competitividad entre nosotras, en éste y otros terrenos, la elección comportaba llegar a la cima de las preferencias del pastor. Mientras que a los chicos del grupo les podíamos negar una relación sexual, debíamos aceptar todas las que nos hacía el pastor.»

90. En entrevista personal celebrada el día 2-9-94.

En esos días, en cada una de las cuatro *casitas* había entre 10 y 15 chicas y 6 o 7 chicos. Y en las parroquias movilizaban a grupos de más de 20 jóvenes que se mostraban encantadísimos con aquellos diáconos tan abiertos y activos.

«Al principio te chocaba todo lo que ibas viendo —sigue contando la ex seguidora de Pere Cané—, pero al ser un grupo tan atractivo te lo ibas tragando todo poco a poco. Los adultos del grupo presionaban y tutelaban en todo momento, era obligatoria la confesión permanente y teníamos que explicárselo todo al monitor. Había una gran seducción dentro del grupo. Te llamaban por teléfono continuamente, y si dejaban de hacerlo un día te sentías muy mal, como excluida. No se podían tener actividades o amistades fuera del grupo, así que vivíamos en una especie de aislamiento que acabó por repercutir muy negativamente en los estudios y en nuestra propia vida.»

Cuando, en 1988, las familias de Asunción Pié y de su compañera Marta R. —como ya comentamos en el capítulo anterior— optaron por denunciar las prácticas de Salvans y de Cané, muchos padres cerraron filas alrededor de ambos y negaron lo evidente.

Esas familias católicas, de clase media más o menos acomodada, siguen confiando aún, obstinadamente, en la limpieza del entorno en el que se desarrollan sus vástagos. Otros padres, aunque ya hace tiempo que intuyeron trastienda en los grupos organizados por los clérigos citados, han preferido seguir callando resignadamente y no alimentar un escándalo dentro de la Iglesia; «así veo a mi hija al menos una vez al mes —ha expresado un padre—, cuando viene a comer y a buscar el dinero que le paso para su manutención». Pero el silencio mayor, el mutismo más terrible y lacerante proviene del mismísimo corazón del episcopado barcelonés.

Joan-Enric Vives i Sicilia, nombrado obispo de Nona y auxiliar de Barcelona el 9 de junio de 1993, era, en la época de los hechos apuntados, el rector del Seminario Conciliar de Barcelona y conocía perfectamente a los seminaristas de la Casa de Santiago que, por otra parte, le informaban puntualmente de todo lo referente a las andanzas de Paco Andreo, sus diáconos, y los miembros de Nous Camins. El obispo Vives siempre se manifestó, privadamente, horrorizado por lo que estaba pasando y era contrario a la actividad de esta gente, pero jamás movió un dedo para impedir unos abusos sexuales de los que tenía cumplido conocimiento.

El cardenal Narcís Jubany, después de que le estallara en las narices el caso de Albert Salvans, llamó a su presencia a los otros tres diáconos y les hizo jurar ante la Biblia que ellos no habían hecho lo mismo que Salvans, y que no tenían nada que ver con Nous Camins, ni lo tendrían en el futuro. Todos hicieron juramento solemne, obviamente. Y Jubany, hombre de fe —aunque, como clérigo, sólo valore la palabra de sus colegas, pero no la de sus víctimas—, les creyó oficialmente.

Luego el tiempo se encargaría de demostrar cuán falsos habían sido aquellos juramentos: así, por ejemplo, la Junta Directiva de la asociación Nous Camins, ratificada el día 12-7-93, sigue contando aún con Francisco Andreo y con Pere Cané entre sus vocales; y en la revista oficial de la entidad figuran Andreo, Cané y Salvans como corresponsales de Nous Camins en Kenia, Estados Unidos y Gran Bretaña respectivamente, que publican algunos de los artículos de mayor peso de la citada revista.

Pero creer oficialmente que nada había pasado no impidió que el cardenal Jubany les abriera un expediente a cada uno, y también a Paco Andreo que, para darle un respiro a su obispo, aceptó su *sugerencia* de tomarse un año sabático y marcharse a las instalaciones que Nous Camins tiene en Kenia[91].

En medio de todo el escándalo —que se mantuvo en secreto de cara al exterior—, Jubany había autorizado, en mayo de 1988, la ordenación sacerdotal del diácono Jesús Navarro, contra el que no se había presentado ninguna denuncia formal, y le destinó a la misma parroquia de Vilafranca en la que había estado hasta ese momento.

El primer expediente incoado fue contra Albert Salvans, pero fue tal el desaguisado que, al recibirlo, Narcís Jubany puso el grito en el cielo contra su responsable, Joan Benito Tolsau, al que culpó de haberle dado el peor verano de su vida. Y no había para menos: el sumario era informativo en lugar de instructivo y, por tanto, no tenía valor jurídico ninguno.

El cardenal Jubany había suspendido ya *a divinis* a Salvans, pero la medida disciplinaria nunca llegó a publicarse, ni tampoco a ejecutarse. Dado que una suspensión sólo puede derivarse de un sumario instructivo, pero jamás de uno informativo, el defecto formal cometido protegía a Salvans de su expulsión del clero.

91. País en el que oficialmente sigue aún. En la *Guia de l'Església a l'Arxidiòcesi de Barcelona* de 1994, página 160, Francesc Andreo figura como sacerdote diocesano destinado en misiones en Nairobi (Kenia). Como dato al margen señalaremos que, en la misma página, en calidad de desplazado a «otras diócesis», figura el nombre del sacerdote Jordi-Ignasi Senabre, huido de la justicia y pendiente de juicio bajo la acusación de haber sodomizado a un monaguillo.

El autor de tan providencial error, Joan Benito Tolsau, vicario judicial adjunto, era también sacerdote de la parroquia barcelonesa de Sant Joan de la Creu que, por una feliz casualidad, era la iglesia a la que asistían los seminaristas de la *Casa de Santiago*, ubicada a escasa distancia en la misma calle. Así todo quedaba en familia.

Cuando, en 1990, Jaume González-Agápito Granell se incorporó, como fiscal, al tribunal eclesiástico, tuvo que poner en orden todo este asunto, pero vio muy claro que era un proceso inútil, ya que Salvans podía recurrir la suspensión y ganar, y así lo manifestó; en respuesta se le encargó rehacer todo el expediente instructor y actuar... aunque se le ordenó amainar su ímpetu investigador por un tiempo. Con la jubilación de Jubany y la aún reciente llegada de Ricard Maria Carles Gordo al arzobispado, los aires más conservadores y clericales volvían a pintar bastos.

Las aguas parecían haber regresado a su cauce. Salvans había quedado marcado internamente como el único *pecador* del grupo, y el arzobispo Carles asumió el mismo planteamiento que se hizo su antecesor, Jubany, cuando expresó a sus colaboradores que: «por una manzana podrida no vamos a tirar todo el cesto; son jóvenes y quieren ser sacerdotes, así que vamos a darles un compás de espera de dos o tres años».

Mientras Navarro seguía ejerciendo de sacerdote, sus compañeros Salvans, Cané y Bultó habían quedado a la espera de tiempos mejores. Y el cambio llegó, finalmente, en 1991, cuando el arzobispo Carles levantó el veto y autorizó que Lluís Bultó fuera ordenado sacerdote, pasando a ocupar su primer destino sacerdotal en la parroquia de Santa Coloma, la misma en la que, años antes, Paco Andreo había comenzado su ascenso entre los jóvenes. Sus otros dos compañeros quedaban en lista de espera para un próximo y discreto acceso a las órdenes mayores.

Pero, el día de su ordenación, en la iglesia de Santa María de Badalona, origen fundacional de Nous Camins, Bultó cogió el micrófono y, envalentonado, lanzó un discurso en el que profirió amenazas poco disimuladas contra «aquellos que nos han perseguido y difamado».

La salida de tono —pero, especialmente, la ruptura del pacto de discreción— alarmó y enfadó al arzobispo Carles hasta el punto de hacer reabrir el sumario instructor para todos los miembros del grupo. Para Salvans y Cané se había cerrado de golpe la posibilidad de ser ordenados en Barcelona, pero ambos hacía ya tiempo que movían sus contactos fuera de España.

Un año después, en 1992, Albert Salvans era ordenado sacerdote en Londres y Pere Cané lo era en Wisconsin (Estados Unidos). Ambos habían entrado en la Iglesia Católica por una puerta falsa y, sin duda alguna, alguien les había dado, desde dentro, las llaves para poder abrirla.

Las diócesis respectivas de Londres y Wisconsin, en su día, oficiaron un escrito rutinario al arzobispado de Barcelona recabando antecedentes de Salvans y Cané, pero esas cartas nunca se contestaron. El silencio tácito, según costumbre, hizo creer a la Iglesia Católica inglesa y a la norteamericana que no había obstáculos para la ordenación de los dos diáconos, por lo que procedieron a ello.

El cúmulo de *errores* beneficiosos para todos los implicados en este escándalo es tan enorme, que nadie en su sano juicio puede dudar ya de que, desde el arzobispado, se haya actuado con grave ligereza e irresponsabilidad en algunas ocasiones, con cobardía en otras más, y con vergonzosa astucia encubridora las más de las ocasiones.

Pere Cané es miembro de una familia acomodada de Badalona, con buenas influencias y, en la época, profundamente implicada en la asociación Nous Camins —su padre era el tesorero y su hermana la psicóloga de la organización—, pero también ha contado siempre con buenos amigos en el arzobispado de Barcelona, como, por ejemplo, Jaume Traserra Cunillera, nombrado obispo de Selemsele y auxiliar de Barcelona el 9 de junio de 1993.

Jaume Traserra, desde su capital e influyente cargo de vicario general —tanto con Narcís Jubany como con el actual arzobispo Ricard Maria Carles—, recibió siempre con los brazos abiertos a Pere Cané en los momentos más conflictivos, y no dudó en mostrarse como valedor suyo y de Nous Camins cuando hizo falta.

Así, por ejemplo, Jaume Traserra, un eclesiástico melómano y de gustos caros, fue quien, en una reunión de obispos, mantenida en septiembre de 1993, intentó detener la redacción de una nota oficial en la que se decía que Nous Camins no tenía nada que ver con la Iglesia y, al no lograrlo, se ofreció a escribirla él mismo, cosa que no hizo, naturalmente; aunque sí tuvo energías, poco después, para intentar parar de nuevo la publicación de la nota que el arzobispo había encargado redactar a otro. Había que guardar las formas, al menos, y salvar la imagen de la Iglesia ante posibles futuros escándalos. La nota se hizo pública el día 6 de octubre de 1993.

Perder el *paraguas* protector de la Iglesia le podía costar muy caro a Nous Camins, una asociación que, bajo la cobertura de diversos programas de ayuda al Tercer Mundo, maneja elevados presupuestos anuales —que oscilan entre los 30 y los 150 millones de pesetas, según fuentes de la Administración catalana, que en el momento de escribir estas líneas está investigando si es correcto o no el destino de las subvenciones que les ha concedido—, que son la base de subsistencia del grupo.

En medio de este complicado baile de intereses y de rencillas palaciegas, las denuncias han ido goteando de nuevo sobre la mesa del fiscal Jaume González-Agápito Granell que, con un exquisito secreto, tramita esta causa con la intención de llegar hasta las últimas consecuencias. Pero, seis años después de conocido el escándalo por la autoridad eclesiástica, todavía no se ha tomado medida canónica alguna[92].

Tal lentitud, en todo caso, contrasta vivamente con la rapidez con que, apenas reabiertos los expedientes, le llegó a González-Agápito una sabia y cristiana *advertencia*: «si le das salida a este asunto, no llegarás nunca a ser obispo».

Sin embargo, los implicados en uno de los escándalos sexuales más importantes de la Iglesia Católica española actual siguen ejerciendo el sacerdocio como si nada hubiese pasado, como si las varias decenas de jóvenes que presuntamente fueron corrompidos sexualmente, cuando eran menores, ya hubieran dejado de existir para la jerarquía eclesiástica.

En la curia de gobierno del arzobispado de Bar-

92. Y la legislación canónica establece que ningún miembro de la Iglesia puede ser penalizado por un delito cometido hace más de cinco años.

celona todos los prelados conocen perfectamente los detalles de esta historia de corrupción de menores, pero al menos cinco de ellos han tenido responsabilidad directa en su encubrimiento: los cardenales Narcís Jubany Arnau y Ricard Maria Carles Gordo, y los obispos auxiliares Carles Soler Perdigó, Jaume Traserra Cunillera y Joan-Enric Vives Sicilia.*

El silencio de los obispos, en casos como éste, ilegitima y desautoriza la propia integridad moral de la Iglesia como institución.

* Estando ya este libro en vías de impresión, el boletín oficial del arzobispado de Barcelona, en su número de diciembre de 1994, publicó la disolución de la Casa de Santiago, decretada por el cardenal Ricard Maria Carles el día 3 de octubre anterior. Poco antes, el 30 de septiembre, Carles y sus cinco obispos auxiliares habían acordado designar un tribunal eclesiástico especial —conformado por los jueces eclesiásticos Xavier Bastida, Ramón Domènech y Joan Benito— para enjuiciar canónicamente los hechos y entidades que se habían derivado de la doctrina del sacerdote Alfred Rubio y de sus discípulos. Ello no obstante, esta injustificadamente tardía reacción del episcopado barcelonés —desencadenada hoy sólo gracias a fuertes presiones externas—, dada la propia dinámica de los procesos canónicos, seguirá manteniendo encubiertos y fuera del ámbito de la justicia penal todos los presuntos delitos de corrupción de menores que hemos descrito en estos dos últimos capítulos. A nuestro juicio, la formación del citado tribunal eclesiástico no rebaja ni un ápice la responsabilidad encubridora de los prelados catalanes mencionados en este texto y, antes al contrario, su supuesta intención «esclarecedora» va a retrasar y dificultar aún más la posibilidad de que todos estos presuntos delitos sexuales cometidos sobre menores sean juzgados por la justicia ordinaria. En todo caso, el encubrimiento clerical podrá quedar *burlado* cuando, después de la publicación de este libro, algunas víctimas de abusos sexuales opten por abandonar la inútil vía de la denuncia canónica para presentar una querella penal formal contra los sacerdotes implicados en estos presuntos hechos delictivos.

11

LUIS TO, UN DIRECTOR ESPIRITUAL CONDENADO POR ABUSAR SEXUALMENTE DE UNA NIÑA DE 8 AÑOS

Sandra M.M., de 8 años de edad, cursaba tercero de E.G.B. en el prestigioso colegio barcelonés de Sant Ignasi de Loiola (más conocido como el de «los jesuitas de Sarrià») y, como no había sido bautizada, pero deseaba recibir tal sacramento, sus padres fueron a hablar con el director espiritual del centro, el padre Luis To González, que les dio todo tipo de facilidades.

Un mes después, el 7 de abril de 1992, Sandra regresó del colegio muy nerviosa y excitable, pero sus padres, José María M.C. y M.ª Carmen M.E., no acertaron a descubrir las causas. El día siguiente, hacia las nueve de la noche, M.ª Carmen, la madre, oyó a Sandra llorar en el cuarto de baño y entró para hablar con ella. La niña estaba muy angustiada y se negaba a contarle el motivo de su aflicción.

«Si te lo cuento —le decía la niña, entre llantos—, tú te enfadarás mucho conmigo y no me querrás, porque es una cosa muy sucia.»

Al cabo de un rato, M.ª Carmen, después de calmar a su hija y prometerle que no se lo contaría a nadie, escuchó de labios de la niña la razón de su sufrimiento.

«—El padre To me ha estado tocando —dijo al fin Sandra.

—¿Y cómo te ha tocado? —interrogó la madre con prudencia.

—Me ha tocado el culo y el *popete* [vagina].

—¿Por fuera de la ropa?

—No, poniéndome la mano por dentro del pantalón. El padre To me hizo sentar sobre sus piernas y enseguida noté una mano que me tocaba el culo y después, por dentro de los pantalones elásticos, me tocó el *popete*.

—¿Te puso los dedos dentro del *popete* el padre To?

—No, pero me daba golpecitos encima con sus dedos.

—¿Y cuántas veces te ha hecho esto el padre To?

—Ayer y hoy. Y cuando salía de su despacho me ha dicho que si tenía algún problema que fuese a verlo, que él me lo solucionaría y que me enseñaría cosas. Y me dio besos.

—¿Y tú cómo te sentías cuando el padre To te tocaba?

—Me dolía mucho el corazón, porque pensaba que cuando tú te enterases me matarías.»[93]

Los padres de la menor, obviamente, presentaron ante la policía autonómica catalana una denun-

93. Cfr. Actas de declaración de José M.ª M.C. y de M.ª Carmen M.E. ante la policía autónoma catalana, con número de registro 413/92 y fechadas el 14 y 15 de abril de 1992; y ante el Juzgado de Instrucción número 30 de Barcelona, D.P. 1427/92 (luego transformadas en D.P. 1844/92).

cia contra el sacerdote jesuita Luis To González, de 57 años, por las dos agresiones sexuales que había sufrido su hija.

El testimonio de la niña, fiable y sin contradicciones, recogido en el acta de su exploración, es claro y demoledor:

> Que el pasado martes día 7 de abril —se lee en el documento judicial— y después de la comida aproximadamente, se dirigió juntamente con otro compañero de clase llamado Xavier C.T. al despacho del padre Lluís To, con la finalidad de recibir la preparación para el bautismo, siendo esta preparación de carácter espiritual.
>
> Que cuando entraron en el despacho, su compañero Xavi C. se puso a dibujar en el ordenador del padre To, mientras la que habla hablaba con el padre To, el cual le dijo que se sentara en sus piernas, cosa que hizo, y se pusieron a leer el Nuevo Testamento, momento en el cual el padre To deslizó su mano por dentro del pantalón y de su ropa interior, tocándole el culo y la vagina, mientras que con la otra mano se fumaba un cigarrillo.
>
> Que después el padre To le dijo a Xavi C. que se fuera ya que a él le queda más tiempo para hacer el bautismo y que volviera al día siguiente, quedándose la que habla sola con el padre To, momento en el cual le dijo al padre que se quería levantar y que no quería estar en sus rodillas, poniéndose a leer ella el Nuevo Testamento, dándole él besitos en la cara y alguno en los labios, antes de que ella se fuera del despacho.
>
> Que el miércoles día 8 de abril, después de

comer, volvieron al despacho del padre To, la que habla y su compañero Xavi C.

Que el ordenador estaba estropeado ese día, por lo que su compañero Xavi se puso a dibujar sobre papel de impresora, mientras la que habla se sentó en el lado opuesto de la mesa, justo al lado del padre To, pero en una silla, poniéndose a leer cosas relacionadas con su bautismo.

Que entonces le dijo el padre To que se sentase en sus rodillas, convenciéndola de que lo hiciese a pesar de que al principio no quería, diciéndole entonces a Xavi C. que se marchase, y quedándose sola con el padre, momento en el cual empezó a tocarla otra vez por dentro del pantalón y de la ropa interior.

Que entonces le dijo que viniera al día siguiente a verlo, y que al despedirse le dio besos en la cara y en los labios.

Que no quería contar en casa todo esto porque tenía miedo a la reacción de sus padres, y que el corazón le dolía y que no podía dormir.

El compañero de Sandra, Xavier C.T., de 9 años, ratificó ante el Juzgado el relato de la menor y comentó que «mientras el padre Luis le daba besos a la niña él disimulaba, ya que sintió vergüenza al ver al padre To haciendo cosas que no eran normales para él».

Cuando, al día siguiente, Luis To fue detenido, el sacerdote negó todas las acusaciones con aplomo. «No es que tenga costumbre de sentar a los niños sobre las rodillas —manifestó el padre To ante el juzgado—, pero a esas edades es frecuente que me abracen y besen, incluso en público, ya que eso es normal.»

La dirección del colegio de Sant Ignasi, que no podía desconocer los antecedentes de agresiones sexuales a otras alumnas que el padre To había protagonizado en el pasado —y que, aunque se habían silenciado externamente, eran del conocimiento público de muchos profesores del centro—, actuó rápidamente en defensa de sus intereses e imagen y, en lugar de tomar partido a ultranza por el sacerdote, que es lo habitual en estos casos, optó por dar la sensación de querer aclarar el caso, al tiempo que contrataba para defender al padre To a uno de los abogados de más prestigio: Eugeni Gay Montalvo, actual decano de la abogacía española.

Mediante una nota dirigida a los profesores y padres de alumnos, el director del colegio, Francesc Xicoy, expresaba, el 22 de abril, su inteligente postura: «Dado que el caso se ha llevado por vía judicial, la Dirección del Centro quiere que se aclare esta situación, ya que también se siente directamente afectada, dada la responsabilidad de la tarea de Lluís. Por eso, se han dado ya los pasos necesarios de cara a la plena clarificación de la actual situación.»

Pero clarificar, para algunos jesuitas, debe tener un significado diferente al que es común para el resto de los mortales. Así, cuando, durante la investigación del caso, se localizó a dos ex alumnas que, siendo menores, habían sufrido abusos sexuales por parte del padre To, superiores de la orden fueron a visitar a una de ellas para advertirla de que si acusaba a Luis To «saldrán durante el juicio detalles de tu vida que no te va a gustar que salgan a la luz». Esta coacción la decidió definitivamente a presentarse como testigo ante el tribunal.

La otra chica, de personalidad bastante débil, hija de una familia muy católica, relató cómo el padre To, cuando ella tenía 14 años [hace unos diecisiete años de ello], la hacía sentar en sus rodillas, la sobaba con fruición y luego, antes de despedirla, le pedía que fuese con cuidado en el autobús ya que había mucho vicioso suelto por el mundo. Esta actitud contradictoria le fue incrementando sus problemas de personalidad hasta que un día se lo confesó todo a su madre. Pero ésta le pidió que se lo ocultara a su padre (militar de profesión), ya que, según la madre, si se llegase a enterar sería capaz de matarla a ella y al sacerdote.

El testimonio de estas dos chicas no fue finalmente tenido en cuenta por el tribunal que juzgó a To, ya que los hechos delictivos que denunciaron ya habían prescrito por el paso del tiempo. Pero no sucedió lo mismo con los abusos sexuales que el sacerdote cometió contra Sandra.

La Sección Novena de la Audiencia Provincial de Barcelona, en su sentencia de 15 de octubre de 1992[94], condenó a Luis To González a «dos penas de un año de prisión menor y de seis años y un día de inhabilitación especial para cargos u oficios relacionados con la educación o dirección de la juventud en Centros Escolares y al pago de las costas procesales», por la comisión de dos delitos contra la libertad sexual[95] de Sandra M.M., a la que también debe abonar una indemnización de 500.000 pesetas.

94. Número de orden 112/92, causa D.P. número 1844/92 del Juzgado de Instrucción 30 de Barcelona.

95. Delitos comprendidos y penados en el artículo 430 del Código Penal y en relación con los artículos 429-3.ª y 445. El artículo 430 tipifica cualquier agresión sexual que no esté contemplada en el artículo 429 sobre la violación. El artículo 429-3.ª se refiere a la violación de una menor de 12 años. Y el artículo 445 regula los reos de inhabilitación especial.

Aunque con demasiados años de retraso, la Justicia había intervenido por fin para sancionar el comportamiento lesivo y delictivo de un sacerdote cuyos hábitos sexuales, al parecer, eran perfectamente conocidos por sus superiores y su entorno social.

El hijo de unos amigos de este autor, ex alumno de los jesuitas y ferviente católico, me decía hace poco:

«No comparto los puntos de vista que sobre el celibato sacerdotal vas a mantener en tu libro, pero es evidente que hay muchos casos de abusos. Creo que, por ejemplo, fue muy justa la condena del padre To y que aún se quedó muy corta. Durante los años que estudié con los jesuitas todos sabíamos que al padre To le gustaba meter mano a los niños y a las niñas, pero cuando alguno de los afectados se lo contaba a sus padres y éstos protestaban ante el director, nunca pasaba nada, siempre se ocultaba su comportamiento vicioso o enfermo. Por eso ha estado tantísimos años haciendo lo mismo con total impunidad... hasta que se encontró frente a unos padres como Dios manda y lo sentaron ante un juez.»

12

VICENTE VICENS, UN PERSEVERANTE CORRUPTOR DE MENORES

Vicente Vicens Monzó, sacerdote y fraile franciscano, comenzó a vivir fuera de su convento en 1983 y poco tiempo después fue contratado por el Ayuntamiento de Sant Pere de Ribes (Barcelona) para que diera clases de educación física en el colegio Els Costarets de esa localidad. Tenía entonces 48 años y algunas ideas muy personales acerca de la educación sexual de los menores.

La vida parecía sonreírle y empezó a ganar prestigio en los ambientes en que se movía. Llegó a ser nombrado secretario general técnico del Consejo General de Deportes (organismo dependiente de la Consellería de Deportes de la Generalitat de Catalunya). Su vida personal parecía de lo más normal del mundo. Aún faltaban algunos años para que la fiscal Ana Josefa Crespo, en su escrito de acusación[96], diese una imagen radicalmente distinta de este sacerdote que:

96. Cfr. Escrito de acusación del Ministerio Fiscal contra

«Con intención de avivar sus deseos sexuales penetraba continuamente en las duchas de los vestuarios de las alumnas cuando éstas las ocupaban y estaban duchándose desnudas, igualmente en el transcurso de las actividades deportivas procedía a tomar el pulso a las niñas tocándoles los pechos y las ayudaba continuamente en sus ejercicios físicos con tocamientos en muslos y nalgas...»

Con el paso del tiempo —y con la evidente impunidad con que desarrollaba sus escarceos sexuales con los niños y niñas del colegio Els Costarets—, las actuaciones libidinosas del sacerdote fueron acentuándose hasta provocar una eclosión de malestar entre los alumnos del colegio y sus padres. El principio del fin fue el *motín* que los alumnos de 4.º de E.G.B. (9 a 10 años) protagonizaron el mediodía del 28 de marzo de 1990, forzando una asamblea en presencia del tutor Xavier Vidal Piqué y de la jefa de estudios Nuria Borrás Rovira.

Ese día, Silvia Graciela Ayarzaguena, madre de dos alumnas del colegio, se encontraba en el centro cuando «de pronto, en tropel, observó cómo toda la clase de 4.º en masa acudía a Dirección [del colegio] vociferando. Les preguntó "pero niños ¿qué pasa? ¿adónde vais?", y ellos respondieron, entremezclando las diversas voces, "es que Vicens se nos mete en las duchas", "es que nos toca", "es que nos dice que si tenemos problemas sexuales", etc. Ante ello [la madre] buscó al profesor Vicens y le dijo que había que aclarar ciertos extremos, insistiendo Vicens en que tal conversación debía celebrarse en privado,

---

Vicente Vicens Monzó, fechado el 9/11/90, en las Diligencias Previas número 389/90 del Juzgado de Instrucción número 3 de Vilanova i la Geltrú, folios 116-117.

a lo que dijo [la señora Ayarzaguena] "si los niños tienen edad para que usted los magree, también tienen edad para escuchar". Con toda la clase de 4.º presente, los niños comenzaron a decir a Vicens "nos tocas, entras en las duchas, nos dices que si tenemos problemas sexuales...", luego comenzaron a insultarle con epítetos como "cerdo", "maricón"... Dicho profesor no negó nada de lo que se le había dicho, sólo insistía en que la conversación fuese en privado.»[97]

Aquella misma tarde Silvia Graciela se reunió con otras madres afectadas y con Nuria Borrás Rovira, jefa de estudios del colegio que, a pesar de que tenía conocimiento del comportamiento de Vicens Monzó desde hacía mucho tiempo, negó rotundamente a las madres el apoyo del centro ante una posible denuncia judicial contra el sacerdote, argumentando que ya se había informado al Ayuntamiento de este caso y que la solución del problema le correspondía al consistorio[98].

97. Cfr. la declaración de Silvia Graciela Ayarzaguena ante el Juzgado de Instrucción número 3 de Vilanova i la Geltrú, fechada el 7/4/90, en el curso de las Diligencias Previas número 389/90.

98. A pesar de que las quejas contra el sacerdote dentro del centro escolar venían de años atrás, la dirección del colegio no comunicó los hechos al Ayuntamiento de Sant Pere de Ribes hasta que fue presionada por las madres de alumnas afectadas por los actos lascivos de Vicens Monzó. Josep Lluís Palacios, concejal de enseñanza del consistorio local, recibió una primera carta con quejas contra el religioso el 28-3-90, otra el día siguiente y, finalmente, sólo cuando el malestar en el pueblo ya era imparable (y el Juzgado ya estaba actuando contra el sacerdote), el 6-4-90 la directora del centro, Beatriz Castán Prats, comunicó por escrito al Ayuntamiento un ruego para que «por el momento» Vicente Vicens no fuese a impartir clases en el colegio.

Por fin, las acusaciones contra Vicente Vicens se materializaron ante la justicia penal, y los testimonios de muchos alumnos y alumnas —de entre 8 y 12 años— del sacerdote demostraron de forma incontestable que Vicens, desde el curso de 1984 hasta abril de 1990, con la excusa de calificarles, entraba habitualmente en los vestuarios de los niños y niñas mientras éstos se duchaban, vestían y aseaban después de terminar los ejercicios de gimnasia, y les observaba sin el menor recato; haciendo caso omiso a quienes protestaban por su presencia y actitud, solía preguntarles si tenían algún tipo de problema o complejo sexual. En casos como el de Judith G.B., de 10 años, el religioso le practicó tocamientos en los órganos genitales mientras estaba en la ducha. Y las niñas que, como Vanessa B.S., de 8 años, llegaron a optar por no hacer gimnasia o por no ducharse luego, recibían reprimendas y malas notas del sacerdote libidinoso.

A menudo, con el pretexto de controlar las pulsaciones de las alumnas después de determinados ejercicios, les ponía las manos sobre el pecho —no así a los varones, a quienes medía el ritmo de sus pulsaciones en las muñecas—, y habitualmente les tocaba las nalgas y los muslos, ya sea dándoles palmadas mientras corrían o fingiendo ayudarlas a realizar los ejercicios que él mismo ordenaba. A las niñas no las dejaba ir con chándal y las obligaba a usar mallas muy ceñidas al cuerpo.

Para completar el cuadro, tal como relataron Verónica S.L., Vanessa B.S. y varias preadolescentes más, Vicente Vicens, en sus clases de gimnasia, llevaba puesto «un pantalón corto de deporte, sin slip debajo, de forma que se le ve *todo* [sus genitales]... y pregunta a todas las niñas cómo les va su vida sexual».

Fuera del colegio, Vicente Vicens realizó tocamientos en los muslos a niñas que transportaba en su coche particular y a adolescentes varones —como Julio César S. y Roberto José P.O., de 14 y 15 años respectivamente— con los que pernoctó en una tienda de campaña durante una excursión.

Su afición por el vídeo le llevó, en varias ocasiones, a grabar imágenes de los alumnos y alumnas del centro escolar mientras se duchaban y sin que éstos se dieran cuenta de que eran filmados por su profesor. Unos hechos que, entre otros, evidenció el menor Juan Manuel P.E. cuando accidentalmente puso en marcha la cámara de Vicente Vicens y pudo ver por el visor una filmación en la que aparecían desnudos, bajo la ducha, sus compañeros de colegio.

La fuerza de las denuncias acumuladas ante el Juzgado número 3 de Vilanova i la Geltrú hizo que se acordara, el 6 de abril de 1990, la entrada y registro de la vivienda particular de Vicens, donde se encontraron, entre otras, tres cintas de vídeo que daban cumplida cuenta de sus andanzas como «educador sexual» de dos niñas, las hermanas Montserrat y Nuria P.P., que aparecen filmadas a diferentes edades.

En la primera de las cintas, tal como se relata textualmente en el apartado de hechos probados de la sentencia que finalmente condenará al sacerdote[99], aparecen Montserrat (8-9 años) y Nuria (5-6 años) «en la habitación de dormir de Vicente en su domicilio, y con las tomas hechas a cámara fija, pero en su presencia, siguiendo las indicaciones de Vicente se acuestan en la cama, Nuria en pijama, haciendo bromas, saltando, y Montserrat en camiseta y bragas,

99. Cfr. Sentencia número 500/91 de la Sección Décima de la Audiencia Provincial de Barcelona, dictada en fecha 19-3-91.

con el semblante de timidez, tapándose ante la cámara, observándose a continuación cómo Vicente se introduce en la cama colocándose en medio de las dos menores; a continuación aparecen escenas en las que ambas niñas se visten.

»En la segunda de las cintas aparece la menor Montserrat con una edad de 11-12 años, en la misma habitación de Vicente, ataviada con un camisón de tirantes, probando varias poses frente a la cámara, tumbada y sentada, quitándose los tirantes y mostrando al objetivo un pecho incipiente.

»En la tercera de las cintas se observa a las dos menores Montserrat y Nuria con unas edades de 14-15 años y 10-11 respectivamente, en la que Montserrat es filmada al salir de la ducha, portando una toalla y comenzando a secarse de forma estudiada y meticulosa, siguiendo las indicaciones verbales de Vicente que la estaba filmando, poniéndose después un sujetador de blonda, luego las bragas a conjunto, para continuar, tras hacer varias poses, efectuando un *striptease* por indicación de Vicente que le va diciendo "quítate la ropa... esto es una cosa privada que no le interesa a nadie... sólo cuando estemos nosotros"; totalmente desnuda, Montserrat coge otras bragas, se las pone, se tumba en la cama y comienza a chupar un caramelo alargado, haciéndolo entrar y salir de la boca de forma repetida y mirando a la cámara [en la grabación se oye la voz que le dice a la niña que la piruleta recuerda un pito —un pene— y entonces la niña empieza a chupar el caramelo con más erotismo]. Todo ello en presencia de la hermana menor, Nuria, que sube a la cama y, quitándose las bragas que llevaba, expone a la cámara sus genitales abriendo las piernas, y comenzando a chupar un caramelo como su hermana. A lo largo de la cinta aparecen en planos continuados los senos y el pubis afeitado de Montserrat, y los genitales de Nuria, cuyo desarrollo empezaba a producirse. Durante la filmación Vicente les decía a las niñas que eso no se estaba grabando, permaneciendo la filmadora conectada a un monitor situado detrás de la habitación.»

Ambas menores, en esos días, eran también alumnas del colegio Els Costarets y su tía, Marina Prat, era profesora de gimnasia del centro, junto a Vicente Vicens, y vivía en el mismo rellano donde estaba situado el apartamento del sacerdote en el que se realizaron las grabaciones y donde las niñas permanecían y pernoctaban durante semanas enteras. Marina y el religioso mantenían una buena relación personal y profesional, y ella conocía tanto las inclinaciones sexuales de Vicente como sus atípicas relaciones con sus dos sobrinas.

Cuando fue detenido, Vicente Vicens Monzó negó todas las imputaciones, obviamente, pero sus declaraciones apenas tienen desperdicio y, en boca de un sacerdote, como él es, resultan tan inquietantes como esperpénticas.

Vicente Vicens reconoció ante el Juzgado[100] que dormía con Nuria (12 años) y con Montserrat (15 años) desde que éstas tenían 6 y 10 años respectivamente, y que se desnudaba con naturalidad delante de las niñas así como ellas lo hacían igualmente delante de él. Y, puntualiza en su declaración:

«Que a veces, cuando dormían juntos, con el pene fláccido se ponía un preservativo hasta el final que le apretara y así poder dormir tranquilamente

100. Cfr. Diligencias Previas 389/90 del Juzgado de Instrucción número 3 de Vilanova i la Geltrú, folios 23 y 24, declaración fechada el 9/4/90.

con las niñas y evitar cualquier tentación, porque en alguna ocasión ha tenido erección pero nunca del lado de la niña, pues se volvía para no hacer daño a quien tanto quiere. Que cuando dormía entre las dos, a veces la pequeña le decía que le hiciera la silla acercándose más porque tenía frío, y él decía "no aprietes para acá que a lo mejor me pones hasta cachondo". Que la niña conocía el significado de ponerse cachondo.»

La razón para grabar los vídeos eróticos que hizo con las niñas, según su declaración, es «hacer un montaje con las cintas de tres o cuatro años. Que a veces con el padre hacían imagen de vídeo. Que el motivo del montaje es para explicarles a las niñas su evolución sexual en diferentes edades, porque siempre ha querido formar a las personas más que informarlas. Que si educa quitará malicia. Preguntado por qué al filmar a la niña mayor se fijaba tanto en los pechos y el sexo, dice que era para explicarle qué era y qué no era bonito, porque a veces, al ver las fotografías de la revista *Interviú*, le explicaba que un medio desnudo es más bonito que, por ejemplo, las partes genitales. Que grababa las partes genitales de la niña y lo comentaba inmediatamente».

No menos sorprendente ni esperpéntica resulta la declaración de Lorenzo Prat, padre de las dos menores, que afirma ante el juez que «tiene conocimiento de los hechos y quiere manifestar que existe una cinta de vídeo en la que aparece su hija Montse con una toalla, ya que había visto parte de ese vídeo. Que cree que estas escenas se pueden contemplar en cualquier playa española durante todos los días del verano (...) Que cuando van de vacaciones y aun cuando hayan dormido en el domicilio [del sacerdote] no tiene ninguna importancia, ya que confía plenamente en el padre Vicente y en la educación dada a sus hijas (...) Considera normal la filmación de partes íntimas de sus hijas: planos de vulva y pechos, ya que para ellas es como un juego, que luego las ven y se ríen.»[101]

El padre de las menores, al igual que la madre y las propias niñas, apoyaron absolutamente a Vicens en sus declaraciones —que fueron desgranadas sobre frases que parecían aprendidas de memoria y calcadas unas de otras— y mantuvieron la tesis del «vídeo de carácter familiar, realizado para observar el desarrollo de las niñas», que intentó sostener, sin éxito ninguno, el abogado defensor del sacerdote, que, al mismo tiempo, pretendió presentar el caso como una especie de conspiración de varias madres ociosas y envidiosas en contra de un virtuoso y religioso varón.

Vicente Vicens Monzó fue juzgado a puerta cerrada por la Sección Décima de la Audiencia Provincial de Barcelona que, en su muy bien razonada y fundamentada sentencia 500/91, después de señalar que «la Sala no hace una valoración moral de los gustos del acusado o de los modos en que éste tenga que proporcionarse satisfacción sexual, ya que esto pertenece a su esfera privada; pero sí hace una valoración jurídica de los actos externos; y estos actos externos realizados para conseguirla, utilizando a las menores Nuria y Montserrat, alcanzan plenamente el ámbito delictivo», acabó condenando al sacerdote.

El fallo de la sentencia condenó al religioso Vicente Vicens Monzó a seis meses y un día de prisión menor por un delito continuado de agresión sexual (cometido contra sus alumnos/as del colegio de Els

101. Cfr. Diligencias Previas 389/90, folio 6, declaración de Lorenzo Prat Vidal fechada el día 8/4/90.

Costarets), y a cuatro años, dos meses y un día de prisión menor, al pago de una multa de 500.000 pesetas, a la pena de seis años y un día de inhabilitación especial para el ejercicio de tareas docentes, de educación o guarda de la juventud, y al pago de las costas procesales, por ser autor de un delito continuado de corrupción de menores (cometido contra las menores Montserrat y Nuria P.P.).

Con un criterio impecable, la sentencia ordenó también que se notificara lo actuado a la Consellería de Benestar Social de la Generalitat de Catalunya, que tiene encomendadas las funciones de protección del menor; y que se remitieran a la Consellería d'Ensenyament las declaraciones vertidas por algunos profesores del colegio Els Costarets a fin de estudiar la aplicación de posibles sanciones por su comportamiento encubridor.

Después de esta sentencia se dejó en suspenso el ingreso del sacerdote en prisión mientras se resolvía el recurso de casación que había interpuesto, pero los servicios sociales detectaron que los contactos entre Vicens y las dos niñas habían vuelto a ser tal como fueron y ello motivó un escrito de la fiscal M.ª José Segarra en el que, dada «la constatación de que la influencia corruptora se sigue manteniendo sobre las menores», se solicitó acordar la prisión provisional para Vicente Vicens[102]. La Audiencia dictó el mismo día un auto de prisión contra el sacerdote, que ingresó inmediatamente en la cárcel de Brians, donde permaneció hasta su licenciamiento definitivo el 24 de marzo de 1994.

102. Cfr. Escrito de la fiscal M.ª José Segarra a la Sala de la Sección Décima de la Audiencia Provincial de Barcelona, fechado el 31/7/91.

13

JUAN MARÍN, DESTERRADO POR ABUSAR DE VARIAS MENORES

En la pequeña pedanía murciana de Corvera era ya un secreto a voces: su párroco, Juan Marín Gómez, un sesentón que llevaba unos ocho años en el pueblo, forzaba juegos eróticos con varias de sus alumnas de catequesis.

A pesar de la insistencia de los rumores, sin embargo, nadie se molestó en indagar la veracidad de los hechos, ni tampoco en advertir de ellos a los padres de las menores, familias trabajadoras y humildes que viven en la zona denominada *casas de Vallecas*. Pero, a últimos de abril de 1994, un robo de dinero en la casa parroquial afloró el escándalo.

«Después de lo del robo, se empezó a decir por todo el pueblo que había sido mi hija y tres amigas más quienes le habían quitado el dinero al cura —me comentaba Juan Sánchez Barranco[103], padre de una de las adolescentes implicadas—, nosotros nos negamos a creerlo, pero como la gente nos decía que habían visto cómo las chicas gastaban un dinero que

103. En entrevista mantenida el día 7-7-94.

nosotros no les habíamos podido dar, empezamos a preguntar. Hablé con otro padre, con Francisco Cutillas, y finalmente conseguimos que las niñas nos contasen la verdad: hacía cinco o seis meses que el cura obligaba a nuestras hijas a ver revistas porno y a desnudarse delante de él, y les daba dinero para que lo hiciesen y para que se dejasen toquetear un poco.»

Las tres niñas inicialmente implicadas —Juana y Ana Rosa, de 12 años, e Isabel, de 15— no se atrevieron a confesar a sus padres las relaciones que mantenían con el sacerdote, pero la tensión a que fueron sometidas en esos momentos las llevó hasta el límite de su resistencia. «Llevaba unos días rara —contó la madre de una de las niñas— y al verla llorando me di cuenta de que lo que había era algo muy feo. Al final me lo contó todo[104].»

«Ya no podíamos soportar más las amenazas del cura, las sospechas de nuestros padres y las preguntas de varios amigos —afirmó Isabel—, así que ya lo teníamos todo preparado, nos íbamos a ir [de la casa paterna] y, cuando ya estuviéramos tres días perdidas por ahí, nos íbamos a cortar las venas.»

La tensión que padecían las menores descendió cuando, por fin, se sinceraron con sus padres, pero, por lo que contaron, hicieron aumentar rápidamente la crispación del resto del pueblo que, como sucede siempre en estos casos, se dividió entre defensores e inquisidores del párroco.

«Nos proponía juegos raros —relataron las menores a sus padres, primero, y posteriormente a la Guardia Civil—. Juntaba dos bancos y tiraba en

104. Cfr. Ruiz, M.A. (1994, mayo 3). Los padres de 3 niñas denuncian al cura por supuestos abusos y corrupción de menores. *La Verdad*, p. 10.

medio monedas para que nos agacháramos y las recogiéramos, y las monedas eran cada vez más grandes. También nos *picó* en el tabaco, y cuando nos pedía que nos desnudáramos, nos amenazaba, si nos resistíamos, con contarle a nuestros padres que fumábamos.

»Teníamos una contraseña para entrar por la puerta de atrás de la casa. Entonces, él se bajaba los pantalones y nos obligaba a nosotras a bajarnos las bragas, y nos decía que, cada vez que íbamos, se masturbaba *a nuestra salud*.

»Al principio el cura nos daba cinco duros, pero luego fueron quinientas pesetas o incluso mil, y más cuando nos desnudábamos. Además del dinero que nos daba, nos dejaba billetes preparados en un armario, para que los cogiéramos; nosotras los buscábamos cuando él no se daba cuenta, y nunca nos dijo nada. Estaban los billetes en montones, de cinco mil y de mil, y monedas, encima del armario, y cuando jugábamos al escondite nos subíamos a una silla y se los cogíamos. Él lo dejaba allí porque sabía que se lo íbamos a quitar, y para *picarnos*.»

A pesar de la familiaridad que las menores tenían con el escondrijo del dinero de la parroquia —y de que el propio Juan Marín las incitaba a coger parte de él como pago a sus caprichos libidinosos—, los investigadores descartaron desde el principio la posible participación de las chiquillas en el robo de las cien mil pesetas que, según denunció el sacerdote, tenía guardadas, en lo alto del armario de su habitación, para realizar unos pagos de la parroquia.

Para los padres de las chicas, el robo pudo ser un montaje del cura: «yo no puedo asegurarlo —me decía Juan Sánchez—, pero este hombre, Juan Marín, tenía un dinero que le habían dado para arreglos de la iglesia, y no sabemos cómo, ni por qué, ni dónde, este hombre se gastaría ese dinero, o lo perdería, o se lo daría a alguien; en resumidas cuentas, que no sabemos qué ha hecho con el dinero, pero ahora sí que sabemos que tenía que hacer unos pagos y no pudo, por lo que el hombre, a lo mejor, decidió simular un robo y, al hacerlo, los vecinos, que veían entrar y salir a las chicas que solían ir por su casa, las culparon a ellas».

Los padres, al ver el cariz que estaba tomando el asunto, denunciaron al sacerdote Marín ante la Guardia Civil por lo que había hecho con sus hijas. «Nosotros no quisimos organizar ningún escándalo —me comentaba Juan Sánchez—, ni avergonzar a todo el pueblo, tal como andan diciendo por ahí algunos que hubiesen preferido que callásemos; le dimos publicidad porque, como aquí no se movía nadie, pues no nos quedó más remedio que hacerlo.»

La versión que dio el párroco de Corvera fue, naturalmente, muy diferente: «las chicas me hacían preguntas sobre sexo muy comprometidas, como "si me había acostado alguna vez con alguna mujer". Yo creo que a los niños hay que hablarles claro, porque lo entienden todo; por eso les dejé unos tomos sobre arte clásico, donde aparecen unas figuras de hombres desnudos, para que vieran cómo es»[105]. Respecto a las revistas pornográficas de hombres desnudos encontradas en su casa, el sacerdote Juan Marín, con infantilismo absurdo, dijo que «aparecieron debajo de una manta, y desde luego yo no las puse».

Sí admitió el sacerdote, sin embargo, que «una tarde eché el colchón al suelo y yo me tumbé en medio, entre ellas, pero sólo para dormir la siesta».

105. Cfr. Ruiz, M.A. (1994, mayo 3). *Op. cit.*, p. 10.

Atrapado entre las declaraciones de las menores y las suyas propias, el párroco Marín intentó dar marcha atrás diciendo que el dinero perdido no tenía ninguna importancia para él y que era mejor olvidarlo todo y zanjar el asunto. Pero era ya demasiado tarde. Lejos de olvidar, otras seis chicas del pueblo cobraron valor y comenzaron a explicar hechos parecidos, ocurridos con anterioridad.

El obispo de Cartagena, Javier Azagra Labiano, a través de su portavoz, salió en defensa de la honestidad de su párroco y dio pábulo al argumento de Marín en el sentido de que las denuncias eran «fruto de la imaginación de las muchachas y del intento de explicar un robo de dinero ocurrido en la noche del pasado viernes en casa del sacerdote».

La magistrada Concepción Roig, titular del Juzgado de Instrucción número 2 de Murcia, menos propensa que monseñor Azagra a comulgarse las declaraciones con fe, después de interrogar (el 6 de mayo de 1994) a todas las menores y al sacerdote —que declaró durante dos horas—, adoptó una resolución judicial que es toda una declaración de principios: decidió no ingresar a Juan Marín en prisión en consideración a su edad y a su estado físico, pero exigió garantías al vicario de la diócesis de que no volvería a ejercer el sacerdocio en Corvera.

Sensible al malestar popular que hervía en Corvera, la magistrada no dudó en expresar la conveniencia de que Juan Marín «no vuelva por la zona ni siquiera para recoger sus efectos personales de la casa parroquial y que se ocupe de ello algún familiar, para evitar posibles tensiones en la población».

Desterrado de su parroquia, el sacerdote Juan Marín Gómez, está pendiente, en el momento de redactar estas líneas, de que el fiscal presente oficialmente su acusación por la comisión de un presunto delito de corrupción de menores.

De momento, que no es poco, este sacerdote se ha librado de la cárcel y de la madre de Isabel. «Cuando empezó todo —dijo la madre de la menor— el cura vino a casa a pedirme disculpas, pero yo apenas sabía nada todavía del tema. Yo le dije que lo que habláramos sobre el asunto tenía que ser delante de la cría. Él dijo que eso no, y entonces se fue. Si llego yo a saber lo que ocurría, lo mato allí mismo.»

PARTE III

LA HOMOSEXUALIDAD ENTRE LOS SACERDOTES

«Angustiado estoy por ti, ¡oh Jonatán, hermano mío! Me eras carísimo. Y tu amor era para mí dulcísimo, más que el amor de las mujeres.»

Elegía del rey David
por Jonatán (2 *Sam* 1,26).

14

LAS PRÁCTICAS HOMOSEXUALES ENTRE EL CLERO CATÓLICO

La Iglesia, en su documento titulado *Carta a los obispos de la Iglesia católica sobre la atención pastoral a las personas homosexuales*, aprobado en 1986 por el papa Wojtyla y firmado por el cardenal Joseph Ratzinger, prefecto de la Congregación para la Doctrina de la Fe (ex Santo Oficio), condena tajantemente no sólo la práctica homosexual sino también su mera inclinación.

La condena está hecha con evidente irracionalidad y cae de lleno en lo acientífico y anticonstitucional cuando afirma lo que sigue: «el homosexual manifiesta una ideología materialista que niega la naturaleza trascendente de la persona humana, como también la vocación sobrenatural de todo individuo»; «la práctica de la homosexualidad amenaza seriamente la vida y el bienestar de un gran número de personas»; «la homosexualidad pone seriamente en peligro la naturaleza y los derechos de la familia»; «la actividad homosexual impide la propia realización y felicidad, porque es contraria a la sabiduría creadora de Dios» y un largo etcétera de afirmaciones de parecido tenor, que llegan al despropósito de señalar que, cuando la «actividad homosexual es tomada por buena», nadie puede extrañarse de que «aumenten los comportamientos irracionales y violentos»...

La profunda y venenosa visceralidad con que los jerarcas de la Iglesia Católica abordan la cuestión de la homosexualidad contrasta significativamente, sin embargo, con el gran número de homosexuales que hubo, hay y habrá entre el clero católico. El que la Iglesia denominó *crimen pessimum*, es un comportamiento sexual muy querido para una cuarta parte o más de los sacerdotes.

Valorar la cifra de curas homosexuales no resulta fácil, pero es de destacar la proximidad de los porcentajes —siempre muy elevados— que ofrecen todos los que han estudiado este tema. En diferentes estudios clínicos o sociológicos se citan índices de homosexualidad que oscilan entre el 30 % y el 50 % del clero católico. Porcentajes que son equiparables a los detectados en iglesias *hermanas* como pueda ser, por ejemplo, la Iglesia de Inglaterra, en la que, según un estudio realizado entre el clero de la zona de Londres, un 40 % del total de sus ministros son homosexuales[106].

En una investigación realizada por la propia Iglesia Católica en la diócesis canadiense de San Juan de Terranova, en 1990, se llegó a la conclusión de que el 30 % de los curas de la misma eran homosexuales (y también demostró que su arzobispo Alphonsus Penney, que fue forzado a dimitir, había encubierto los abusos homosexuales cometidos por

106. Cfr. Santa Eulalia, M.G. (1981, mayo 9). Tolerancia en la discusión de la homosexualidad. *Vida Nueva* (1.277).

más de veinte sacerdotes sobre unos cincuenta menores, alumnos de un colegio de esa ciudad).

Hubertus Mynarek, teólogo y psicólogo, apunta que «un cálculo por encima (sobre la base de los casos que me son conocidos), a la vista de la tendencia dominante hacia el mismo sexo entre los sacerdotes católicos, indica que aproximadamente una tercera parte [33 %] de ellos son principal o exclusivamente homofílicos u homosexuales.»[107]

Michael Sipe, sociólogo y psicólogo, afirma —en su libro *En busca del celibato*— que el 20 % de los sacerdotes católicos norteamericanos son homosexuales, y que la mitad de ellos son activos. En Estados Unidos, en 1990 ya se conocían más de treinta casos de sacerdotes homosexuales que habían fallecido a causa del sida.

Los datos recogidos durante la investigación realizada para escribir este libro me inclinan a valorar también en alrededor de un 20 % del total el porcentaje de sacerdotes que han mantenido o mantienen algún tipo de relación homosexual, ya sea ésta habitual o esporádica, o realizada como actividad sexual excluyente o complementaria. Y, de ellos, en torno a un 12 % serían estrictamente homosexuales (con tendencia exclusiva a mantener relaciones sexuales sólo con varones, ya sean éstos mayores o menores de edad).

Si tenemos en cuenta que, entre la población en general, la media de varones con tendencia exclusiva hacia la homosexualidad se cifra entre un 4 % y un 6 % del total, los porcentajes estimados para el clero son anormalmente altos, aunque no por ello injustificados ni difíciles de explicar.

107. Cfr. Mynarek, H. (1979). *Op. cit.*, p. 221.

Tres bloques de elementos pueden justificar, en buena medida, la razón por la cual entre el clero católico existe el doble o el triple de homosexuales que entre el resto de la sociedad. A saber:

1) Las circunstancias estructurales de la propia Iglesia Católica —cuyas consecuencias ya analizamos en capítulos anteriores—, que inciden sobre la formación de los sacerdotes potenciando estructuras de personalidad inmaduras, problemas de definición psico-sexual, limitaciones serias para poder entablar relaciones normalizadas de confianza y afecto con figuras femeninas, etc.

2) Los conflictos de personalidad derivados del crecimiento en el seno de familias católicas muy represoras, moralistas y culpabilizadoras (con especial incidencia negativa del apego psicopatológico a un cierto perfil de madre, tal como ya vimos en el capítulo 5).

3) El aislamiento físico y emocional en un universo de varones donde la mujer y lo femenino son *satanizados*, mientras que todo lo masculino resulta glorificado, y donde no hay otra posibilidad para la gratificación de la dimensión afectiva y erótica que la relación, en cualquier grado de intensidad, con los compañeros varones.

«El enemigo número uno en la formación eclesiástica del sacerdote —mantiene el teólogo Hubertus Mynarek[108]— es y continúa siendo la "mujer". No resulta extraño que algunos candidatos al sacerdocio busquen y encuentren una salida en los contactos con personas del mismo sexo. En esto debemos tener en cuenta la siguiente diferencia: hay jóvenes con una caracterizada tendencia homofílica,

108. Cfr. Mynarek, H. (1979). *Op. cit.*, p. 211.

que precisamente ingresan en el seminario sacerdotal porque, desde el principio, sospechan de la existencia allí de gran número de jóvenes con sus mismas inclinaciones. Los internados, seminarios, conventos y prisiones son lugares privilegiados para contactos con personas del mismo sexo, en el más amplio sentido de la palabra. Otra categoría la forman aquellos jóvenes que son de tendencia heterosexual, pero para quienes la homofilia y la homosexualidad se convierten en una válvula de sustitución para la relación con el otro sexo, reprimida y prohibida por parte de la Iglesia.»

No parece desacertada la apreciación de Mynarek cuando afirma que algunos jóvenes católicos ya homosexuales acuden al seminario en busca de iguales; pero probablemente sería más exacto hablar de jóvenes católicos pusilánimes y afeminados que, moldeados por una madre *castradora*[109] y presionados —por esa razón— por un entorno machista, acaban por encontrar un *refugio* en un ambiente clerical, protector y *varonil*, que, con el tiempo, le generará definitivamente su orientación homosexual.

«Yo entré en el seminario a los 21 años —me confesaba Rafael, un sacerdote malagueño[110]— y era

109. Entre cuyas características habituales figura el educar a uno de sus hijos varones —único o no— en medio de una sobreprotección maternal enfermiza y, al mismo tiempo, inculcándole una actitud de desprecio y desconfianza hacia las mujeres. Este tipo de madres, sumamente egoístas —aunque gusten aparecer como esclavas abnegadas—, se aseguran así el ser la única *mujer* en la vida del hijo y, en consecuencia, se garantizan una relación afectiva, de proximidad y de dependencia que, al ser de naturaleza patológica, no podría tener jamás si su hijo fuese una persona madura y capaz de relacionarse normalmente con las mujeres.

110. En entrevista personal celebrada el día 29-9-94.

tan virgen como la nieve... o casi. Mi única experiencia del sexo era la masturbación, y la realizaba pensando en chicas, aunque por mi terrible timidez nunca llegué a salir con ninguna; pero eso tampoco me afectaba demasiado. A los 19 años decidí hacerme cura, que era algo que a mi madre siempre le había gustado, pero como no quería precipitarme, tardé aún un par de años en ingresar en el seminario.

»Me costó un poco aceptar todo aquel mundo, pero al cabo de unos seis meses me empecé a sentir tan a gusto entre mis compañeros que mi carácter fue cambiando y empecé a abrirme a los demás, cosa que nunca antes había podido hacer. Allí seguía masturbándome, bastante menos que antes, eso sí, pero de a poco dejé de hacerlo pensando en mujeres; las charlas que nos daban sobre el sexo y la mujer me hicieron empezar a verla como una especie de ente borroso y hasta aborrecible, como una tentación sutil pero poderosa que podía apartarme de mi misión para con el reino de Dios.

»Un día, finalmente, me di cuenta de que me estaba masturbando pensando en un compañero de curso con el que había llegado a intimar mucho. Y me asusté tanto que paré de golpe. Eso es cosa de maricones —me dije— y yo no lo era, pero algo me estaba pasando. No pude seguir masturbándome, pero tampoco pude dejar de pensar en lo atractivo que me resultaba mi compañero.

»Pasé meses enteros aterrorizado, sin atreverme a confesar a nadie lo que me estaba sucediendo: ¡me había enamorado de un hombre! y lo peor era que no me parecía mal del todo, pero no sabía qué hacer ni por dónde salir. Mi confesor me lo notó, pero yo se lo negué y le insistí en que mi problema eran las mujeres. Él no debió creerme nada y me largó un discursito benevolente sobre lo natural que había sido la homosexualidad en la historia del hombre; "léete el libro segundo de Samuel y a lo mejor te sorprendes" me dijo. Los consejos que me dio me tranquilizaron mucho —tiempo después sabría que él era homosexual— y comencé a aceptar mis sentimientos poco a poco.

»Conforme fui relajándome, encontré el valor para confesarle mis sentimientos a mi amigo. Él se puso a reír y luego me abrazó y me besó en la mejilla. Ya lo sabía, él ya lo sabía, parece que lo sabía todo el curso excepto yo mismo; me dijo que hacía un mes que había roto con su *novio* —otro compañero de curso— porque él también se había enamorado de mí. En el seminario tuve mi primera relación homosexual y las sigo teniendo hoy como sacerdote que soy y seré. Ahora ya no podría renunciar por nada del mundo ni a mi condición de homosexual ni al ministerio sacerdotal.»

Historias como ésta, muy abundantes entre el clero, hacen pensar que, en cualquier caso, la dinámica formadora de futuros sacerdotes en la Iglesia Católica es antes una vía para *fabricar* nuevas orientaciones homosexuales que no un simple receptáculo de acogida para gays *huérfanos* de ambiente.

En 1987, durante los días que pasé grabando largas horas de entrevistas para escribir la biografía —aún inconclusa— del sacerdote Juan Manuel R.L. —homosexual y prostituto, aunque considerado como un santo varón por todos sus feligreses, que había sido corrompido, durante años y desde su niñez por el cura de su pueblo—, éste me contaba escenas como la que sigue:

«Durante aquellos años [segunda mitad de la década de los años setenta] hubo mil anécdotas definitorias de la doble vida que se lleva habitualmente dentro de los seminarios. En una ocasión, por ejemplo, recuerdo que me topé, casi ya en la puerta de salida, con otro muchacho que se deslizaba tan silenciosa y sigilosamente como yo. Después de rehacernos mutuamente del sobresalto me preguntó que adónde iba a esas horas de la noche.

—Es que tengo que hacer un recadito de pastoral —le dije con la más absoluta normalidad.

—Una pastoral un poco tarde, ¿no? —me objetó con una más que fingida expresión de sorpresa.

—Sí, pero es que siempre hay gente que te necesita —le contesté—, y ya sabes que vamos para sacerdotes y nuestra misión pastoral no debe entender de horarios. ¿Y a dónde vas tú?

—Pues a algo parecido a lo tuyo —comentó pacificador—, tengo que hacer una visita para ayudar a un alma necesitada.

»Nos marchamos cada uno por un lado, pero dos horas después nos volvíamos a encontrar, esta vez en un conocido lugar de ligue homosexual. Ese día me di cuenta de que no estaba solo, de que no era la única alma podrida de aquel seminario. Con el tiempo vería por mis propios ojos que éramos muchos los que íbamos a esos peculiares recados de pastoral. Descubrir esta realidad redujo sustancialmente mi carga de culpabilidad.»

Sin embargo, aunque la formación clerical tiene mucho que ver con la etiología de miles de comportamientos homosexuales, la *madre* Iglesia rechaza vehementemente no ya su responsabilidad en el tema, sino su mismísima existencia. La jerarquía católica pretende ignorar el comportamiento de cerca de una cuarta parte de sus sacerdotes, pero no lo desconoce, ni mucho menos.

A pesar de que el Código de Derecho Canónico impone a los reos de homosexualidad la pena de infamia —pérdida del honor en sentido canónico—, la suspensión sacerdotal y la expulsión de la Iglesia (también para el caso de los creyentes laicos), la realidad es que la legión de sacerdotes católicos homosexuales no sufre castigo alguno mientras mantenga sus prácticas sexuales en la más absoluta reserva.

Sirva como anécdota la llamada de atención que el arzobispo de Barcelona, Ricard Maria Carles, le hizo a un grupo de gays católicos que publicaron —y firmaron como tales— un anuncio proclamando una misa para un sacerdote homosexual que acababa de fallecer: «está muy bien que hagáis misas —les vino a decir— pero no es bueno que la gente se entere de lo que no debe».

La discreción a la que se debe el sacerdote homosexual —muy superior a la que deben observar sus compañeros que se acuestan con mujeres—, la presión culpabilizadora que recibe desde la doctrina católica y la amenaza del siempre potestativo castigo canónico hacen de esos curas, en general, personas más angustiadas y cargadas de neurosis. Los casos en que la homosexualidad se vive de una forma madura y sana —como el citado de Rafael, o el de Francisco, que veremos en el capítulo siguiente—, son bastante excepcionales.

La presión ejercida desde la propia jerarquía católica más la marginación social que todavía estigmatiza al homosexual hacen que esos sacerdotes se vean forzados a menudo a buscar su satisfacción erótica abusando de menores. Éste es un dato que, si bien no exculpa al cura que abusa de un menor, sí debe servir para entender mejor los motivos que le llevaron a cometer tal delito; y, también, para extender la responsabilidad moral de tan reprobable acto hasta la propia cúpula eclesiástica, que mantiene a ultranza un sistema represor perjudicial para todos.

Por algún motivo que se nos escapa, aunque sin duda lo conoce y emplea con rentabilidad la jerarquía católica, resulta significativo el elevado número de sacerdotes homosexuales que existe entre los funcionarios de los tribunales matrimoniales eclesiásticos (en los que, también, como conocen perfectamente todos los abogados matrimonialistas, abundan las corruptelas económicas y no faltan las proposiciones sexuales a mujeres).

Es anecdótica, pero descriptiva, la frase que pronunció hace algunos años un funcionario de uno de los más importantes tribunales eclesiásticos: «el único hombre que hay allí [en el Tribunal] soy yo», afirmó el sacerdote ante unos amigos. Quizá no en balde, a su jefe, respetado en sociedad y en el mundo académico como «don Francisco», se le conoce también como «la Paca».

El padre Juan Manuel R.L. que, a principios de la década de los ochenta, fue amante de un obispo católico en Puerto Rico, me contó la historia de la *negra* Isabel.

Isabel, o la *negra* Isabel, tal como la llamaba todo el mundo, era la conocidísima dueña de un burdel y, cuando murió, dejó toda su herencia al obispado. Pero, a pesar de haber legado todo su dinero al obispo, éste se negó a darle sepultura cristiana alegando que la mujer había sido una pecadora pública. Ante esa situación, los curas de la diócesis, clientes en su mayoría del prostíbulo de Isabel, se revolvieron contra su obispo y le amenazaron con hacer pública su vida de *pato* [homosexual] si no permitía que la enterraran en un cementerio católico. Y allí reposa actualmente la *negra* Isabel, claro está; aquel obispo tenía demasiado que ocultar, y mucho que perder si seguía negándose.

El teólogo Hubertus Mynarek, varias veces citado a lo largo de este trabajo, hace un buen resumen de la situación por la que atraviesan los sacerdotes católicos homosexuales cuando afirma lo que sigue[111]:

«Los homoeróticos forman un campo objetivamente fértil para la manipulación por parte del poder eclesiástico. Su servilismo, su renuncia a todo despliegue individual que se aparte de las normas educativas de la Iglesia, su renuncia a todo uso de la autonomía e incluso de la rebelión, resultan especialmente notorios. Su temor a ser descubiertos les conduce a una represión hipertrofiada, a una creciente represión neurótica del propio comportamiento sexual, a una agresión, por así decirlo, de carácter sádico-masoquista contra sí mismos y contra la propia esfera de sus impulsos.

»Nada tiene de extraño que, sobre esta base y tras la salida del seminario y la ordenación sacerdotal, se llegue a frecuentes corrupciones de menores por parte de sacerdotes homosexuales. La energía sexual, remansada, reprimida, vuelta sobre sí misma durante tantos años, surge entonces en los encargados de ejercer la acción de padre espiritual, no haciéndolo ya directamente bajo los ojos de los encargados de su formación espiritual, y busca un anhelado desquite para su propia represión, encontrando su víctima entre individuos jóvenes y sumisos.»

111. Cfr. Mynarek, H. (1979). *Op. cit.*, pp. 227-228.

[illegible]

[illegible]

[illegible]

[illegible]

[illegible]

15

«SOY SACERDOTE, Y VALORO MI HOMOSEXUALIDAD COMO UN REGALO DE DIOS»

El padre Francisco, sacerdote y miembro de una congregación religiosa, es un hombre joven que nunca ha querido renunciar a ninguno de los dos pilares vitales que le hacen ser una persona *distinta* para el común de las gentes: su intensa vocación religiosa y sacerdotal, y su opción homosexual. Francisco cree que la vida consagrada y la prédica del Evangelio no son —ni deben ser— incompatibles con el uso de cualquier opción sexual adulta.

El testimonio de este sacerdote, que reproducimos a continuación, es el de uno cualquiera de los muchísimos sacerdotes y religiosos/as españoles que viven su opción homosexual de una forma madura y sana, una situación a la que nunca ha sido fácil llegar. Si aceptarse como homosexual ya suele llevar a arrostrar muchas dificultades entre la sociedad civil, hacerlo cuando uno es religioso católico supone tener que superar un mar de conflictos psicológicos —y de presiones sociales y dogmáticas— del que pocos llegan a salir indemnes.

«Mi proceso ha sido sencillo desde la infancia —cuenta el padre Francisco en su informe[112]—. No hay en él ningún momento especialmente ruidoso: ni grandes conversiones, ni hechos espectaculares. Nací hace 39 años en el seno de una familia obrera y católica practicante. Mis primeros años transcurrieron con la más absoluta naturalidad, junto a mis dos hermanas menores. La escuela parroquial a la que iba me vinculó a todos los movimientos eclesiales destinados a los niños y a los doce años ya manifesté mi deseo de ingresar en un seminario menor, pero la muerte de mi padre y, dos años después, el traslado a otra ciudad, aplazaron el inicio del noviciado en una congregación religiosa hasta que no tuve 16 años.

»Durante aquellos días, con anterioridad a mi ingreso en el seminario menor, cuando tenía alrededor de los 14 años, comencé a intuir mi homosexualidad pero, evidentemente, no lograba comprender qué me estaba sucediendo. Se lo comenté rápidamente al cura de mi parroquia y él me acogió muy afectuosamente. Nunca me hizo sentir culpable ni enfermo. Aquel buen cura supo acompañarme muy evangélicamente y, para mí, la confesión nunca me resultó un trauma, tal como tanto oigo afirmar a la gente de mi generación, sino que, por el contrario, era un momento de libertad, interiorización, discernimiento...

»Una vez iniciado el noviciado ya no volví a pensar demasiado en mi homosexualidad. La ilusión de los primeros tiempos y el descubrimiento vitalizante de la vida religiosa ocupaban todos mis espacios disponibles. Entonces creía sinceramente que la homosexualidad no me impediría ser fiel a mi

112. Cfr. informe remitido a este autor en fecha 15-09-94.

consagración. Y, de hecho, no llegó a convertirse en un problema hasta que llegué a los cursos de magisterio.

»Fuertemente presionado por la concepción que la sociedad y la Iglesia en general tenían sobre la homosexualidad, no me atrevía a confesar mis sentimientos a nadie, y eso me angustiaba muchísimo. A menudo me preguntaba si mi vocación era verdaderamente auténtica y, si lo era, tal como yo pensaba, por qué el Señor permitía que tuviese aquellas *tentaciones*. Sentía atracción física por algunos compañeros de clase y eso me hacía sufrir mucho.

»Los confesores que fui encontrando en aquella época, con toda su buena voluntad, me hablaban de pecado, de enfermedad, de desviaciones... y yo me encontraba terriblemente solo en medio de amigos a los que quería. La falta de afecto se convirtió en algo insoportable; sobre todo cuando, tembloroso y asustado, lo buscaba en algunas ocasiones que se me presentaban en lugares siniestros. De aquel tiempo de formación lamento no haber tenido una educación afectiva y sexual seria, pero no culpo a los superiores puesto que ellos tampoco la tuvieron. Considero que todo esto fue fruto de un tiempo, y yo fui uno de los tantos que pagamos las consecuencias de esa situación institucional.

»El sufrimiento de mi drama particular se alargó hasta los 23 años, edad en que, al empezar los estudios de Filosofía y Teología, empecé a conocer nuevos ambientes y profesores, y decidí afrontar el *problema* cara a cara. Uno de los profesores me aconsejó que abandonase la idea de ordenarme sacerdote, pero yo, en cambio, pensaba que todo era una prueba de Dios para madurar en la vocación. Fue entonces cuando comencé un largo peregrinaje por las consultas de psicólogos y psiquiatras que no hizo más que aumentar mi confusión. Alguno de ellos hasta llegó a asegurarme que con fuerza de voluntad "podía llegar a vencer esa anomalía", y yo me lo creí. Desde entonces la homosexualidad se convirtió en mi gran enemigo, en fuente de luchas incontables, salpicadas de constantes caídas y superaciones, y de un miedo creciente ante la posibilidad de llegar a ser un mal sacerdote.

»Lo curioso de aquellos días —Dios me llevaba cogido de la mano—, es que en ningún momento dudé de la llamada al ministerio y, luchando desesperadamente, llegué por fin al momento de mi ordenación. Era ya sacerdote, pero mi corazón siguió terriblemente angustiado hasta que una conversación con otro cura, desconocido para mí, comenzó a darme luz.

»Fue en un atardecer de otoño cuando, en el pequeño pueblo en el que yo residía entonces, se presentó un sacerdote a dictar unas conferencias a un grupo que estaba haciendo ejercicios espirituales. Yo pasaba por un estado anímico muy grave y, desolado como estaba, decidí abrirle mi corazón, a lo que él, con un respeto e inteligencia que aún hoy me conmueve, me respondió: "Mira, la homosexualidad es tu compañera de camino, y lo será hasta la muerte. De ti depende que sea una buena compañera o, por el contrario, que te amargue la vida. Aprende a convivir con ella."

»De esta manera comenzó un proceso de autovaloración y de aceptación de la realidad y, con él, una nueva forma de relacionarme con Dios y con los demás. Empecé a comprender que la homosexualidad no era una prueba del Señor, ni menos aún representaba un castigo, una enfermedad o una cruz.

Con el tiempo, hasta llegué a saber valorar mi homosexualidad como un regalo de Dios. No fue nada fácil, naturalmente. Y le debo mucho más a la ayuda de aquel sencillo cura que a todos los psicólogos y psiquiatras con su ciencia.

»La nueva concepción de mi vida me llevó a interesarme por el mundo de la homosexualidad: a leer sobre el particular, a escuchar a otros, a comentar sin miedos... y, finalmente, sin haberlo pretendido, a trabajar intensamente con algún joven que había venido hasta mí en busca de la paz de Cristo. Así fue formándose un grupito de chicos y chicas, *gays* y católicos, que fue aumentando progresivamente. Cuando me trasladé a la gran ciudad en la que resido actualmente continué con este tipo de acompañamiento con otra gente que iba llegando. Se trataba de jóvenes con mucho fondo, con grandes inquietudes de fe y con un deseo enorme de conciliarla con su opción sexual. En la medida de mis posibilidades, quería evitarles el calvario que yo había pasado.

»Dentro de la Iglesia Católica siempre me he encontrado como en casa. Es mi comunidad y la quiero, pero por esta misma razón me hace tanto daño el ver que la jerarquía de la Iglesia manifiesta un conocimiento tan reducido del hecho *gay*. Estoy seguro de que el Señor nos hará ir descubriendo, a todos los miembros de la Iglesia —de las iglesias cristianas—, cuál ha de ser nuestra actitud con respecto a la realidad homosexual. Creo que el Espíritu está presente en la Iglesia y que, a la larga, el diálogo y la fraternidad triunfarán.»

La realidad que acaba de describir el padre Francisco —eso es la aceptación madura de la propia homosexualidad y su práctica adulta y sana—, sin embargo, tal como ya comentamos en el apartado anterior, no parece ser la pauta dominante entre el clero actual. Muchos sacerdotes viven atormentados por una homosexualidad que no pueden reprimir, ni controlar, ni expresar abiertamente, con lo que acaban protagonizando historias escabrosas como las que relatamos en los apartados siguientes.

16

MOSÉN SENABRE Y EL MONAGUILLO, SODOMÍA EN LA RECTORÍA

Pío B.S., de 13 años, hijo de una católica familia de Polinyà —una localidad de poco menos de 3.000 habitantes que está cerca de Sabadell (Barcelona)—, se había quejado repetidamente ante sus padres del trato que le daba Jordi Ignasi Senabre Bernedo, de 51 años, párroco de la iglesia del pueblo.

«Mamá, yo no quiero ir a la parroquia. Mosén Senabre me toca aquí [los genitales] y quiere que le acaricie entre las piernas», se lamentaba el niño.

Pero sus padres, fervientes devotos de la parroquia de Sant Salvador y una familia muy unida al sacerdote Senabre, no creyeron a Pío en ninguna de las más de diez ocasiones en que, a lo largo de 1987 y 1988, denunció los abusos sexuales de que era objeto dentro de la propia iglesia. Y antes que asumir la posibilidad de que tales hechos pudiesen ser ciertos, prefirieron creer que no eran más que simples «fantasías de niño».

Pero las *fantasías* de Pío acabaron por desbordarse de forma harto traumática y espectacular en la mañana del día 6 de junio de 1988, cuando sus compañeros de más edad —que habían asistido, pocos días antes, en el propio colegio, a una conferencia sobre drogas y sida— le contaron, entre otras cosas, cómo se transmitía el sida por la vía de las relaciones sexuales anales.

Una descarga eléctrica recorrió el espinazo del chaval y los sudores fríos le llevaron inmediatamente hasta el lavabo para comprobar el estado de unos granitos que le habían salido en la cara y en la espalda. Regresó a su clase tan lívido que la dirección del colegio decidió llamar a su madre para que pasara a recogerle.

Pero, mientras trasladaba a Pío hasta su casa, la señora María de los Ángeles, según relató en su denuncia ante la Guardia Civil[113], apenas podía dar crédito a lo que oía:

«Mi hijo me pedía insistentemente que le llevara al médico porque se encontraba mal y le habían salido unos granos por el cuerpo, y cuando le comenté que aquello era normal a su edad, se echó a llorar y me dijo que había cogido el sida porque el párroco de Polinyà le obligaba a mantener relaciones homosexuales y a penetrarle analmente, bajo la amenaza de que si se lo decía a sus padres le pegaría.»

Poco después, era el propio niño quien, ante la Guardia Civil, relataba el día que, siendo ya monaguillo de mosén Senabre, fue a la parroquia con su amigo Miguel R.B. a leer lecturas religiosas y el sacerdote los separó, dejando a Miguel en el interior de la iglesia y subiendo con Pío hasta la rectoría.

113. Diligencias número 563/88, de fecha 6-6-88, de la 2.ª Compañía de la 412 Comandancia de la Guardia Civil (Puesto de Ciudad Badía).

«Cuando ya estábamos en la habitación me mandó que me bajara los pantalones. "Tranquilo —me dijo mosén Senabre—, que no te pasará nada. No te preocupes." Yo le contesté que me dejara tranquilo, pero acabé bajándome los pantalones y entonces mosén Senabre, que también se había bajado los pantalones y se había dado media vuelta y puesto de rodillas ante mí, con el ano al aire, me dijo que se la introdujera por el ano. Y así lo hice, pero mientras lo estaba haciendo me dijo que tenía que eyacular fuera. Cuando acabamos, me advirtió de que si se lo contaba a mis padres me daría una paliza.»

Una escena parecida a ésta se repitió unas veinte veces desde principios de 1987. Normalmente, el sacerdote Jordi Ignasi Senabre abusaba sexualmente del niño a última hora de la tarde, los sábados por la mañana, o los domingos, antes de la misa, cuando Pío acudía a ayudar en la celebración religiosa como monaguillo. Y, según el niño, hasta intentó penetrarlo, sin éxito, ya que éste opuso resistencia, cuando ambos estaban en la cama de la rectoría.

Ante la Guardia Civil, mosén Senabre Bernedo declaró (y rubricó con su firma) «que se había manifestado muy afectivamente con el joven llamado Pío en varias ocasiones. Y que el citado joven ha correspondido siempre al afecto sin necesidad de verse forzado»; y cuando se le requirió para que precisara el contenido de esas *manifestaciones afectivas*, declaró que consistían en «besos, abrazos y relación sexual». Pero ya ante el Juzgado de Instrucción número 3 de Sabadell[114], y con su abogado al lado, negó la mayor con el sofisma de que ante la Guardia Civil

114. Procedimiento Abreviado número 1.917 de 1988 (antes Sumario 52/88) del mismo Juzgado.

«en ningún momento habló de relación sexual, sino de relaciones sensacionales» con el menor «al que simplemente lo ha abrazado y besado como al resto de la comunidad».

La habilidad para el malabarismo verbal del sacerdote, sin embargo, no impresionó lo más mínimo al fiscal del caso que, en su escrito de calificación, acusa a Senabre de la comisión de un delito de corrupción de menores —Artículos 452 bis b) 1.ª y 452 bis g) del Código Penal— y afirma que el sacerdote «con ánimo libidinoso tendente a la depravación del menor, en fechas no determinadas comprendidas entre el año 1987 y el mes de mayo de 1988, y en la rectoría de la Parroquia de Polinyà del Vallès de la que era oficiante titular, logró que Pío B.S., de 13 años de edad y que a la sazón hacía de monaguillo, le introdujera 20 veces el pene en su ano, para lo que le tocaba previamente los órganos genitales y así mismo, también, en otras ocasiones, mantuvo relaciones homosexuales con el citado menor en las que no hubo penetración sino tan sólo masturbación mutua.»[115]

Igualmente inmisericorde es la visión que de Senabre da la monja carmelita que dirige el colegio Nuestra Señora del Pilar, de Sentmenat, al que asistía Pío.

«Creo que el niño ha sido utilizado —comentó[116] la directora del colegio poco después de hacerse pública la denuncia contra Senabre— y que en ningún caso se puede haber prestado a tal situación. A Pío le conozco muy bien y es incapaz de hacer eso si

115. Escrito de calificación del fiscal del Juzgado de Instrucción número 3 de Sabadell, fechada el 29-11-89.

116. Domínguez, J.M. (1988, junio 20). El pueblo de Polinyà, contra el cura que abusó sexualmente de un menor. *Tiempo*, p. 63.

no está presionado. Su personalidad es muy débil. Es el más vulnerable de su grupo. Además, su mentalidad no está al nivel que le corresponde por su edad. Es decir, tiene trece años, pero en realidad actúa como un niño de siete u ocho años. El mosén ya sabía lo que hacía, escogió al más débil para realizar sus acciones y poder dar rienda suelta a sus miserias. Pío es el más inocente de la clase. Ha sido utilizado y presionado. Otro niño del colegio no se hubiera dejado y, por supuesto, no hubiera aguantado más de un año con estos abusos.»

Jordi Ignasi Senabre Bernedo siempre fue un sacerdote polémico y peculiar. Llegó a Polinyà para hacerse cargo de su parroquia a principios de 1983, y pronto se alió con las fuerzas más reaccionarias y ultracatólicas que gobernaban el pueblo, hasta formar un triángulo de poder basado en los caciques, en la maestra Rosario Martínez y en él mismo. Tanto es así que, en las elecciones municipales de 1987, mosén Jordi Senabre intentó parar a «los rojos que todo lo estropean» —y que ganarían finalmente la alcaldía— apoyando activamente desde el púlpito a sus amigos y mentores ultras (reunidos en una lista de *independientes*).

Con la caída en desgracia del sacerdote, muchos en el pueblo de Polinyà recuperaron la memoria y comenzaron a comentar en voz baja lo que ya era diáfano para todos los que conocían a mosén Senabre: su patente homosexualidad.

«A la mayoría de nosotros no nos ha cogido de nuevas su homosexualidad —comentaba Pep Marqués, un vecino que vive junto a la parroquia—. Estamos hartos de verle entrar con un *tío* que él dice que es su primo, pero que en realidad es, o creo que debe de ser, su amante.»

Pero no todos en Polinyà dieron crédito a la evidencia; así, mientras mosén Francisco, el párroco sustituto, daba por imposibles los hechos y desde la misa llamaba a los fieles a «cerrar filas para que la caridad de Cristo nos ayude a superar los problemas que vayan presentándose», los sectores más ultras salieron también en defensa del honor mancillado de su párroco, acusando a los padres de Pío —que son devotos católicos— de hacer «un montaje para difamarle con negras intenciones y que sólo satisface a los del Ayuntamiento [que es de izquierdas, claro está]».

«Es una historia inventada por los ateos, los que viven allá abajo, en los pisos del pueblo —postulaba con fe ciega María Luisa Ruiz Bellera, miembro destacado de la junta parroquial—. Yo tengo un nieto que también es monaguillo y al que dejaría ir con el padre Jordi hasta el fin del mundo, incluso a pernoctar fuera de casa. Es un hombre maravilloso que hay que recuperar para Polinyà, que es otra cosa sin él.»

El nieto de esta beata dama es Miguel, el amigo de Pío ya citado que, según declaró éste ante la Guardia Civil, permanecía dentro de la iglesia mientras él era forzado a sodomizar al padre Senabre en la rectoría.

En determinados círculos homosexuales de Barcelona, sin embargo, Jordi Ignasi era una persona conocida —aunque, en general, se ignoraba su identidad como sacerdote— ya que frecuentaba determinados locales de ligue *gay*, como *La Luna*, y no se recataba en absoluto de hacer proposiciones sexuales a los adultos —como a un abogado conocido de este autor— que le parecían receptivos a una propuesta de este tono.

Y la actividad sexual de mosén Senabre también era bien conocida por las autoridades eclesiásticas que, tal como explicó una componente del consejo parroquial de Polinyà, tenían ya informes de hechos similares a los denunciados por Pío B.S. presuntamente ocurridos mientras Jordi Ignasi Senabre estuvo destinado en Alloza (Teruel) y en la parroquia barcelonesa de Nuestra Señora del Roser. Pero este sacerdote, al igual que sucede en decenas de casos similares, siempre gozó del encubrimiento de la Iglesia que, a lo sumo, se ha limitado a pedirle discreción para sus desahogos sexuales y a trasladarle de un pueblo a otro cada vez que afloraba el escándalo en la parroquia del padre Senabre.

Pero encubrir un comportamiento de este tipo, para el siempre sutil y doble lenguaje que emplea la Iglesia, no parece generar responsabilidad subsidiaria de ninguna clase. Así, cuando el fiscal y Jordi Oliveras, abogado de Pío B.S., señalaron que la responsabilidad civil subsidiaria debía ser cubierta por el Arzobispado de Barcelona, éste interpuso rápidamente un recurso[117] argumentando que, en todo caso, dicha responsabilidad económica le correspondía a la parroquia de Polinyà. Pero el Juzgado número 3 de Sabadell no aceptó esta tesis y, en enero de 1991, obligó al Arzobispado de Barcelona a depositar una fianza de cinco millones de pesetas como responsable civil subsidiario de la causa penal contra mosén Senabre, sacerdote de una de las parroquias que se halla bajo su jurisdicción.

117. Basado en el informe realizado por José Ramón Pérez Sánchez, Canciller-Secretario del Arzobispado, y fechado el 13 de noviembre de 1990, que, apoyándose en los cánones 515, 1.255 y 1.276 del Código de Derecho Canónico y en los artículos 1 y 2 del presente Acuerdo sobre Asuntos Jurídicos de 3 de enero de 1979 entre el Gobierno Español y la Santa Sede, sostiene que cada parroquia goza de personalidad jurídica civil independiente en cuanto que ya la tenía canónica previamente.

En este proceso, el escrito de calificación provisional que presenta Enrique Basté Solé, procurador del Arzobispado, en fecha 7 de mayo de 1991, resulta también altamente definitorio del tipo de mentalidad característica de la jerarquía católica.

En dicho escrito de calificación de los hechos —que realiza cada una de las partes implicadas en la causa— el Arzobispado se sale por la tangente de principio a fin. Así, dice:

> 1.º — Respecto a los hechos los negamos, por desconocerlos[118].
>
> 2.º — No podemos calificarlos ni designar autos[119].
>
> 3.º — En cuanto se refiere el Ministerio Fiscal y acusación particular a la responsabilidad civil subsidiaria del Arzobispado de Barcelona, entendemos que no existe dicha responsabilidad, en cuanto al Arzobispado, sin perjuicio de que pueda reclamarse contra quien realmente debe responder, en su caso[120].

118. Nótese que se afirma que se niegan los hechos por desconocerlos, cosa imposible ya que, el Arzobispado, como parte implicada, ha dispuesto en todo momento de una copia del sumario en donde se describen todos los hechos a juzgar y figuran las declaraciones de todos los testigos y encausados.

119. Que es tanto como decir que no saben leer el Código Penal y que prefieren no remover nada. En roman paladino, para que todo el mundo lo entienda, eso significa algo tremendamente grave: que la Iglesia no tiene el menor interés en procurar que la Justicia se haga allí donde el reo lleve sotana. Sin importarle, ni mucho menos, que la víctima del sacerdote sea un niño.

120. El Arzobispado, que no está interesado en averiguar si uno de sus sacerdotes corrompió sexualmente o no a uno de sus feligreses, menor de edad en este caso, sí que parece obsesionado, en cambio, por lograr que los hábitos sexuales de sus párrocos no le cuesten ni un duro. Cinco meses después de que el Juzgado

Cinco meses después de presentado el anterior escrito, el Arzobispado respondía con un escueto «está de misiones en el extranjero» a la Sección Tercera de lo Penal de la Audiencia Provincial de Barcelona que, el 23 de octubre de 1991, había tenido que suspender el juicio contra Jordi Ignasi Senabre por su incomparecencia ante el tribunal.

Casi un mes después, el 14 de noviembre, la Audiencia de Barcelona dictó un auto de ingreso en prisión y una orden de busca y captura contra mosén Senabre que, según declaró su abogado Manuel Bayona, se encontraba entonces «en África, de misiones; y no tiene intención de volver a España porque prefiere quedarse allí a enfrentarse con los medios de comunicación».

Tuvieron que pasar dos años y tres meses antes de que el fax número 118/994 de Interpol Montevideo comunicase a Interpol Madrid que Jorge Ignacio Senabre Bernedo había sido detenido y estaba preso y a disposición de las autoridades españolas para su extradición. El sábado 29 de enero de 1994, a primera hora, en el curso de un control de población flotante realizado por la oficina de Interpol de Montevideo, mosén Senabre fue localizado y arrestado en un hotel del barrio residencial de Pocitos. El sacerdote había entrado en Uruguay procedente de Ecuador provisto de un visado de turista.

En el momento de escribir este capítulo, la situación de mosén Senabre es la que describe el comisario Víctor Hugo Rocha Pacheco en su fax nú-

---

desestimara definitivamente sus argumentos para eludir el pago de la responsabilidad civil subsidiaria, lo único que le importa a la Iglesia es seguir negando —fuera de tiempo y lugar— su responsabilidad económica ante una posible condena indemnizatoria en favor de la víctima Pío B.S.

mero 121/994 de la oficina de Interpol de Montevideo: «les comunicamos que entiende la causa el Dr. Contarín, Juez Letrado de Primera Instancia en lo Penal de Noveno Turno, quien dispuso que el referido ciudadano permanezca en arresto preventivo, se le comunicara su detención a vuestra filial [Interpol Madrid] y la voluntad del detenido de viajar a España, así como solicitar a vuestra sede los recaudos de extradición en forma, de conformidad con el tratado vigente entre ambos países».

Cuando se juzguen los hechos descritos en este apartado, ocho años después de haber sucedido, mosén Senabre —queriéndolo o no— volverá a hacer daño a un joven de 21 años que, ya con novia, el servicio militar cumplido, la vida encarrilada y las cicatrices del pasado cerradas, no hizo nada más que confiar en el párroco de su pueblo.

17

IGNACIO RUIZ, UN CANÓNIGO DEMASIADO *CARIÑOSO* CON LOS DEFICIENTES MENTALES

Cuando, en diciembre de 1989, Daniel M.A., deficiente mental interno en la Asociación de Padres y Amigos de Deficientes Mentales de Cuenca (ASPADEC), le contó a Matilde Molina —presidenta de la entidad— que «un cura le había obligado a bañarse en su casa», ésta le quitó importancia al asunto y se limitó a aconsejarle que no volviera con ese sacerdote ni se bañara fuera del centro. Pero, poco después, al oír rumores entre los internos acerca de que otro deficiente, Juan Andrés S.P., había estado en casa de un cura, Matilde recabó de Daniel los detalles de su encuentro con el sacerdote.

Daniel M.A., de 27 años y un coeficiente intelectual de 50-60, se había encontrado al sacerdote Ignacio Ruiz Leal en la catedral y éste le prometió una *Fanta* si se iba con él a su casa[121]. Una vez en el

121. El relato de los supuestos hechos de este caso, así como de los presuntamente ocurridos con los otros dos deficientes, está extraído del apartado de «Hechos probados» de la

piso, el cura aprovechó la circunstancia de que Daniel se rascaba una pierna para convencerle de que si no se duchaba no se le iría el picor. Acto seguido, Ignacio Ruiz obligó al deficiente mental a desnudarse y ducharse con agua fría para, después, hacerle tumbar en el sofá, sobre sus piernas, en donde lo estuvo secando con una colcha mientras le acariciaba todo el cuerpo y sus genitales al tiempo que le decía que le quería y le preguntaba si él también sentía lo mismo. Finalmente Daniel se fue de la casa sin haber obtenido el refresco pactado, pero el sacerdote le prometió que se lo daría en su próxima visita.

Con otra excusa, pero con el mismo fin, días después el sacerdote atrajo hasta su piso a otro deficiente interno de ASPADEC, en este caso a Andrés S.F., de 22 años y con un coeficiente de inteligencia de 34-41. Andrés conocía a Ruiz Leal por haber sido alumno suyo y, por tanto, no se extrañó cuando el cura le abordó y le prometió regalarle ropa si le acompañaba hasta su casa. Ya en el piso, el sacerdote hizo desnudar al deficiente varias veces bajo el pretexto de tener que probarle diferentes prendas de vestir, aprovechando tales ocasiones para acariciarle y tocarle los genitales.

Ignacio Ruiz Leal, de 37 años, canónigo de la catedral de Cuenca y párroco de Valdecabras, apenas tardó unos días más en volver a la carga con otro deficiente mental de ASPADEC que se cruzó en su

---

Sentencia número 54/90 de la Audiencia Provincial de Cuenca y del escrito de acusación del Ministerio Fiscal en el Sumario 1/90 del Juzgado de Instrucción número 2 de Cuenca, incoado contra el sacerdote Ignacio Ruiz Leal por los presuntos delitos de abusos deshonestos y violación.

camino en la propia basílica conquense. Esta vez le tocó el turno a Juan Andrés S.P., de 17 años y con un coeficiente de inteligencia de 47-57.

La noche del 28 de enero de 1990 Juan Andrés llegó al centro de ASPADEC jadeante y nervioso, y al rato le dijo a su monitor que «le escocía el culo» y le pidió algo para mitigar la molestia, pero el responsable del centro no le dio importancia y le dijo que esperase a la enfermera que vendría por la mañana. Dos días después, el rumor de que Juan Andrés también había estado con el cura comenzó a extenderse entre sus compañeros de internado hasta que llegó a oídos de un educador.

«En la catedral —según acabó confesando el propio Juan Andrés S.P.[122]— se le acercó Ignacio y le dijo que lo esperara, que lo iba a llevar a su casa y que le iba a regalar un reloj y ropa, que lo esperó y lo llevó a su casa [que la describió igual que sus otros dos compañeros], que le probó un bañador, un pantalón y dos camisas que le eran pequeñas, que le tocaba por todo el cuerpo y que le llevó a la habitación de las dos camas, que lo tumbó en una, que le hizo ponerse a gatas, que le sujetó las manos y que le hizo mucho daño en el culo, que lloraba y gritaba, que cuando terminó le dijo que se vistiera y se fuera, y que si contaba algo a alguien lo mataba, y que volviera otro día a por el reloj, que entonces él buscó a dos compañeros para que le acompañaran y que el cura no le volviese a hacer daño y le diera el reloj, pero no encontraron a nadie cuando volvieron.»

Una vez segura de los hechos, Matilde Molina, como responsable del centro de deficientes, se per-

122. Cfr. folios 4 y 5 de la Sentencia 54/90 ya citada.

sonó ante la Fiscalía de Cuenca y presentó denuncia contra Ignacio Ruiz Leal, que acabaría ingresando en la cárcel el día 14 de febrero, por orden del juez Mariano Muñoz, que consideró que existían indicios claros sobre su culpabilidad.

El escándalo sacudió hasta los cimientos de la muy conservadora sociedad conquense, y las fuerzas vivas de la Iglesia cerraron filas rápidamente en defensa de don Ignacio. El obispado hizo pública una nota *envenenada* en la que, entre otras *sutilezas*, se decía que «no cabe excluir la probabilidad de que todo sea una fabulación (bien por confusión inocente, bien por malicia espontánea, bien por inducción)...».

Fue el pistoletazo de salida para que, desde los poderosos sectores clericales de la ciudad, se iniciara una vergonzosa campaña de desprestigio personal contra Matilde Molina, la «inductora del montaje», según se la señaló subrepticiamente desde el propio palacio episcopal.

Tras trece días de prisión, el padre Ignacio Ruiz salió en libertad provisional —previo pago de una fianza de 65.000 pesetas y el depósito de otros cuatro millones de pesetas en concepto de fianza civil— y toda Cuenca fue vivamente informada de la razón: varios dictámenes forenses sostenían que el sacerdote tenía un prepucio con fimosis, característica que le imposibilitaba para cometer una violación anal. Muchos suspiraron aliviados; por aquellos días aún eran muy pocos y escogidos los que sabían que había comenzado una maniobra, en el seno de la Administración de Justicia, para salvar el honor mancillado de los acólitos de monseñor Guerra Campos.

Momentos antes de dar comienzo el juicio oral contra el sacerdote, la Sala de la Audiencia que iba a juzgarle notificó un auto[123] por el que mandaba que las sesiones se realizasen a puerta cerrada; una medida lícita y justa si lo que se pretendía era proteger la intimidad de los disminuidos psíquicos durante sus declaraciones, pero que se convirtió en una burla a la Ley cuando la Sala amparó también al sacerdote y a los peritos para que declarasen asimismo a puerta cerrada.

Los magistrados infringieron la legislación procesal en favor del sacerdote, pero también lograron evitar el bochorno público de los peritos que habían facilitado la rápida excarcelación del padre Ignacio Ruiz Leal al dictaminar que éste padecía fimosis.

Tras la declaración del perito de la acusación, el doctor Antonio Bru Brotons, reconocido urólogo y médico forense del Juzgado número 4 de Alicante —venido de otra ciudad ya que en Cuenca había una sospechosa y uniforme propensión a *ver* las cosas del modo más favorable para el sacerdote y sus protectores—, los otros peritos (el forense titular y la médica suplente del Juzgado) se vieron obligados a retractarse de sus opiniones *profesionales* y tuvieron que reconocer que el sacerdote no padecía la oportuna fimosis que ellos habían certificado. Celebrar el juicio a puerta cerrada evitó que toda la ciudad se enterase de este escándalo.

Por otra parte, los magistrados de la Sala de la Audiencia, en su sentencia[124], después de hacer una larga, farragosa y confusa alusión a las características del pene del sacerdote, interpretaron a su aire y mati-

123. Cfr. Auto de los magistrados Vesteiro Pérez, Teruel Chamón y Bahíllo Rodrigo, de fecha 13-12-90, notificado a las partes a las 10,05 horas, momento del inicio de la vista oral y de la entrada del público a la Sala.

124. Cfr. Sentencia 54/90 de la Audiencia Provincial de Cuenca, apartado VI de los Fundamentos de Derecho, p. 9.

zaron las conclusiones de los peritos hasta dejarlas casi en un sinsentido ya que, aunque hubo acuerdo unánime de los médicos en que Ignacio Ruiz no padecía fimosis y, por tanto, estaba capacitado anatómicamente para poder realizar una penetración anal [que ya había sido descrita con detalles exactos por la propia víctima de la violación anal], la Sala acabó su *argumentación* con una pirueta torera: «Desde otro punto de vista, en forma alguna se ha acreditado que el procesado presente tendencias homosexuales.» Un cambio de tercio que daba por olvidado todo lo dicho y, para colmo, omitía cualquier referencia al detallado informe pericial del psiquiatra Mariano Marcos Bernardo de Quirós, que sí hablaba de las tendencias homosexuales de don Ignacio Ruiz.

El doctor Mariano Marcos, tras mantener varias entrevistas en profundidad con el sacerdote, describe a don Ignacio como una personalidad siempre sometida a su madre y con notables deficiencias en su proceso de maduración. Este psiquiatra, entre las conclusiones de su dictamen, afirma que «su identidad psico-sexual se realiza a través de identificaciones con objetos desexualizados alcanzando así sólo una parcial e incompleta identidad psico-sexual masculina (...) desde estas perspectivas podemos entender una posible relación no heterosexual: no por la búsqueda de objetos homosexuales, con los que él se identificaría, sino más bien como consecuencia de un fracaso en la propia discriminación psicosexual que le llevaría, por tanto, a no discriminar tampoco los posibles objetos sexuales, como comentario clínico cabría sospechar tendencias homosexuales ...[125]

125. Cfr. Informe pericial evacuado por el médico psiquiatra Mariano Marcos Bernardo de Quirós, el 9 de julio de 1990,

»Vemos en D. Ignacio Ruiz Leal —prosigue este informe pericial psiquiátrico en sus conclusiones— un déficit de este proceso [se refiere a la adquisición del primer código social de conducta, base que permite al niño discriminar entre aquello que le es permitido y aquello que le está prohibido], posteriormente él lo sustituye o complementa adquiriendo códigos provenientes de su educación social y religiosa, sin embargo admitimos como posibles la presencia de "fallas o huecos" en su estructura mental, por los que pudiera ceder a necesidades biológicas instintivas o psicológicas pulsionales de una manera transgresora e impulsiva, donde las pulsiones no se detendrían debido a la ausencia o debilidad de ese código o censura psicológica que, en un momento [determinado], puede detener y guiar de forma adecuada socialmente cualquier deseo pulsional, mientras que en este caso la pulsión se satisfacería sin tener en cuenta la realidad externa, es decir el mundo real [y sus normas y consecuencias].»

Ante este elocuente dictamen —y en el mismo acto ante el juez instructor— el médico forense del Juzgado, Juan Ángel Martínez Jareño, que ni había explorado en profundidad al sacerdote, ni poseía especial cualificación psiquiátrica, defendió vehementemente la absoluta normalidad del desarrollo de la sexualidad de don Ignacio y pretendió desautorizar al doctor Marcos con el argumento de que el enfoque psicodinámico —que ha sido fundamental para el desarrollo de la psiquiatría y la psicología modernas— no era correcto para explicar la formación y

---

ante el Juzgado de Instrucción número 2 de Cuenca (folios 385 a 388 del Sumario 1/90), y ampliado el día 17 de julio del mismo año en los folios 396 a 397 de la misma causa.

desarrollo de la personalidad. El médico forense Martínez Jareño, crítico ilustre aunque demostrara ser un hombre más ducho en cuestiones de fe que de ciencia, había sido ya proverbial para el sacerdote cuando, meses antes, le había dictaminado una fimosis inexistente... aunque imprescindible para la estrategia de la defensa del padre Ignacio.

Volviendo a la sentencia que estamos comentando, dado que los magistrados gozan de libertad en la apreciación de las pruebas[126], la Sala no dio credibilidad a las declaraciones de las tres víctimas (a pesar de que demostraron un conocimiento exacto del domicilio del cura y se reafirmaron una y otra vez en los detalles fundamentales de sus historias), ni tomó en cuenta las pruebas y testimonios que avalaban la posible veracidad de los hechos enjuiciados[127]... aunque sí consideró muy importante el testimonio de un cuidador de ASPADEC que compa-

126. El artículo 741 de la Ley de Enjuiciamiento Criminal dice que: «El Tribunal, **apreciando, según su conciencia**, las pruebas practicadas en el juicio, las razones expuestas por la acusación y la defensa y lo manifestado por los mismos procesados, dictará sentencia dentro del término fijado en esta Ley...»

127. Como, por ejemplo, entre muchos otros, los resultados de las muestras halladas en el piso utilizado por el padre Ignacio Ruiz. Los resultados de los análisis efectuados por el Servicio Central de Policía Científica concluyeron que, en el lugar donde sucedieron las supuestas agresiones sexuales del sacerdote contra los tres deficientes psíquicos, había diversidad de manchas de semen pertenecientes a una persona con el grupo sanguíneo A (el mismo del cura), y «en este caso —tal como señala el dictamen policial— existen algunas similitudes entre algunos de los cabellos encontrados tanto en la almohada como en el suelo de la habitación derecha y los cabellos de los tres disminuidos psíquicos». Cfr. informe número 39-AP-90 del Servicio Central de Policía Científica, fechado el 5-4-90 y obrante en los folios 309 a 313 de la causa contra el sacerdote.

reció ante el Juzgado «por problemas de conciencia» y declaró que había oído cómo Juan Andrés (la víctima de la violación) negaba los hechos. Quizá no fuera baladí —ni ajeno a su *conciencia*— señalar que tan noble ciudadano es profundamente católico... y que no había logrado la prolongación de su contrato laboral con ASPADEC antes de que sucedieran estos hechos.

El fallo de la sentencia fue, obviamente, la absolución del sacerdote Ignacio Ruiz en virtud del precepto constitucional de la presunción de inocencia. «Aun admitiendo la existencia de algún indicio —concluye la sentencia tantas veces citada—, como puede ser el del conocimiento de la vivienda por los supuestos ofendidos, falta el nexo que enlazara tal conocimiento con el comportamiento que se atribuye al procesado, por lo que procede no hacer un pronunciamiento condenatorio en base al referido principio constitucional.»

El juicio había empezado el 13 de diciembre, día de Santa Lucía, una santa que, según la Iglesia Católica, es portadora de claridades y magisterios, amén de protectora de los asuntos de la vista. Y la sentencia fue dictada en otra fecha no menos simbólica ni elocuente: el 28 de diciembre ¡día de los Santos Inocentes!

Un guiño que monseñor Guerra Campos sin duda valoró en su justa medida, máxime cuando provenía de magistrados tan ilustres como los señores Vesteiro, Teruel y Bahíllo, bien conocidos en Cuenca por su profunda religiosidad y respeto a las tradiciones.

Pero el *culebrón* del padre Ignacio Ruiz Leal no acabó en un tan glorificado acto jurídico. Los recursos de casación planteados por el Ministerio Fiscal

—avalado por la junta general de fiscales del Tribunal Supremo— y por la letrada de ASPADEC, provocaron una contundente sentencia del Tribunal Supremo que anuló la dictada por la Audiencia de Cuenca y obligó a repetir el juicio.

> Han de estimarse los motivos primeros de ambos recursos [por quebrantamiento del principio de publicidad] de las acusaciones y casarse la sentencia por ese quebrantamiento formal —ordenó el Tribunal Supremo[128]—. El procedimiento ha de reponerse al momento procesal de la infracción celebrándose de nuevo el juicio oral conforme a la ley, de acuerdo con lo expuesto. Por elemental garantía de imparcialidad objetiva, habrá de ser distinta la composición de la Sala que va a ver y fallar el asunto.

El padre Ignacio Ruiz volvía a ser un presunto culpable ante la sociedad; debía volver a ser juzgado, pero esta vez aireando sus vergüenzas en público; y, lo que parecía aún peor, su nuevo juicio no podrían repetirlo aquellos magistrados que tantos desvelos se tomaron para que la Iglesia obtuviese su justicia. La noticia sentó como un mazazo en el bando clerical y, como última vía para anular la orden del Tribunal Supremo, acudieron al recurso de amparo ante el Tribunal Constitucional[129].

Como el tiempo pasaba, los magistrados de la Sala no se abstenían[130] y el caso seguía en vía muerta,

128. Cfr. Sentencia número 2.410/93 de la Sala Segunda del Tribunal Supremo, fechada el 30-10-93.

129. Cfr. Recurso de amparo firmado por el letrado Ignacio Izquierdo Alcolea y fechado el 11-12-93.

130. Tal como dicta el más elemental sentido común y del

Araceli de la Fuente Soliva, letrada de ASPADEC, presentó lo que en términos jurídicos se denomina un incidente de recusación contra los magistrados Joaquín Vesteiro Pérez y Humberto Bahíllo Rodrigo [Teruel Chamón, el tercer firmante de la polémica sentencia está actualmente en la Audiencia Provincial de Valencia], para que fueran apartados definitivamente de este caso[131].

Estando así las cosas, llegó la sentencia del Tribunal Constitucional que, como no podía ser de otra forma, ratificó la orden de repetir el juicio con otros magistrados. La más alta instancia de la nación no admitió el recurso de amparo del sacerdote «por carencia manifiesta de contenido (...) y puesto que este pronunciamiento [se refiere a la sentencia del Tribunal Supremo], lejos de atentar a la imparcialidad o de aparecer como irracional o arbitrario, responde precisamente a la legítima necesidad de preservar la garantía institucional de la imparcialidad judicial, en su dimensión objetiva.»[132]

Pero ni aun así. En el momento de redactar este capítulo, los magistrados Vesteiro y Bahíllo —a

---

pudor, y había ordenado el Tribunal Supremo en su sentencia, e insiste repetidamente el Tribunal Europeo de Derechos Humanos en sus resoluciones cuando señala «la importancia que en esta materia tienen las apariencias, de forma que debe abstenerse todo juez del que pueda temerse legítimamente una falta de imparcialidad, pues va en ello la confianza que los tribunales de una sociedad democrática han de inspirar en los justiciables» (casos Piersack de 1-10-82 y Cubber de 26-10-84).

131. Cfr. Escrito de recusación presentado ante la Audiencia Provincial de Cuenca en fecha 7-3-94, y registrado con el número 49.

132. Cfr. Dictamen de la Sala Primera, Sección 2.ª, del Tribunal Constitucional, fechado el 19-05-94, sobre la causa con número de registro 3.714/93.

quienes falta poco para jubilarse— se resisten numantinamente a que otros jueces analicen las aventuras sexuales del padre Ignacio Ruiz Leal. Probablemente deben encontrar en su inquebrantable fe católica la razón que ya todo el mundo les ha quitado.

El sacerdote Ignacio Ruiz Leal sigue actualmente con su vida normal dentro de la Iglesia. A nadie parecen importarle demasiado las supuestas vejaciones sexuales que, en 1989, sufrieron tres deficientes psíquicos con mentalidad de niño. La caridad cristiana, según demuestran este y otros casos parecidos, obliga a los obispos a mirar lejos de la bragueta de sus sacerdotes.

El padre de Andrés S.F., uno de los disminuidos, agente de la Guardia Civil y, por ello, conocedor de los usos sancionadores de su comunidad, se curó en salud cuando afirmó:

«Estoy convencido de que, si es culpable [el sacerdote], la Justicia le condenará, y si no [le condenan], la justicia de arriba se encargará de hacerlo.»

Pero, viendo tal como han ido las cosas, es casi seguro que cuando Andrés estaba en casa del padre Ignacio Ruiz, «probándose ropa», Dios también giró la cabeza para mirar hacia otra parte.

PARTE IV

EL SADOMASOQUISMO SEXUAL ENTRE EL CLERO

«Por eso, para que no tenga soberbia, me han metido una espina en la carne, un emisario de Satanás para que me abofetee y no tenga soberbia. Tres veces le he pedido al Señor, verme libre de él, pero me contestó: "Te basta con mi gracia, la fuerza se realiza en la debilidad." Por consiguiente con muchísimo gusto presumiré, si acaso, de mis debilidades, porque así residirá en mí la fuerza del Mesías. Por eso estoy contento en las debilidades, ultrajes e infortunios, persecuciones y angustias por Cristo; pues cuando soy débil, entonces soy fuerte.»

2 Cor 12,7b-10.

18

SACERDOTES QUE REALIZAN PRÁCTICAS SEXUALES SADOMASOQUISTAS

«Mi problema comenzó cuando yo era aún seminarista, y acabó por dominarme sin que pudiese hacer nada para evitarlo. Como el resto de mis compañeros de seminario, yo me masturbaba porque necesitaba satisfacerme sexualmente, pero era tanta la aversión que nos inculcaban hacia la sexualidad y tanta la presión para conservar la pureza, que pronto empecé a sentirme como una rata pecadora. Intenté dejar de masturbarme, pero me era imposible. La oración y la penitencia fueron dando paso a la mortificación corporal.

»Empecé a utilizar el cilicio y las disciplinas hasta dejarme el vientre y la espalda en carne viva, pero no lograba vencer el deseo sexual. Acabé por ponerme el cilicio en el pene, pero seguía teniendo erecciones a pesar del dolor de las heridas que me producían los pinchos metálicos. Me pasaba horas enteras arrodillado sobre pequeños guijarros, rogándole a Dios que cesara en su castigo. Me convertí en el más servil y humilde de entre mis compañeros. Pero nada podía detener mi pene y mi mano. Llegué incluso a poner mi mano derecha sobre un fogón, pero no conseguí más que una dolorosa quemadura.

»Cuando me ordené sacerdote todo seguía igual; me disciplinaba a diario, el cilicio ya formaba parte de mi *ropa* interior, y piedrecitas o garbanzos duros dentro de los zapatos me recordaban en todo momento que yo era un pecador sin remedio. No sé cómo ocurrió, ni recuerdo desde cuándo, pero un día me di cuenta de que el dolor me excitaba aún más. De alguna manera todo se había confundido; ya no me castigaba por satisfacerme sexualmente, sino que me satisfacía sexualmente porque me castigaba.

»Estaba metido en un círculo terrible: me odiaba por lo que hacía, pero necesitaba hacerlo para poder seguir odiándome —humillándome, diría el doctor—; incrementaba el castigo, pero no disminuía el placer sino que se volvía más sofisticado. Con el tiempo comencé a emplear velas y ornamentos sacros para conseguirme placer. He cometido —y aún cometo— verdaderos sacrilegios. Y, sinceramente, si llegué a pedir ayuda clínica, quizá en un momento de lucidez, no fue por no gustarme lo que hago, sino porque intuí que estaba perdiendo el control de mi vida.»

La persona que me relató esta experiencia no se identificó, estábamos en la consulta de un amigo psicólogo, que me lo había presentado con un escueto y directo «éste es el sacerdote de quien te hablé», y apenas cumplidos los saludos protocolarios empezó a relatarme, sin esperar mi petición para ello, el testimonio que acabo de reproducir parcialmente. El hombre, que dijo tener 46 años, hablaba despacio, pero fumaba rápido y sin parar; su mirada apenas se despegaba de la mesa o del suelo y sólo en contadas ocasiones se cruzaba con la de su interlocutor. Llevaba dos años bajo terapia médica y psicológica.

El masoquismo sexual es una parafilia o desviación que se caracteriza porque la excitación sexual «procede del hecho de sentir sufrimiento físico y/o psíquico; es decir, que la excitación sexual se produce cuando estas personas son humilladas, atadas, golpeadas, estranguladas o maltratadas de cualquier modo por ellos mismos o por otras personas, con su consentimiento, pudiendo llegar a poner en peligro su vida en esta búsqueda de placer sexual.»[133]

En general se relaciona el masoquismo sexual con la personalidad masoquista —o masoquismo psicosocial—, pero ambos trastornos no siempre van asociados. El primero es una parafilia, mientras que el segundo es una formación reactiva de la personalidad, producida desde edad temprana, que abre la puerta a los cuadros neuróticos más diversos.

La personalidad masoquista, que conlleva una viva tendencia a «mostrar, o al menos no ocultar de ningún modo a los demás, el sufrimiento, el malestar o la humillación»[134], suele estar relacionada con la necesidad de un castigo que sirva para expiar un profundo sentimiento de culpa. Y si algo ha sabido infectar hasta los mismísimos genes la cultura judeocristiana es la conciencia de culpabilidad, uno de los resortes más importantes en que se asienta el poder y el control que la Iglesia Católica ejerce aún

133. Cfr. Rojas, E. y otros (1991). *Enciclopedia de la sexualidad y de la pareja*. Madrid: Espasa Calpe, p. 222.

134. Cfr. Alonso-Fernández, F. (1993). *Estigmas, levitaciones y éxtasis*. Madrid: Temas de Hoy, p. 90.

sobre el clero y sobre una buena parte de la sociedad.

Hace ya más de cuatro décadas que el doctor Reik[135], cuya tesis es compartida por muchos otros autores, señalaba que algunas de las enseñanzas fundamentales de la figura de Cristo, tal como han llegado a los Evangelios, denotan una personalidad masoquista tanto en su forma como en su fondo. Asertos bien conocidos como el de que «los últimos serán los primeros», o el de «pon la otra mejilla», aluden directamente al cultivo de la humillación y la vergüenza, y a la transmutación del malestar y el sufrimiento en un sentimiento o actitud de satisfacción o placer. Y el propio episodio de la pasión, visto desde una mentalidad científica, es mucho más que una declaración de principios masoquista.

«La actitud cristocéntrica hacia la vida —añade Francisco Alonso-Fernández[136], catedrático de Psiquiatría y de Psicología Médica— suele ser una de las posturas cristianas y religiosas más masoquistas. De ahí su tendencia a asociarse con el masoquismo social y psicofísico (...) En la línea del estricto masoquismo espiritual se sitúa santa Teresa cuando refiere que el alma posee mil medios de infligirse tormentos por el amor de Dios, inmensamente más dolorosos que el sufrimiento corporal, y sólo mitigados un poco, lo que ayuda a soportar este sufrimiento, por la petición elevada a Dios para la aplicación de un remedio (...) San Francisco marcó el camino de la humillación, las privaciones y el castigo físico, administrándose sin motivo racional todo tipo de torturas.»

135. Cfr. Reik, Th. (1949). *El masoquismo en el hombre moderno*. Buenos Aires: Nova.

136. Cfr. Alonso-Fernández, F. (1993). *Op. cit.*, p. 92.

La formación y la presión para forzar comportamientos y personalidades masoquistas es, pues, un elemento dinámico y dogmático esencial del catolicismo y, especialmente, en el ámbito de adiestramiento del clero. Si a ello le unimos la incidencia negativa de la represión sexual a ultranza y del celibato impuesto «como expresión del seguimiento a Jesús» —y por ello, según acabamos de expresar, una vía cristocéntrica en cuanto a su significado masoquista—, será lógico encontrar entre el clero muchos casos de personalidad masoquista con explícita desviación sexual igualmente masoquista.

Hoy, en algunas órdenes religiosas —masculinas y femeninas— y en bastantes cursos de formación para sacerdotes, se está imponiendo de nuevo el uso frecuente e indiscriminado de la mortificación corporal en todos sus aspectos. Aunque, sin duda alguna, el apóstol máximo de la expiación mediante el dolor producido por cilicios, disciplinas y otras torturas es el Opus Dei. Tanto es así que, en las *casas* donde viven sus sacerdotes y numerarios, nunca falta, en los armarios del cuarto de baño, un fármaco específico para cortar hemorragias y cicatrizar heridas.

La incidencia de este tipo de formación patógena sobre el sujeto se mantiene de por vida, agravando los cuadros neuróticos y, con frecuencia, pervirtiendo los mecanismos de obtención de placer, que acaban asociándose indeleblemente a los instrumentos y situaciones que procuran humillación, sufrimiento y dolor. En bastantes consultas especializadas en terapia sexual se hallan pacientes —sacerdotes en activo o secularizados, ex religiosos o ex miembros del Opus Dei— aquejados de esta patología.

La realización de prácticas expiatorias junto con hábitos sexuales masoquistas y rituales católicos lleva a conformar casos como el de Francisco Monsi, celador del turno de noche de los Servicios de Urgencias del Hospital Clínico de Málaga, detenido por la policía después de llevar más de veinte años corrompiendo a menores[137].

Francisco Monsi, un sexagenario conocido como El Cura, se había exclaustrado de la orden franciscana y, según la policía, ya había sido detenido por corrupción de menores en 1973. Monsi, con la colaboración de varios jóvenes —captados para su placer sexual cuando éstos eran aún menores de edad—, atraía a su casa a niños de 7 a 14 años, hijos de familias muy humildes, y, tras ganarse su confianza y cariño, les hacía ver películas pornográficas como paso previo a su inicio en las prácticas homosexuales con él.

En sus sesiones sexuales, Monsi incluía rezos, música sacra, incienso, velas, imágenes religiosas y otros elementos del ritual católico. En una de las habitaciones de su casa había montado un altar para oficiar misas, y disponía de unas cuatrocientas cintas de vídeo en las que se intercalaban escenas de ceremonias católicas —especialmente de algunas procesiones que están íntimamente relacionadas con ritos masoquistas de expiación— con escenas pornográficas, muchas de ellas grabadas por El Cura mientras corrompía a los menores.

Sin llegar a este extremo de sordidez, muchos clérigos masoquistas sexuales recurren igualmente a los elementos religiosos para procurarse placer, ya sea por sí mismos o en pareja (con otro varón o con una mujer).

137. Cfr. Martínez, G. (1994, mayo 2). «El cura» daba catequesis cristiana a los niños mientras los corrompía. *Tiempo* (626), pp. 56-58. Francisco Monsi fue detenido el 13-3-94 por orden del Juzgado de Instrucción número 7 de Málaga.

«Entre mis clientes —me contaba el dueño de un negocio de prostitución sadomasoquista— tengo uno que es sacerdote, tiene unos cuarenta y muchos años y, cuando viene, cada dos o tres meses, siempre le hace poner a la chica que esté con él una sotana —que trae dentro de un portafolios—, le da un crucifijo para que lo sostenga en la mano, y le pide que le dé golpes y patadas mientras él, desnudo, se revuelca por el suelo suplicando perdón y llorando como un crío.

»Al cabo de un rato, con el cuerpo lleno de contusiones, se masturba en un rincón, luego reza o hace algo parecido, y se acabó. Jamás se ha acostado, ni tampoco lo ha intentado, con ninguna de mis mujeres.»

Algunos sujetos, en cambio, presentan conductas sadomasoquistas, es decir, alternan el masoquismo sexual con comportamientos de tipo sádico. Diversos testimonios de mujeres que mantienen relaciones sexuales con sacerdotes —y que veremos en las partes VIII y IX de este libro— han descrito este tipo de conductas como una característica muy habitual de sus amantes.

El desencadenante de esos comportamientos sadomasoquistas, incluso en las relaciones de pareja estables, cabría atribuirlo a la mezcla explosiva de sentimientos que pueden llegar a confluir en un sacerdote con estructura de personalidad neurótica e inmadura, atrapado entre una fuerte culpabilidad por trasgredir su obligación de celibato y pureza y un tremendo resentimiento hacia la mujer que se le materializa como la causa de sus males y el origen de su «impureza y mezquindad espiritual».

Una mezcla de sentimientos a la que se aproxima Cecilia del Carpio, psicóloga y escritora, en un libro poético autobiográfico donde narra su pasión amorosa con un sacerdote jesuita[138]:

> Pero ¿qué tipo de mujer eres? /... me preguntaste un día asombrado, / perplejo, confundido, ante mi claridad e insistencia... / Soy la mujer que te atormenta / la que te turba / la que te hace sentir culpable / la que te hace patente tu castración / y soledad. / Soy la mujer que te estremece / la que te gusta y admiras / la que sueñas y recuerdas / la que te seduce y te hace sentir / tu humanidad tan recónditamente guardada. / Soy la mujer que te hace vulnerable / la que te lleva a romper prejuicios prefabricados, / la que silenciosamente amas, / la que irremediablemente detestas / por haber roto tu calma inerte.

El término masoquista deriva del nombre del novelista austriaco Leopold von Sacher Masoch (1836-1895), autor de obras eróticas como *La Venus del abrigo de pieles*, *Don Juan de Kolomea*, o *El jesuita*, donde describe con todo lujo de detalles las relaciones de sumisión sexual que él mismo practicó en privado con diferentes damas de la alta sociedad y con Rümelin, su primera esposa. El doctor Lo Duca resume muy bien el perfil mórbido del que hablamos al afirmar que «el masoquista se envilece para aumentar la distancia existente entre él y su ideal. Sin embargo, estos seres son incapaces de sentir auténtico amor»[139].

138. Cfr. Del Carpio, C. (1990). *Sacerdote, jesuita, te hago inmortal*. Caracas: Autor, p. 23.

139. Cfr. Lo Duca, J.M. (1979). *Enciclopedia ilustrada de sexología y erotismo*. México: Daimon, Vol. II, p. 725.

La Iglesia Católica impone a sus sacerdotes un estándar de pureza tan elevado, inalcanzable e inhumano, que una parte de ellos sólo son capaces de enfrentarse a él desde su propia derrota; aplicándose en la anulación de su persona mediante la humillación y el sufrimiento, pretenden hacerse acreedores del más alto perdón.

Esos sacerdotes masoquistas aprendieron en el seminario que no importa cuán grande pueda llegar a ser un pecado mientras la penitencia consiguiente sea igualmente ciclópea. Por eso, en la dureza de su caída pretenden encontrar la medida de su virtud y la vía de su perdón.

19

JOSÉ, *EL GANGOSO*, UN VICARIO QUE GUSTA DE LAS RELACIONES HOMOSEXUALES SADOMASOQUISTAS CON MENORES

Cuando, en 1990, Clara Penín Pérez, titular del Juzgado de Instrucción número 29 de Madrid, autorizó a la policía judicial para que siguiese investigando las tramas de la red de prostitución homosexual de menores del brasileño Carlos Alberto Romao, aún desconocía que entre los clientes habituales de esta red figuraban algunos prohombres de la sociedad española.

Pero, tiempo después, cuando se incautaron de las agendas telefónicas del brasileño, los nombres encontrados fueron de tal magnitud que el caso sufrió un vuelco espectacular: se impidió que hubiese acusación particular en el proceso (de hecho se expulsó a la que ya estaba personada en la causa), las agendas se guardaron en una caja de seguridad y acabó celebrándose un juicio cojo y sesgado en el que sólo había supuestos proxenetas pero ningún cliente, ni como testigo ni como inculpado (que, en el caso de quienes habían tenido relaciones sexuales con menores, eran tan delincuentes como los propios proxenetas). Para que no quedasen dudas, durante el juicio, el tribunal impidió fogosamente cualquier intento de los letrados defensores presentes de referirse a las dichosas agendas y a los nombres de los clientes que protegían[140].

Entre las conversaciones telefónicas que la policía intervino y grabó en este caso, son bien ejemplificadoras y edificantes las mantenidas entre Carlos Alberto Romao y un sacerdote cuarentón descrito en las transcripciones policiales como José, *El Gangoso*, cuya voz característica le hizo merecedor de tal apodo.

Este notable y a todas luces adinerado miembro del clero español —un vicario o juez eclesiástico— gastaba entre 40.000 y 100.000 pesetas por cada sesión de sexo sadomasoquista que contrataba con los pupilos de Romao. Y su estatus económico le permitía correrse estas santas juergas sexuales más de una vez por mes, según como le pillase el cuerpo. Lo que sigue es parte de la transcripción de algunas de sus llamadas al teléfono de Romao.

«JOSÉ (sacerdote): Ya, ¿y me mantienes la cita que me dijiste?

CARLOS (proxeneta): Sí, sí, con bolas, aceites..., nada que sea de quemaduras y que haga salir sangre, de lo demás todo.

140. De hecho, una copia de estas agendas, así como buena parte de las D. P. número 2.692/90, que contienen, entre otras muchas diligencias judiciales, las transcripciones de las conversaciones telefónicas intervenidas y grabadas por la policía, obran en poder de este autor, que ya las ha desvelado en parte en un libro anterior. Cfr. Rodríguez, P. (1993). *El drama del menor en España (cómo y por qué los adultos maltratamos a niños y jóvenes)*. Barcelona: Ediciones B., pp. 162-166.

J.: Sí, sí, o sea que sobre la cosa de pincharnos y de... ¿verdad?

C.: Sí, sí, eso sin problemas, e incluso si quieres eso, también.

J.: Sí, y Juan está mejor que Raúl, ¿verdad?

C.: No, no es que sea mejor, lo que pasa es que yo te puedo garantizar más cosas con él que con el otro, porque el otro ya se ha *putificado*, ¿sabes cómo es eso?, uno se *putifica* por la ganancia y no a lo mejor porque conoce de qué va el tema.

J.: Pues entonces digamos que Raúl será en otra ocasión, yo quiero pasarme por ahí [casa de Carlos y lugar al que acude el sacerdote, por las mañanas, para mantener relaciones sexuales con los menores] para una sesión de masoquismo.

C.: Perfecto.

J.: Entonces, me has dicho tú que yo le puedo pegar con el látigo, que le puedo aplicar cera.

C.: Látigo, mucho, bolas, digamos que algo de hostias y tal y tal, y sexo si quieres. No puedes con tabaco [quemaduras con cigarrillos], tampoco le puedes pinchar para hacer sangre, y nada más. Lo demás todo. Lo que sí me gustaría es que las velas [derramar cera fundida sobre la piel] las utilicen ellos [los menores].

J.: Vale, vale, hasta luego, chao.»

Seis días más tarde, el 5 de agosto de 1990, el sacerdote ya está listo para la sesión y llama a Carlos Alberto Romao para confirmar los preparativos.

«JOSÉ: La circulación está regularcilla, no sé lo que podré tardar y, además, yo voy a tardar un poquito en salir de casa, porque estoy ahora con un calorín...

CARLOS: Muy bien, pues aquí ya tengo incluso la habitación ambientada, se está muy fresquito aquí dentro.

J.: ¿Ya tienes ahí las velas, el látigo y todo eso?

C.: Sí, sí, ya está todo hecho.

J.: Entonces voy para allá. Y el negrito [el menor Juan C.M. es de raza negra] ¿también está preparado?

C.: Sí, también, también el negrito, está ya todo aquí.

J.: Ah, mira, se podría presentar, bueno, yo ya conozco a Juan, como es natural, y Juan me conoce a mí, pero digamos que en la presentación me gusta que esté vestido, ¿sabes?, que no esté desnudo, luego ya se desnudará. ¿Te vale?

C.: OK.

J.: Y que en la entrada, cuando yo entre en la habitación me eche mano al paquete [genitales], ¿sabes?, mira, yo quiero simular que el chaval quiere guerra conmigo y, para ello, que a la altura del pene encienda el mechero, que cuando me vea encienda el mechero y me eche mano al paquete. Ah, mira, otra cosa, que las velas las encienda cuando estemos en situación, y que las encienda el muchacho, que ya sabe que me gustan a mí todas esas tonterías.»

Tres días después, el sacerdote, que ya empieza a preparar una nueva sesión, le comenta a Carlos: «Me echó tanta cera que me ha dejado todo el cuerpo hecho una ampolla.»

Los menores Juan C.M. y su hermano Raúl, de origen zaireño, habían huido de la casa paterna, en Zaragoza, debido a los malos tratos que recibían. Con el sacerdote gangoso, que fue cliente de ambos, podían tomarse una cierta revancha:

«Al cura le gustaba que al entrar en la habitación le

echase mano al paquete —ratificó Raúl en su declaración ante el juzgado—, que le tirase sobre la cama, le diese patadas y le dijera toda clase de tacos: también que le pegase con un látigo y velas en forma de pene que, después, le gustaba que le introdujera por el ano.»

En otra conversación, grabada el mismo mes de agosto, el vicario gangoso le propone a Carlos Alberto Romao hacer otra sesión sadomasoquista, pero incrementando el nivel del castigo y del dolor a recibir.

«JOSÉ: Hola, Carlos, soy José, te llamo para decirte que lo pasé estupendamente con Raúl.

CARLOS: ¿Que lo pasaste estupendamente con Raúl?, hombre, pues ya lo sabía, yo ya te dije lo que había, ¿me entiendes?, porque yo no lo conocía como pasivo, pero yo he tomado la precaución, claro, de que él viniese aquí una noche antes y, vamos, se ha acostado conmigo y le puse las pilas en este sentido, ¿no?, a ver cómo iba la cosa y ha ido bien, ¿me entiendes?

J.: Sí, sí, ha ido estupendamente.

C.: Por eso yo no me quedé preocupado, la cosa iba a salir bien porque, claro, yo había pasado la noche con el chico y se enrolla bastante bien.

J.: Estupendamente, y qué te iba a decir yo, es que ya su hermano Juan se ha ido y no puedo conseguirlo como antes.

C.: Sí puedes, porque este chico se va a estudiar, a lo mejor ya está estudiando, en un colegio de las afueras de Madrid[141], pero con una cierta antelación sí te lo puedo conseguir, claro que sí.

141. Los hermanos Juan y Raúl C.M., como menores huidos de su casa, estaban bajo la tutela de la Comunidad de Madrid y eran internos en un centro escolar especial de la Administración.

J.: Y Raúl, vive aparte, ¿no?

C.: Sí, él sin problemas, a la hora que lo quieras lo tengo.

J.: Te pasa lo mismo que con Eibar, ¿no?, que lo puedes contactar en cualquier momento.

C.: Con Raúl sí, Raúl sin problemas.

J.: Y con Iván tampoco.

C.: Iván tampoco, ahí todavía más claro.

J.: Mira, ahora que te digo de Iván, cuando hicimos aquí la sesión, aquello del masoquismo, yo y Eibar, que ya sabes tú que va de activo, pues la última vez, no ésta, sino la vez anterior, pues me dijo que yo respondía estupendamente y, sabes, le dije que para la próxima vez quería una cosa más fuertecita y me dijo que para esas citas él tenía qué utilizar aparatos.

C.: Hombre, serían gemelas [esposas], bueno, unas cositas que no sé si a ti te irán o no, es un aparato digamos que de sexo, con... como consoladores pero ya en plan un poco más duro, consoladores con pinchos y cosas así; es una cuestión en la que tú impones más o menos el límite, yo te digo lo que se puede hacer y tú me dices hasta qué punto quieres llegar.

J.: Pues mira, dame así unas pistas... porque te voy a hacer una visita pronto, ¿sabes?

C.: ¿Te gustaría hacerlo con Eibar?

J.: Sí, sí, yo quiero de pasivo con Eibar, ¿vale?

C.: ¿De pasivo con Eibar?

J.: Sí, porque con Eibar he estado varias veces, y las dos últimas que estuve con Eibar me dijo que respondía muy bien yo a lo que él quería hacer conmigo y que ya me iba a poner aparatos, y aparte te digo... porque él es muy duro, pero bastante duro, y entonces yo le tengo que poner un poco más limitado, porque, claro, el chico es que se pasa, se pone muy..., vamos le gusta pasarse lo suyo, entonces imagínatelo ¿no?, entonces hay que poner un límite, porque si no la cosa se pone muy gorda y no sé hasta qué puede utilizar después.

C.: Entonces será una cuestión de charlar antes primeramente contigo, claro, y luego con él, del tema de los aparatos, pues aparte de los que... de los pinchos, velas y tal, podría usar consoladores con pinchos y cosas así ¿me entiendes?, aparte de tabaco [quemaduras con cigarrillos], que tú ya lo conoces también y el látigo especial ¿no?, gemelas y cosas así.

J.: ¿Gemelas?, ¿qué son? ¿esposas?

C.: Exactamente.

J.: Es que él me dijo de un aparato que se cuelga de los huevos.

C.: Sí, sí, ésa es una cuerda de cuero, con pesos, que se puede utilizar también.

J.: ¿Eso deja algún tipo de huella?

C.: Pues no lo sé, a lo mejor un poquito, pero no llega a causar tanta huella.

J.: O sea, que eso al cabo de dos o tres días desaparece.

C.: Sí, antes de eso, antes, antes, a lo mejor se pone un poco rojo el primer día, pero luego se va.

J.: Sí, sí, entonces vamos a ver, la última sesión que yo hice con Eibar fue a base de tabaco, de tabla y de mechero, luego también, como es natural, me pegó con el látigo y con la mano, sobre todo con la mano, me tiró del pelo y en ese momento me dijo eso [que respondía muy bien al dolor y que se podían usar aparatos].

C.: Bueno, algo un poquito más fuerte también se podría hacer, sería algo de coser los pechos ¿me entiendes?, la puntilla de los pechos con una aguja, limpia, por supuesto, desinfectada y todo esto. Es una cosa también que podrías hacer con Eibar, y es que ese tipo de cosas duras es mejor con dos chicos, porque uno sujeta y el otro hace, ¿me entiendes lo que quiero decir?

J.: Sí, sí.

C.: Incluso es más seguro, porque cuando se va a hablar de pinchos y cosas así, que vas a pinchar y va a salir sangre, lo mejor es que tengas dos personas para que cuando uno sujeta el otro haga el trabajo, y digamos que causas menos posibilidades, en fin, de que pinche en un sitio que no tenía que pinchar o algo por este estilo; entonces, con dos personas saldría bastante mejor hecho, ¿sabes?

J.: Sí, sí, ¿y por cuánto me saldría?

C.: Mira, hablaré con Raúl y con Eibar, que creo que son los dos más indicados para esto ¿no?, pero te diré una cifra aproximada, que son 120.000 [pesetas], de 100.000 a 120.000, pero vamos, algo extremadamente duro, fuerte y con cuidado; incluso te aseguro que nada de lo que pase será factor sorpresa, ¿me entiendes?, ya sabré yo antes todo lo que va a pasar, antes de que pase charlaré contigo, enumeraremos fase a fase todo lo que va a pasar y tú me dirás si estás de acuerdo, ¿no?, te enseñaré los aparatos que van a ser utilizados, tú también los mirarás y dirás "pues vale, estoy de acuerdo", o sea, que no haya sorpresas de ningún tipo.

J.: Fabuloso.

C.: Entiendes, ¿no?, algo muy bien hecho, muy bien preparado, y sería más o menos por eso, por 120.000 pesetas, con Raúl y con Eibar.

J.: ¿Y con uno solo?

C.: De este tipo de cosas te estoy hablando... pues hablaría con uno u otro, pero te garantizo que saldría por unas 60.000 a 70.000 [pesetas].

J.: Entonces vamos a hacer una cosa, yo te doy mañana todo el día para que hables con Raúl o con quien tengas que hablar y le pongas los puntos sobre las íes, entonces yo, pasado mañana, con seguridad casi absoluta, me paso por aquí a la misma hora de siempre y ya lo hablamos en un momentito, ¿vale?

C.: OK, pues quedamos en eso entonces, primeramente me pondré en contacto con Raúl, después, cuando tenga aquí todo preparado pues te acercas y aquí te lo explico, cómo va a ser la sesión con todos los detalles; tú me haces un planteamiento, "pues vale, eso está bien para empezar" o "eso está mal", o que sea así o asá, yo te enseño las agujas, en fin, yo te enseño todo el material que va a ser utilizado.»

Ni este sacerdote vicioso, ni otros dos curas clientes de Romao, un párroco gallego y el secretario de un prelado italiano, ni el resto de los prohombres —entre los que destaca un político, un periodista, un magistrado, y un rector de universidad muy importantes— identificados en 1990 por el Grupo de Menores (GRUME) de la Policía Judicial de Madrid, que pasó sus filiaciones a la magistrada Clara Penín, han sido llamados, hasta hoy, para prestar declaración sobre sus actividades sexuales con los menores. Ni tampoco, obviamente, han sido procesados por la presunta comisión de delitos continuados de corrupción de menores.

La policía, en su día, también notificó oficiosamente al Arzobispado de Madrid las actividades sexuales de José, *El Gangoso*, que fue apartado del puesto que ocupaba, pero hoy aún sigue siendo sacerdote.

PARTE V

EL SEXO ENTRE SACERDOTES Y MUJERES CASADAS

«Porque la voluntad de Dios es vuestra santificación; que os abstengáis de la fornicación; que cada uno sepa guardar su cuerpo en santidad y honor, no con afecto libidinoso, como los gentiles, que no conocen a Dios; que nadie se atreva a extralimitarse, engañando en esta materia a su hermano, porque vengador en todo esto es el Señor.»

I Tes 4,3-6.

«No desearás la casa de tu prójimo, ni la mujer de tu prójimo.»

Ex 20,17.

20

LA OTRA PUERTA PARA ACCEDER AL MATRIMONIO: MANTENER RELACIONES SEXUALES CON LA ESPOSA AJENA

«Si tienes que acostarte con alguna mujer procura que sea casada, que con ésas no se nota.»

Este *sabio* consejo, tradicional entre el clero, lo dan todavía muchos obispos a sus sacerdotes cuando éstos les confiesan dificultades prácticamente insalvables para seguir guardando el celibato.

La mayoría de los prelados, como ya hemos visto repetidamente, respetan poquísimo a la mujer y su mundo, pero, además, quienes hacen este tipo de recomendaciones, tampoco estiman en demasía el «sagrado sacramento del matrimonio». Y no podría ser de otra manera entre una elite clasista y alejada del mundo real que piensa y defiende que el celibato es un estado superior al matrimonio, y que este último está reservado «a la clase de tropa» y con la única finalidad de procrear futuros fieles católicos.

Poco más de mil años después de que el papa Juan XII, en el año 964, fuese muerto de un martillazo en la sien por un marido que lo pilló en la cama con su esposa, el clero actual aún sigue con su rutina histórica de procurarse placer con la mujer ajena, beneficio que, por otra parte, no le supone asumir ninguna responsabilidad.

Un amigo mío, gallego, oía con frecuencia cómo un paisano hablaba de sus dos hijos, hasta que un día, sumamente intrigado, se atrevió a preguntarle: «¿pero cómo habla usted siempre de dos hijos si tiene cinco?». A lo que el paisano, después de apurar su orujo, le respondió con aplomo: *«non, fillos eu non teño mais que dous; os outros tres son da miña muller e do señor cura».**

En toda España, tal como las maledicencias populares —casi siempre bien fundamentadas— se han encargado de fijar en la pequeña historia de sus comunidades, los «hijos de cura» habidos dentro de matrimonios ya establecidos son un hecho común.

Hasta hace unos pocos años, la mayoría de los maridos *burlados*, si se enteraban, asumían la infidelidad de su esposa con el sacerdote —y el embarazo, de haberlo— y la encubrían, como si nada hubiese pasado, con el fin de evitar alimentar el fuego de su propia descalificación pública, o para ahorrarle un escándalo a la Iglesia Católica, de la que solían continuar siendo fieles.

En la actualidad, en general, esta situación se mantiene aún entre las capas más humildes de la población, pero en las clases media y alta lo más habitual es que a la reacción —discreta, eso sí— del marido le siga el divorcio. Las palizas a la esposa o al cura tampoco son una excepción. Y matar al sacerdote pillado en acto amatorio adúltero, en el más

* [No, hijos yo no tengo más que dos; los otros tres son de mi mujer y del señor cura.]

puro estilo de lo sucedido al papa Juan XII, es algo ya impensable, aunque, sin embargo, sucedió hace muy poco en Madrid. De unos y otros casos veremos ejemplos, más adelante, en esta misma parte del libro.

Los motivos por los que un sacerdote llega a acostarse con una mujer casada son tan obvios que no merecen comentario alguno: o se enamora de ella, o la ve como un mero desahogo sexual que mitiga su doloroso celibato. Los sacerdotes, en cuanto a su comportamiento sexual, tal como ya ha quedado bien probado, no son diferentes en nada del resto de los varones humanos. La ordenación sacerdotal podrá imprimir carácter, pero el torrente hormonal del cura sigue siempre su curso habitual.

En el caso de la mujer casada, existen muchas causas —que no vamos a entrar aquí a enumerar ni valorar— que inciden en el hecho de que se decida a tener relaciones sexuales con otros hombres; pero, en el tema particular que nos ocupa, merecen destacarse un par de aspectos específicos y diferenciales.

En primer lugar, cabe citar que bastantes mujeres son más o menos vulnerables a la erótica de la sotana, a la atracción/sumisión que emana del poder e imagen sacra de los que está investido el sacerdote. En no pocos entornos católicos, las feligresas sienten agitar su ánimo ante la presencia de un clérigo apuesto y varonil; y son incluso frecuentes las disputas entre mujeres, casadas y solteras, para ver quién será invitada la primera a acostarse con el sacerdote, o quién gozará más a menudo de sus requerimientos sexuales.

No faltan tampoco las mujeres casadas que se ofrecen de buena fe a un sacerdote para intentar aliviarle su soledad afectiva y sexual.

«Llevaba menos de medio año en mi nueva parroquia —me contaba un sacerdote célibe de verdad, "por el momento", tal como me puntualizó— cuando, un día, una mujer de mediana edad y bastante hermosa, me pidió hablar en privado conmigo.

»—Yo sé que ustedes, los curas, se lo pasan muy mal —me dijo la señora— y que no les resulta fácil apañárselas, pero yo soy una buena feligresa y estoy dispuesta a complacerle en todo lo que necesite...

»Temeroso de no interpretar bien su oferta y de meter la pata, le corté cortésmente su parrafada para preguntarle:

»—¿A qué se está refiriendo usted exactamente, señora?

»—¿A qué va ser? —me respondió ella—. ¿Es que usted no tiene necesidades conyugales?, pero no se preocupe por nada, que yo estoy casada y conmigo podrá usted aliviarse con toda confianza.

»Me salí de la situación como pude, creo que haciendo un ridículo espantoso, y la mujer se fue sin comprender del todo mi negativa.

»—¿No será usted de esos [homosexual]? —me preguntó varias veces.

»Después de esta escena, aunque la veía algunas veces por el barrio, ya no volví a verla por la parroquia. Probablemente había sido la amante del cura que estuvo antes en mi lugar, ¿y quién sabe a qué compañero estará consolando hoy?»

En un caso similar, el sacerdote Rafael Medina Marín, párroco de la Inmaculada, en el pueblo malagueño de Mijas, salió mucho peor librado que el cura recién citado. Medina fue acusado por una mujer casada de haber abusado sexualmente de sus dos hijos menores y pasó treinta y dos días encarcelado[142]. Finalmente se vio que la denuncia presentada no tenía fundamento y que su origen estaba en el despecho de la mujer, rechazada anteriormente por el párroco cuando ésta le propuso mantener relaciones sexuales.

«Si me hubiese acostado con la mujer que me denunció se hubiese solucionado todo —me contó Rafael Medina[143]—. Fue un montaje con muy mala intención. No hubo nada de nada. En un primer momento, cuando me detuvieron, el obispado reaccionó extrañado, pero luego el obispo Ramón Buxarrais me ofreció si quería irme a América. Yo me negué a irme porque eso no era ninguna solución. Una vez todo aclarado, pedí mi secularización y me casé con una chica del pueblo de quien estaba enamorado. Yo sigo pensando que soy y seré sacerdote hasta la muerte, y mi mujer es una muchacha muy piadosa, por eso, ojalá algún día pueda volver a ejercer mi ministerio estando casado como estoy.»

Por otra parte, muchas mujeres casadas, durante la confesión, suelen contarle al sacerdote aspectos íntimos, y hasta escabrosos, de su vida afectivo-sexual conyugal —detalles que, con frecuencia, han sido requeridos bajo la curiosidad morbosa del propio cura—, con lo que le abren sus puertas al clérigo para que pueda planificar futuros requerimientos sexuales, tanto en el caso de que la mujer afirme estar desatendida o insatisfecha sexualmente, como en el extremo contrario de definirse como *insaciable*.

142. Cfr. Diligencias Previas número 452/86 del Juzgado de Instrucción número 1 de Fuengirola. Pasaron a ser el Sumario 14/86 del mismo Juzgado.

143. En entrevista personal celebrada el día 16-9-94.

Desde cualquier punto de vista, las mujeres casadas creyentes suponen los objetivos sexuales más cómodos y posibles para cualquier sacerdote que desee romper su celibato. Y la razón es bien evidente: son sexualmente activas, están comprometidas afectivamente (lo que evita *problemas* posteriores y reduce la relación al puro sexo), su posición permite encubrir cualquier fallo anticonceptivo, su trato no levanta tantas suspicacias como el de las chicas solteras, suponen la mayoría de las feligresas, están siempre cercanas y existe una inigualable relación de confianza. Como diría un criminólogo, existe un móvil claro y una oportunidad espléndida, ¿de qué extrañarse pues?

«A nadie se le puede tener soltero a la fuerza —le argumentaba Manuel Pérez Cortés, gitano lúcido y trabajador, a su entrevistador[144]—. Yo me dedico al deporte de la *pica* (colombicultura), y para que mis palomos ganen, los tengo tres meses encerrados sin ver ni hacer nada de nada con una hembra. Y cuando llega el día de la *pica* (competición) y los suelto, ¡hay que verlos! ¿eh? Se comen lo que se les ponga por delante, aunque sea una piedra... No sería yo quien dejara a mi mujer ir, como van otras, a ayudar a los curas fuera de las misas... Y digo esto porque yo, aunque no he robado nunca, hubiera sido capaz de robar si hubiera tenido hambre..., y un cura no es más que un hombre con hambre, con otra clase de hambre si usted quiere, pero con hambre al fin y al cabo. Y lo que les hace más peligrosos, a mi entender, es que, teniendo hambre, tienen abundancia y variación de comida a su alrededor... Yo creo

144. Cfr. Galera, A. (1993). *Curas casados ¿desertores o pioneros?* Madrid: Nueva Utopía, p. 46.

que el hombre debe tener una mujer y la mujer un hombre, y si se pueden casar mucho mejor. ¿A saber qué sería de mí si no me hubiera casado?»

Quede esta gráfica —y machista— reflexión de Manuel Pérez para los obispos... y para los maridos.

21

ANTIDIO FERNÁNDEZ, EL PÁRROCO ASESINADO POR EL MARIDO DE SU AMANTE

Los setenta escalones de madera, vetustos aunque lustrosos, que dan acceso al madrileño Hostal Residencia Veraruz II, fueron estremeciéndose uno a uno, con crujidos de suspense, a medida que Luis del Álamo Samper ascendía hacia el tercer piso de un edificio que aún conserva algo del aire señorial que tuvo hace ya muchas décadas.

Luis del Álamo, 46 años, guardia civil de profesión, había comenzado con muy mal pie aquel día 25 de septiembre de 1986. El día anterior, su esposa, Constantina Pérez Fernández, de 44 años, había llegado a ese hostal procedente de la localidad asturiana de Luarca, lugar de residencia del matrimonio; pero el marido, alertado ya desde hacía tiempo por una sospecha que le corroía el alma, comprobó esa misma madrugada que también estaba alojado en el hotel su amigo Antidio Fernández Llera, el joven —32 años— párroco de Barcia y coadjutor de la vecina Luarca.

Tras pasar una noche en vela, el guardia civil alegó estar enfermo ante su superior y enfiló la carretera hacia Madrid con su coche Renault 18 Turbo, gris metalizado. Poco antes de las tres de la tarde, después de unas cinco horas de interminable trayecto, Luis le preguntaba por su esposa a Manuel Blanco Blanco, recepcionista del hostal. El hombre vestía de paisano, pero llevaba al cinto su arma reglamentaria, una Star de 9 milímetros parabellum, número de serie 1.429.704. La sentencia judicial del caso[145], en sus hechos probados, relata del siguiente modo lo que sucedió a continuación:

> Una vez en Madrid [Luis del Álamo] se presenta en el citado Hostal-Residencia y en el vestíbulo es atendido por el encargado, que le aclara que Constantina ocupa la habitación 319 y, al identificarse como su esposo, el encargado le comunica a ella por teléfono esta circunstancia, respondiendo ésta que espere unos instantes y que saldría inmediatamente, pero ante el transcurso de cuatro o cinco minutos sin que ello se produjera, el procesado [el marido] pregunta al encargado dónde se encuentra la habitación y, al indicarle éste que correspondía a una de las puertas situadas en el pasillo inmediato, se asoma él y en este momento sale Antidio por la puerta que se le había indicado.
>
> Apareciendo [el sacerdote Antidio Fernández] desnudo de la cintura para arriba, llevando la camisa en la mano derecha, los zapatos en la izquierda y con la cremallera del pantalón desabrochada, dirigiéndose precipitadamente a la habita-

145. Cfr. Sentencia número 307 de la Sección Sexta de la Audiencia Provincial de Madrid, fechada el 4-6-87, pp. 3 bis a 4 bis.

ción 312 que tenía asignada en ese mismo pasillo sin que llegue a hacerlo, en parte por la precipitación de la maniobra, y en parte por la llamada de atención del procesado que le decía «un momento, antes de que te metas en tu habitación tenemos que hablar», momento en que Constantina aparece en la puerta de la habitación de la que salió Antidio, vistiendo únicamente bragas y sujetador, y tratando de convencer al procesado de que la presencia de aquél en su cuarto no tenía otra finalidad que la de charlar sin ninguna otra consecuencia de naturaleza sexual.

Estando en este momento el procesado dominado por un intenso estado pasional que estrechaba el campo de su conciencia y disminuía y descontrolaba su libre voluntad, liberándose en él una serie de actos incontrolados que resultaron ser automatismos de disparo, aprendidos por entrenamiento profesional y que no pudo dominar, no teniendo conciencia de dicho automatismo y en tal situación, Antidio se abalanzó sobre él entablándose un forcejeo, sin que conste si este contacto tuvo lugar antes o después de que el procesado empuñara el arma de fuego que portaba en la cintura, produciendo un disparo que alcanzó a Antidio, a una distancia no inferior a 50 centímetros, en trayectoria de adelante atrás, de arriba a abajo y de izquierda a derecha que interesa el corazón, aorta ascendente y pulmón izquierdo, y que produce la muerte instantánea [del párroco].

El marido burlado, aún bajo una fuerte excitación, guardó su arma y le pidió al recepcionista que avisara a una ambulancia y a la policía. Tina, su mujer, aún no había tenido tiempo de reaccionar ante el grito de advertencia, previo al certero disparo, que Luis le había hecho: «¡Te dije que este cura nos iba a traer la ruina!»

Antidio Fernández había comenzado su ministerio en la parroquia de Luarca un año antes, y el matrimonio era uno de sus colaboradores más habituales: ayudaban en las reformas de la iglesia, cantaban en el coro, etc. En la pareja, que llevaba casada desde el año 1965 y tenía dos hijas de 16 y 9 años, la relación parecía satisfactoria «sin que se apreciaran disensiones en la perfecta armonía conyugal —se declara probado en la sentencia ya citada—, ni fisuras en sus relaciones públicas o privadas, hasta que surge en el círculo de sus amistades Antidio Fernández Llera, sacerdote de la localidad de Barcia».

> La presencia del sacerdote en Luarca —se relata en el texto de la sentencia— hace que la amistad, ya existente de conocimiento anterior, entre él y el procesado se estreche aún más, relación afectiva que se hace extensiva a la esposa de éste, intercambiándose visitas e invitaciones en los domicilios de unos y otro para llegar [finalmente] a una relación aparte y paralela entre Antidio y Constantina, comenzando ésta a sentir la necesidad de librarse de sus tareas domésticas y de emplear su tiempo libre en otras actividades fuera del hogar.
>
> Pretensión [la citada] que es compartida por su esposo que, en afán de atender todas las sugerencias y deseos de ella, concibe la idea de abrir una *boutique*, pensando que de esta manera contribuye a una mayor serenidad emocional de su esposa, que empieza a demostrar cierta inestabi-

lidad psicológica, por lo que tiene que asistir a consultas de psicólogos fuera de Luarca, en cuyos desplazamientos, que realiza sola con el pretexto de que su marido debe atender sus obligaciones profesionales, es seguida por Antidio, llegando a tener relaciones sexuales con el mismo; consumación que desconoce el marido, al que, sin embargo, no pasa inadvertido el hecho de que la amistad entre ambos se va estrechando.

Tina, la esposa, que algunos del pueblo habían bautizado con el mote de *Falcon Crest*, por su actitud estirada hacia los demás, siempre le negó a Luis sus sospechas, advirtiéndole que «incurría en celos infundados y que tales contactos obedecían a puntualizaciones derivadas de su actividad de catequista y miembro del coro parroquial», según señala la sentencia que venimos citando.

Constantina Pérez, pizpireta de sonrisa sensual, alta, de piernas largas y talle estrecho, siempre negó —y sigue negando— sus relaciones con el sacerdote. «¿Qué hemos hecho?» le preguntaba su marido, acongojado, después del homicidio. A lo que ella, con frialdad y distancia, le respondía una y otra vez: «Qué has hecho tú, porque yo no he hecho nada.»

La inocente esposa, de la que Luis del Álamo estaba locamente enamorado, juraba hasta en arameo que sólo estaba conversando con el sacerdote y que se estaban preparando para asistir a un desfile de modas, puesto que ella había ido hasta la capital para adquirir ropa para su *boutique*. Carecía de importancia el pequeño detalle de que, para realizar tal menester, charlar con un cura, Tina y Antidio se hubieran encerrado en la habitación de un hotel y ambos *platicaran* de sus cosas estando desnudos.

El marido pilló a los amantes *in fraganti* y le asestó un disparo en el corazón al sacerdote que había traicionado su confianza, tal como declaró probado la sentencia de la Audiencia Provincial de Madrid ya mencionada, que condenó a Luis del Álamo a dos años de prisión menor y a indemnizar con dos millones de pesetas a los padres de Antidio Fernández.

La sentencia, muy leve, sin duda alguna, había valorado la concurrencia de la eximente incompleta de trastorno mental transitorio y la atenuante de arrepentimiento espontáneo. Pero el Tribunal Supremo, tras el recurso de casación presentado por los padres del sacerdote, sólo apreció la atenuante de arrebato y obcecación, e incrementó la pena a siete años de prisión mayor y al pago de siete millones de pesetas en concepto de indemnización civil[146].

Luis del Álamo, después de haber cumplido una parte de la pena de cárcel impuesta, salió en libertad y regresó a su domicilio de Luarca. Jubilado de la Guardia Civil, por tener la edad reglamentaria para hacerlo, del Álamo, en el momento de redactar este capítulo, sigue viviendo con su querida esposa Constantina Pérez.

Antidio Fernández Llera, el sacerdote que nunca hubiese sido sancionado por su obispo por mantener relaciones sexuales con una mujer casada, sí fue hallado culpable, sin embargo, por el marido de su amante. Antidio nunca tuvo la oportunidad de gozar de la misma capacidad de perdón de la que ahora disfruta Tina, ni la de acogerse al encubri-

146. Cfr. Sentencia de la Sala Segunda del Tribunal Supremo, fechada el 15-10-90, sobre el recurso de casación número 5.549/87.

miento clerical que siempre es norma en este tipo de casos. Apenas un centímetro de plomo, la medida que separa la vida de la muerte, lo estropeó todo.

Hoy, el olvido más interesado hizo pasar ya la página de los pasionales encuentros amorosos entre Constantina Pérez y Antidio Fernández. Una lápida es todo cuanto queda para recordar a los humanos —sean sacerdotes o no— que el sexo puede llegar a ser un pecado mortal.

22

BARTOLOMÉ ROSELLÓ, DE PROFESOR DE RELIGIÓN A AMANTE DESENFRENADO

Hijo de una de las familias más ricas del pueblo ibicenco de San Antonio Abad, Bartolomé Roselló, ha sido y es toda una institución en esa isla mallorquina —de la que tuvo que salir por la puerta falsa en 1990, debido a sus amoríos con la esposa de uno de los empresarios más poderosos de Ibiza— donde se le conoce popularmente como Don Bartomeu.

Fiel a su origen acomodado, don Bartomeu siempre ha sabido vivir muy bien, compaginando los negocios personales con las obligaciones eclesiásticas. Su piso en la capital de Ibiza, por ejemplo, era enorme y estaba lujosamente amueblado y decorado, y su afición gastronómica le llevaba cotidianamente a los mejores restaurantes de la ciudad. Su vida personal y eclesial siempre ha sido suntuaria, tal como saben muy bien quienes se hicieron cargo de las finanzas de la diócesis ibicenca después de estar casi diez años en manos de Bartolomé Roselló.

Todo lo que hacía don Bartomeu, dotado de grandes dosis de soberbia y vanidad, tenía que ser mejor que lo que hiciese cualquier otro sacerdote —una actitud que le ha granjeado numerosas enemistades entre el clero local—; y en los últimos diez años que pasó como rector de la parroquia de Santa Cruz, la más importante de la isla, tuvo ocasión sobrada de manifestar su peculiar personalidad: nada más hacerse cargo de ésta, hizo reformar totalmente la iglesia y mandó construir un órgano carísimo, empresas que, según afirman otros sacerdotes, eran innecesarias y costaron muchas decenas de millones de pesetas a los feligreses y a los fondos de la diócesis.

Bartolomé Roselló, nacido hace unos sesenta años, ingresó en el seminario de Ibiza a edad muy temprana, y su primer destino importante fue en la parroquia de San Telmo, regida por los carmelitas descalzos, y posteriormente en el Instituto de Bachillerato Santa María, donde empezó a ejercer como profesor de religión y, paralelamente, a ganarse una fama subterránea de aficionado a los escarceos sexuales con algunas alumnas del colegio.

Pero lo cierto es que, con escarceos o sin ellos, don Bartomeu supo ganarse el respeto de todo el mundo en la isla. Su trato afable y cordial con los jóvenes, sus óptimas relaciones públicas desde la parroquia de Santa Cruz, y su modo de hacer, progresista en las formas aunque muy conservador en el fondo, le ganaron la confianza de las gentes sencillas del pueblo, pero también de la poderosa y muy conservadora burguesía local.

Entre las *admiradoras* de mosén Bartolomé Roselló se contaba una señora sumamente religiosa, esposa de un conocido escritor local y miembro de la alta burguesía ibicenca, y madre de Enrique F.F., importante hombre de negocios.

La señora en cuestión, al invitar al cura a frecuentar los almuerzos familiares, propició, involuntariamente, el acercamiento de don Bartomeu con Montserrat, su nuera, una bella tarraconense que rozaba los cuarenta años, los últimos quince casada con Enrique F.F., al que no había dado ningún hijo pero con quien había adoptado un niño y una niña.

El sacerdote y Montse —así se la llama familiarmente— hicieron tan buenas migas que pronto don Bartomeu comenzó a desplazarse hasta su casa para dar catequesis preparatoria para la primera comunión de uno de los niños. Nadie podía sospechar ni lo más mínimo que don Bartomeu también hacía horas extras *catequizando* a Montse mientras su marido, incansable trabajador, estaba ocupándose de alguno de sus muchos negocios.

De esta manera fue alimentándose y creciendo el amor entre la esposa del empresario y el sacerdote... hasta que el marido, alertado por un miembro de su servicio doméstico, entró en sospecha y decidió viajar a la península para contratar los servicios de una agencia de detectives.

Poco después, el detective le entregaba al empresario un informe, con fotografías y una cinta de casete en la que se recogían los testimonios sonoros de los encuentros amorosos, rebosantes de pasión, entre Montse y don Bartomeu, que resultó ser una verdadera furia para la cosa del sexo.

Oír esa grabación les habría resultado chocante, cuanto menos, a quienes asistían a los cursillos prematrimoniales que daba Bartolomé Roselló —que eran de obligada asistencia para todas las parejas que aspiraban a casarse en su parroquia—, y en los que siempre insistía en la prohibición de mantener relaciones sexuales prematrimoniales, y en la inquebrantable fidelidad conyugal que debía guardarse en el matrimonio. Nunca nadie le oyó manifestar excepciones a esta regla. Pero Montse, y ahora su marido, habían comprobado en la práctica cuánta sabiduría contiene ese aserto popular que afirma que «los curas ni hacen lo que dicen, ni dicen lo que hacen».

El empresario, dolido, empezó a tramitar rápidamente el divorcio de su mujer, pero no sin antes poner en un aprieto al obispo Manuel Ureña Pastor, entonces titular de la diócesis de Ibiza y hoy obispo de la de Alcalá de Henares. Enrique F.F. se presentó ante el prelado, le hizo escuchar la grabación de las dotes amatorias de su párroco y le exigió su inmediata destitución de la parroquia de Santa Cruz y su destierro fuera de la isla.

El obispo, como es natural en estos casos, se concedió un tiempo para reflexionar y, mientras estaba en ello, llegado ya el mes de diciembre de 1989, don Bartomeu y Montse decidieron también meditar en lo suyo y optaron por desaparecer juntos de la isla. A la vuelta de las vacaciones navideñas, los alumnos del instituto Blanca Dona se encontraron con que el padre Bartolomé, el profesor de religión, había sido sustituido por el padre José.

La situación había llegado a ese punto que tanto disgusta a los obispos: empezaba a dejar de ser discreta. Por eso, monseñor Ureña, tarde pero oportunamente, mandó que don Bartomeu se quedase en algún escondrijo honroso, y le relegó a la ciudad alicantina de Novelda. Oficialmente se dijo que Bartolomé Roselló se había ido a pasar una temporada de reposo en Alicante, en casa de una hermana, a causa del mucho estrés que había acumulado, el pobre hombre, durante su incansable y meritoria labor como rector de la parroquia de Santa Cruz.

El Sr. Henry Lerma (TAXI)
le recogerá a las 6:00 a.m.
en Portería.

Buenos Días. Buen viaje.

Hna. Mª Esther Vega R.

Los feligreses se lo creyeron, claro está, y hasta algunos de ellos iban a verle y a consolarle, cosa que disgustaba y aburría soberanamente a don Bartomeu, que sólo tenía resuello para los asuntos de su querida Montse.

Así las cosas, la piadosa madre del empresario, que se sentía aún más traicionada que su hijo, decidió emprender una sibilina cruzada contra aquel cura al que tanto había venerado y que tan bajo había caído. La señora comenzó a invitar a sus amigas a tomar café y les fue contando, con audición de grabación incluida, la doble vida que llevaba don Bartomeu. A las pocas semanas esta historia circulaba ya por toda Ibiza, y fue desbancando a la versión del estrés ofrecida por el obispo. A los feligreses les costó muchísimo aceptar la verdadera historia de su donjuanesco párroco pero, finalmente, la verdad se impuso al burdo encubrimiento clerical.

Montse tuvo que irse también de la isla, y se instaló en Palma de Mallorca, donde su marido le compró un piso para que ésta saliera lo más rápidamente posible de su vida. Sus amoríos con el sacerdote sobrevivieron todavía un tiempo, con encuentros en Palma de Mallorca y en Barcelona, pero fenecieron definitivamente en el momento en que la mujer encontró un nuevo novio en la capital mallorquina.

Bartolomé Roselló, compuesto y sin novia, en el momento de redactar estas líneas sigue como sacerdote en la localidad de Novelda. Regularmente viaja a Ibiza y se reúne con algunos de sus feligreses que aún le son fieles, pero ya no se le ve tan orondo como antes, debe de ser cosa de la penitencia.

[illegible]

[illegible] Morales [illegible] Maipú [illegible]

[illegible]

23

JERÓNIMO CARELA, EL PÁRROCO QUE SE FUGÓ CON UNA DIPUTADA

En Báguena, el penúltimo día de agosto de 1987, San Ramón Nonato, patrón de ese pueblo turolense, tuvo que llevarse un disgusto de muerte. En la parroquia local debía consagrarse su altar, pero el párroco había desaparecido una semana antes y, por su causa, negaron también su asistencia al acto el obispo de Teruel, Antonio Algora Hernando, y el presidente de la Diputación provincial.

En toda la comarca turolense del alto Jiloca —y, de hecho, en todo Aragón— hacía días que no se hablaba de otra cosa: el párroco de Báguena, Jerónimo Carela, se había fugado con su prima segunda, María Dolores Serrano, diputada por el PSOE en las Cortes de Aragón, y casada con el empresario hostelero Dámaso Paricio desde hacía veinticinco años.

Jerónimo Carela, de 47 años, menudo, delgado, con un tic que le obligaba a ladear el cuello continuamente, introvertido, bastante autoritario y notable predicador, llevaba tres años como párroco de Báguena (460 habitantes) y de la cercana Ferreruela (120 habitantes). Había logrado caerle bien a las peñas juveniles de la zona y también a los muchos simpatizantes que el Opus Dei tiene en esas conservadoras tierras, pero a don Jerónimo no se le veía contento, más bien parecía estar harto de quién sabe qué.

El 23 de agosto, festividad de San Roque, patrón de Ferreruela, el padre Carela ofició la tradicional «misa baturra», tomó un vino en la recepción del ayuntamiento, pero excusó su imposibilidad de almorzar con el alcalde alegando que tenía que ir a ver a su madre. Una vez en su coche Renault 5, Carela, sin embargo, tomó la dirección opuesta y le vieron pasar por Daroca y Calatayud. Nadie sabía aún que se dirigía hacia Madrid.

Mientras, en Calamocha, María Dolores Serrano había dado por terminada su jornada laboral en el restaurante *Zeus*, de propiedad compartida con su esposo Dámaso, del que se despidió diciendo que aquella tarde de domingo tenía una reunión de UGT en Daroca. La diputada se endomingó con su traje rosa pálido, y se subió al taxi de El Borrascas con un juego de maletas y un neceser verde caqui. Pero el taxista no se detuvo en Daroca, sino en la estación de tren de Calatayud. Eran poco más de las cuatro de la tarde y su destino real era Madrid.

María Dolores Serrano, con 43 años a punto de cumplir por esos días, había trabajado muy duro toda su vida hasta llegar a ser propietaria del restaurante *Zeus* y del pub *Calamocha*, y también para poder consolidar el partido socialista en un feudo tradicional de la derecha. Fue concejala en el Ayuntamiento de Calamocha desde 1979 hasta junio de 1987, cuando fue la única mujer elegida diputada de las Cortes de Aragón. Había logrado tocar el cielo con sus manos, pero eso no le bastaba. Después de haberle rebajado quince kilos al centenar de ellos que enmarcaba su humanidad, la Dolores —tal como la llaman sus convecinos— decidió ir a por todas o, mejor dicho, a por el cura.

María Dolores y Jerónimo se habían criado en pueblos vecinos, ella en Huesa del Común y él en Plou. Tuvieron una historia de amor adolescente, pero el cambio de residencia de la familia de ella y el ingreso en el seminario de él lo relegó todo al recuerdo. Sin embargo, los rincones de la memoria habían vuelto a cobrar vida cuando Jerónimo Carela fue destinado a Báguena y se reencontró con María Dolores.

El párroco comenzó a frecuentar el bar restaurante *Zeus* y el trato con su antigua novia, de la que, según su marido Dámaso, Jerónimo se sentía muy orgulloso y la ayudaba dándole «clases de política en el bar y le dejaba libros». María Dolores tuvo que empezar a trabajar desde muy joven y sus estudios se vieron muy limitados; Dámaso Paricio, diez años mayor que su mujer, no había adquirido conocimientos extraordinarios cuando, durante su juventud, iba de pueblo en pueblo tocando el acordeón en fiestas; pero el cura sí que sabía cosas, había estudiado Filosofía y, según se vería más tarde, también sabía latín.

Cuando ambos desaparecieron al mismo tiempo, toda la comarca se olió el pastel, pero el bueno de Dámaso negó el abandono de su mujer durante días, hasta que la evidencia le abocó a emplear los medios de comunicación para suplicar desesperadamente a Dolores su regreso y ofrecerle su perdón incondicional. Pero la pareja se había instalado ya en Madrid y no pensaba variar sus planes.

Jerónimo Carela había llamado a su hermana

para confiarle que su decisión había sido muy meditada y que «quería cambiar de vida, pues el sacerdocio ya no tenía sentido para él». María Dolores Serrano, a su vez, había telefoneado a sus compañeros de partido para confirmarles que «estaba en Madrid con quien ellos ya se imaginaban» y que ya se replantearía su futuro como diputada regional.

Con el paso de los meses fue haciéndose más patente el silencio de los enamorados, y el PSOE de Teruel comenzó a mostrarse más desesperado que el marido de María Dolores Serrano. Razones políticas no les faltaban a los socialistas, ya que su compañera, al huir, no había renunciado formalmente a su escaño en el Parlamento aragonés, y dejaba al PSOE con un diputado menos y sin posibilidad de sustituirla por José Ramón Ibáñez, el siguiente candidato de la lista electoral.

Año y medio después, el Grupo Socialista tuvo que solicitar a la Mesa de las Cortes de Aragón que se iniciaran los trámites para retirar la condición política de aragonesa a la aún diputada —en paradero amoroso desconocido— María Dolores Serrano; era ya la única posibilidad que tenían para forzarla a abandonar oficialmente su escaño.

Para la diócesis todo había sido menos traumático y, sobre todo, más silencioso. A monseñor Antonio Algora no le hizo ninguna gracia la deserción de su párroco y el escándalo público consiguiente, pero a ningún obispo le sorprende en absoluto que un cura se fugue con su novia. De hecho, a Jerónimo Carela le habían intentado convencer para que no se secularizara, para que tuviese paciencia pero, a los 47 años y con novia, ¿quién, salvo un masoquista como Job, puede tener esa clase de paciencia?

El obispo sustituyó rápida y discretamente al

párroco, y Dámaso Paricio se quedó compuesto y sin esposa. En la comarca del alto Jiloca había vuelto la paz, pero el sacerdote Jerónimo Carela había alcanzado la gloria en brazos de una mujer, casada, eso sí, pero el amor fue más fuerte que el sacramento. Humanos, al fin y al cabo.

PARTE VI

EL SEXO ENTRE SACERDOTES Y CHICAS JÓVENES

«Vergajos en el mundo no hay iguales,
capaces de empreñar hembras a cientos,
sino bajo los sayos monacales.»

Félix M.ª Samaniego,
El jardín de Venus.

24

CUANDO EL *PADRE* SE CONVIERTE EN AMANTE (Y LOS CONSEJOS ESPIRITUALES EN UN EMBARAZO)

Manuela G. era una joven algo apocada, de bajo nivel sociocultural, introvertida, beata y muy sumisa a don Germán Fernández Correa, entonces cura de la parroquia de Luaces, enclave situado cerca de Mosteiro (Lugo). La confianza absoluta, casi devoción, que Manuela le tenía a su párroco pronto acabó por tener un nombre, Jesús, un muchacho que hoy ronda los 20 años de edad.

El padre Germán Fernández, que doblaba en edad a la ingenua feligresa que embarazó, no se quedó en Luaces para ver crecer a su retoño, ni mucho menos. Su obispo le mandó disparado hacia una alejada parroquia de la diócesis de Pontevedra.

Por una situación parecida a ésta han pasado y están pasando —con o sin embarazo— muchas jóvenes, habituales de las actividades parroquiales que, encandiladas por la aureola mítica que aún rodea a la figura del sacerdote, acaban sucumbiendo a los requerimientos sexuales de éstos.

La imagen sacralizada y por encima de todo lo

humano que gustan representar los sacerdotes provoca a menudo que las mujeres, en especial las más jóvenes, se aproximen a ellos como si fuesen seres angelicales, sometiéndose a sus consejos con una confianza prácticamente ciega, entregándose de la misma forma en que un niño sigue los dictados de su madre.

El teólogo Hubertus Mynarek describe una realidad aún muy actual cuando afirma[147] que «en algunos países católicos de todo el mundo, y particularmente también en Europa —y en tal caso en comunidades retrasadas desde un punto de vista cultural y formativo—, las mujeres y muchachas miran a los sacerdotes con tal sobredosis de confianza que no es de extrañar que éstos, ante tal anticipación gratuita, terminen por abusar de ellas. Sin embargo, ya no se puede hablar de abuso en algunos lugares en los que trabajan capellanes jóvenes y de buen ver que son prácticamente cazados por parte de las jovencitas de la parroquia, e incluso por mujeres maduras, considerándose como una especie de honor el ganarse al sacerdote, quitándoselo a las otras competidoras. En el *mundo católico* hay suficientes comunidades donde sigue considerándose una deshonra ser desvirgada antes del matrimonio, pero precisamente en algunas de esas comunidades no es deshonra alguna que sea el sacerdote quien se ocupe de hacer perder la *virginidad*.»[148]

En algunas zonas rurales españolas, por ejemplo,

147. Cfr. Mynarek, H. (1979). *Op. cit.*, pp. 66-67.

148. Una costumbre que deriva del *Ius primae noctis*, el derecho de pernada —es decir, la facultad de poder desvirgar a cualquier súbdita en su noche de bodas— que durante siglos han estado utilizando tanto los príncipes y señores laicos como los prelados y párrocos de la Iglesia Católica.

aún queda una reminiscencia curiosa de lo anterior en la mentalidad de bastantes varones que, aunque rechazan vehementemente una novia que no sea virgen, la aceptan resignadamente, en cambio, si la pérdida de su *virtud* tuvo lugar a manos de algún cura. En estos contextos socioculturales pervive la creencia de que practicar el acto sexual con un sacerdote no produce mácula y que, en todo caso, hacerlo es un precio que siempre debe pagarle una comunidad —representada simbólicamente por la mujer elegida para el coito— a la Iglesia.

Hasta hace escasas décadas, en la Galicia rural se practicaba aún el ritual *das fiandeiras* —de las hilanderas—, que consistía en lo siguiente: bajo un cobertizo, se alineaban varias mujeres hilando y, frente a ellas, otros tantos hombres, entre ellos el párroco, fumando. En un momento dado, alguien apagaba la luz, se dejaba de hilar y de fumar, y cada uno se aliviaba sexualmente con la primera mujer que encontraba. Un rato después, tras una señal convenida y una breve pausa de tiempo, volvía a encenderse la luz. Todo estaba ya en orden, ellas hilando y ellos fumando, cada uno en su lugar, sin haberse dicho ni una sola palabra. Al sacerdote le estaban destinadas siempre las mujeres más jóvenes y las aún vírgenes.

En la Barcelona actual, una amiga me presentó a una compañera suya de universidad, llamada Mireia, hija única de una familia burguesa, muy católica y conservadora, que me confesó sin rubor alguno cómo y por qué se hizo desvirgar por un sacerdote.

«A mis 24 años yo seguía siendo aún virgen —me contó la chica—, y la verdad es que me daba tanto apuro seguir siéndolo como intentar dejar de serlo buscando a algún chico con quien irme a la cama. No sabía qué hacer, así que, como católica practicante que soy, se lo comenté al rector de mi parroquia, con el que me une una muy buena relación. Hablamos varias veces de ello, hasta que un día, como quien no quiere la cosa, mosén Paco me dijo: "a ti, Mireia, lo que te hace falta es una persona cualificada y de confianza que te ayude a pasar el rubicón".

»Paco es un hombre bastante progresista, pero nunca me lo podía imaginar dándome este consejo. "¿Y dónde se encuentra esta clase de especialistas, en las páginas amarillas?", le contesté divertida. "No; delante tuyo, por ejemplo, tienes a un hombre que te podría ayudar si tú quisieras. Como sacerdote estoy cualificado para darte todo el apoyo moral que necesites y, como hombre..., bueno, no serías tú, en modo alguno, la primera mujer con la que hago el amor", me contestó con mucha seriedad, aunque con un puntito de picardía que me gustó y, quizá, también me dio algo de valor para pensar en serio su ofrecimiento.

»¿Qué podía perder? Si lo único que iba a perder era el virgo, y eso era justo aquello de lo que yo quería desprenderme. Me extrañó que un sacerdote confesara abiertamente haber tenido relaciones sexuales con mujeres, así que le pregunté un montón de cosas sobre ello. Entendí algunas de sus razones, aunque otras me parecieron bastante farisaicas, pero, en definitiva, creí adecuado que ese sacerdote me desvirgara. Me decidí y lo hicimos aquella misma tarde en su casa. No fue nada agradable para mí, pero no me he arrepentido lo más mínimo de haber tomado una decisión como ésa. Sigo siendo una buena católica y mosén Paco todavía es mi confesor. Lo que pasó está zanjado y él sabe perfectamente que conmigo no podrá volver a acostarse jamás.»

Casos como éste no parecen ser ninguna excepción, aunque lo más común sean las relaciones sexuales, puras y duras, de sacerdotes con chicas jóvenes e ingenuas que, en buena medida, son seducidas abusando de la posición de prestigio, cuando no de poder, de que goza aún la institución del cura en nuestra sociedad.

Lo anterior no es obstáculo alguno para reconocer, tal como ya se ha señalado, que también hay jovencitas —y mujeres maduras— que se ponen por meta acostarse con su cura. Aunque será conveniente recordar, a quienes atribuyen la caída en el *pecado* a la fuerza de la tentación, que una relación sexual es siempre una decisión que toman dos personas y, en cualquier caso, el sacerdote, en estas ocasiones, siempre es la persona más madura y, por ello, la más cualificada para poder eludir este tipo de propuestas eróticas. Algunos sacerdotes las evitan, pero la mayoría se lanzan a ellas con ganas.

En las relaciones sexuales de sacerdotes con chicas jóvenes suelen concurrir algunos elementos que incrementan el riesgo y los problemas para las mujeres. Entre ellos, citaremos como más importantes los dos que siguen:

La estructura emocional de la mujer joven —que en muchos de los casos a los que nos referimos se encuentra aún saliendo de su adolescencia— la hace más proclive al enamoramiento del sacerdote y, por tanto, sufre una mayor decepción —llegando incluso, con frecuencia, a padecer trastornos psicológicos diversos— cuando se da cuenta de que sólo fue un pasatiempo sexual para el cura en quien depositó su confianza, afecto e intimidad.

La inexperiencia sexual de las jóvenes y su falta de educación —o hábito— en el uso de medidas contraceptivas, junto a la actitud de muchos sacerdotes —torpeza sexual, eyaculación precoz, falta de control («aquí te pillo, aquí te mato»), oposición a las medidas anticonceptivas, etc.—, incrementa muchísimo el riesgo de embarazo en este tipo de relaciones. Cuando esto llega a suceder, los sacerdotes siempre suelen eludir su paternidad, ya sea huyendo de la chica o induciéndola a abortar; pero, en cambio, las mujeres deben afrontar los enormes perjuicios que la gestación y posterior maternidad conlleva a las muchachas solteras, jóvenes, con un futuro aún por definir, sin apoyos afectivos ni estabilidad económica y laboral, etc.

La mayoría de los sacerdotes que mantienen relaciones sexuales con chicas jóvenes son, asimismo, los más jóvenes de entre el clero; sacerdotes de menos de treinta años, en general, aunque no falten tampoco los casos de sacerdotes algo mayores. A partir de la edad media, lo más corriente es que los sacerdotes mantengan relaciones sexuales con hombres o mujeres ya adultos o con menores; pero las jovencitas de las parroquias suelen ser patrimonio de los curas más jóvenes y, obviamente, de los cuarentones y cincuentones con más *charme*.

Los dos capítulos siguientes, que recogen sendos casos de chicas embarazadas por un sacerdote, ejemplifican bien a las claras todo cuanto acabamos de afirmar.

25

MOISÉS VAL, AMORÍOS CON UNA MENOR QUE ACABARON EN UNA CONDENA POR HABERLA INDUCIDO A ABORTAR

María Alabanza tenía apenas 16 años cuando entró a trabajar como auxiliar de clínica en el Hospital de Sant Joan de Déu de Manresa, un centro sanitario regido por la orden religiosa de los hermanos de San Juan de Dios. De familia muy humilde, María había crecido en una casona situada justo al lado de este hospital, conocido como «el de los niños», por ser un centro pediátrico.

María había sido contratada junto con su amiga íntima Remedios Riba, y ambas empezaron a trabajar en la tercera planta del hospital, pero su presencia no pasó desapercibida para el entonces jefe de personal del centro, el hermano Moisés Val Cacho, de 26 años, que casi de inmediato entabló relaciones con la adolescente María.

«Yo no sé si él [Moisés Val] había tenido antes relaciones con otras enfermeras —cuenta María Alabanza—. Yo sólo sé que decía que estaba enamorado de mí, y que se saldría de cura y que se casaría conmigo.»

En poco tiempo el sacerdote sedujo a la ingenua menor, que no dudó en entregarle virginidad y afecto a quien prometía ser su futuro marido. Moisés Val la condujo hasta la piscina de la institución religiosa y allí mantuvieron sus primeras relaciones sexuales. Luego, de modo natural, las instalaciones de la piscina llegaron a convertirse en el lugar más habitual para sus escarceos amorosos durante el año 1977.

«En el fondo —afirma María Alabanza— todo el mundo sabía de nuestras relaciones. Mi amiga Remedios lo sabía y muchas veces me había servido de coartada cuando el hermano Moisés tenía ganas de estar conmigo.»

Finalmente, pasado un año de relaciones sexuales entre el sacerdote y la menor, María se dio cuenta de que se había quedado embarazada de Moisés Val.

«Yo tenía 17 años, y me asusté mucho. Se lo dije inmediatamente a Moisés y él me repitió que se saldría de cura y que se casaría conmigo, pero que antes tenía que abortar, porque él no podía exponerse a una vergüenza así. Pero que después cumpliría conmigo. Y me dio unas pastillas de esas que te hacen bajar la regla, pero no me hicieron ningún efecto. Entonces le explicó a mi amiga Remedios la forma de hacerme un aborto con una sonda, pero tampoco resultó.»

Los días iban pasando y el embarazo progresaba casi tanto como los rumores que empezaban a correr por el hospital. Los superiores de la orden religiosa decidieron poner tierra de por medio y, por unos días, enviaron al hermano Moisés Val a controlar las obras de otro centro médico que estaban construyendo lejos de Manresa.

«Cuando volvió —cuenta María Alabanza— me

cogió aparte, me dio cincuenta mil pesetas y me dijo: "Mira, vete a Barcelona, ponte en contacto con Rosa María Ortego, una íntima amiga mía, que te llevará a un médico que te practicará el aborto. No te preocupes, que no te pasará nada". Yo le supliqué que me acompañara, que tenía mucho miedo. Él me dijo que no podía ir conmigo, que tenía mucho trabajo en el hospital.»

Acompañada de Rosa María, la amiga del sacerdote, María Alabanza abortó finalmente en Barcelona, en la consulta del doctor Manuel Giménez[149]. Pero, tras la intervención, María se encontró muy mal y sin fuerzas para regresar esa noche a Manresa, de modo que su nueva amiga Rosa María llamó a su padre para decirle que se quedaba a dormir en su casa.

El padre de María, José Alabanza, que ya se barruntaba algo extraño entre su hija y el sacerdote, se fue inmediatamente a ver a Moisés Val que, visiblemente nervioso, le dijo: «Yo no sé nada de su hija. A lo mejor la han secuestrado.» Aquella noche don José apenas pegó ojo, y el mundo se le desmoronó cuando, al día siguiente, vio regresar a su hija absolutamente demacrada.

«Mi padre me preguntó qué me pasaba y yo no pude contenerme y me eché a llorar. Y se lo conté todo. En un minuto vi envejecer a mi padre veinte años. Desesperado, me acompañó a la comisaría a denunciar el hecho. Yo era menor, Moisés tenía 30 años, pero yo había abortado y a mí también me procesaron, como a todos los que estábamos implicados.»

149. El día 25-11-77, estando embarazada de aproximadamente siete semanas y media, según consta en el Sumario 113/79 del Juzgado de Instrucción número 5 de Barcelona.

Para una adolescente que no cometió más error que el de confiar en un sacerdote y dejarse seducir por él, éste fue el comienzo de un infierno que duraría años. Asustada por las citaciones judiciales que nunca cesaban, sin medios económicos para poder pagar a un abogado y con todo el mundo volviéndole la espalda, María quedó marcada para siempre por esta traumática experiencia.

El sacerdote, obviamente, negó las acusaciones de su amante y hasta juró no conocerla apenas. María recibió presiones para retirar su denuncia, pero se negó. Bastantes humillaciones había recibido ya de Moisés Val y de los responsables de la orden de San Juan de Dios... pero aún le quedaban tragos amargos por llegar. El colmo fue su despido del hospital acusada de haber injuriado a Moisés Val con su denuncia.

La víctima fue arrojada a la calle por los caritativos religiosos, pero su verdugo hizo carrera como director del hospital y prior de la comunidad.

María Alabanza empezó a estudiar ATS y poco después conocería a Francesc, un obrero de la construcción que acabaría siendo su esposo y el puntal sobre el que empezó a rehacer su maltrecha vida. Cuando María le confesó su «terrible secreto», Francesc le prometió que nunca se lo echaría en cara, pero...

«Nunca se lo dije, es cierto —confesó Francesc después de llevar cuatro años casados—, pero lo tenía en la cabeza muchas veces. Y al poco de casarnos cogí una llave inglesa y me fui al hospital a matarlo [a Moisés Val]. Llegué a su despacho, entré y dije: "Soy el hermano de María, usted ha tenido relaciones con ella." Y él, como un gusano, temblaba muerto de miedo y decía que no era verdad, que no era verdad, y me dio tanto asco, que no pude hacerle nada, y le dejé allí, muerto de miedo, como una rata...»

Los recuerdos de esta historia aún resultan muy dolorosos para sus protagonistas, a pesar de los años que han transcurrido desde entonces. Cuando, mientras preparaba este libro, volví a localizar a María Alabanza y le pedí que ampliara algunos datos de su experiencia, la chica palideció visiblemente mientras se apoyaba en el quicio de la puerta de su recién estrenada casa unifamiliar.

«He rehecho mi vida hace ya tiempo —me comentó— y la experiencia con el sacerdote pertenece a un pasado que intento olvidar. Hoy, lo único que me interesa son mis dos hijas, que son maravillosas, y mi trabajo [en pediatría de un ambulatorio de la Seguridad Social]. Si no te resulta imprescindible no me hagas recordar todos aquellos terribles días, aún me hacen daño. En el juzgado que llevó lo del aborto seguramente encontrarás todos los datos que te hacen falta para completar tu trabajo.»

En el juicio, celebrado en diciembre de 1984, en la Sección Sexta de la Audiencia Provincial de Barcelona, se declararon probados todos los hechos denunciados por María Alabanza, incluidas sus relaciones sexuales con el sacerdote, naturalmente; y fueron condenadas las seis personas que, de una u otra forma, estuvieron implicadas en este episodio de aborto[150].

La propia María Alabanza, como autora en grado de responsable de un delito de aborto (con la cir-

150. Cfr. Sentencia de la Sección Sexta de la Audiencia Provincial de Barcelona, de fecha 13-12-84, Rollo 2.065, Sumario 113/79 del Juzgado de Instrucción número 5 de Barcelona.

cunstancia atenuante de arrepentimiento espontáneo), fue condenada a dos meses de arresto mayor y a seis años y un día de inhabilitación especial para poder trabajar en centros ginecológicos.

El sacerdote Moisés Val Cacho, como autor por inducción del mismo delito de aborto, fue condenado a la pena de seis meses y un día de prisión menor y a la de seis años y un día de inhabilitación especial «para prestar cualquier género de servicios en establecimientos sanitarios o consultorios ginecológicos públicos o privados».

La Justicia, una vez más, había dejado en evidencia el apoyo incondicional —y falto de razón— del que, desde las instituciones eclesiásticas, gozan todos los sacerdotes implicados públicamente en escándalos sexuales. Antes del juicio, el provincial de la Orden de San Juan de Dios declaró que las acusaciones de María eran una calumnia; y Jaime Casanovas, director médico del hospital de la orden en Manresa, afirmó sin ambages que todo era una patraña que la chica se había inventado para sacar provecho.

A María Alabanza le costó muy caro obrar según su conciencia y probar la hipocresía de su amante, Moisés Val Cacho, un sacerdote que no sólo incumplió sus votos de celibato, sino que se comportó como un auténtico cobarde, amparado bajo la fuerza de sus hermanos de hábito.

26

GONZALO MARTÍN, UN COADJUTOR QUE HUYÓ CUANDO SU *NOVIA* IBA A DAR A LUZ

El sacerdote Gonzalo Martín Fernández tenía 25 años cuando, en 1990, llegó al pueblo toledano de Bargas destinado como coadjutor de la parroquia. Su carácter abierto y jovial pronto le conectó con las gentes del lugar y, en especial, con los jóvenes, que comenzaron a asistir con ganas a las actividades de ocio que comenzó a organizar el nuevo cura.

En una de esas actividades lúdicas de la parroquia, una excursión a Navacerrada, Gonzalo Martín conoció a Macarena Fuentes, una adolescente de 17 años, sencilla e ingenua, hija de una familia muy humilde del pueblo. La amistad incipiente nacida de aquel primer contacto entre ambos se vería fortalecida, poco después, durante unos ejercicios de convivencias, celebrados en el convento de Bargas, bajo la dirección espiritual del padre Gonzalo.

El sacerdote dejó pasar apenas unos días antes de iniciar su asedio amoroso al castillo virgen de Macarena. Llegaron los primeros regalos y las visitas al hogar de la joven. De una forma progresiva y natural, el padre Gonzalo fue haciéndose un lugar habitual en la casa y en la mesa de Ángel, peón de albañil, y de su esposa María Jesús, asistenta.

Sencillos, aunque no ciegos, los padres de Macarena no tardaron en preguntarle al sacerdote sobre sus intenciones para con su hija; requerimiento al que el padre Gonzalo no dudó en responder con serias promesas de formalizar abiertamente y en breve su ya evidente, aunque clandestina, relación amorosa, salirse de cura, y casarse con ella. Tras los lógicos recelos y escrúpulos derivados del hecho inusual de tener al párroco del pueblo como novio de su hija, la familia de Macarena acabó creyendo en la sinceridad de las intenciones de Gonzalo Martín.

La pareja empezó a comportarse con naturalidad y casi cada fin de semana salían a divertirse, junto a la prima de Macarena y su novio, por Madrid o Toledo. Conforme fue consolidándose la relación afectiva entre ambos, apareció la cama en el horizonte inmediato de la pareja.

Apenas un mes después de que Macarena llegase a su mayoría de edad, el padre Gonzalo la convenció para iniciar sus relaciones sexuales. Los temores y resistencias de la chica siempre eran vencidos por las promesas del sacerdote de colgar la sotana y casarse con ella cuando acabase un supuesto curso de banca que estaba estudiando por correo. Nadie mejor que este cura podía conocer los puntos débiles de una chica de la que era consejero espiritual, confesor y amante.

La falta de educación sexual de ambos les condujo rápidamente hacia lo inevitable: Macarena quedó embarazada. Tras la confirmación de su estado de gestación, la chica se lo comentó a Gonzalo que, con frialdad, la intentó convencer de que lo mejor para ambos era que abortase.

Desde ese momento la pareja dejó de mantener relaciones sexuales en la casa que el sacerdote tenía alquilada en Bargas y comenzó el calvario para Macarena, que logró ocultar el embarazo a sus padres hasta el sexto mes de gestación.

La noticia cayó como un mazazo sobre el humilde hogar de los Fuentes. Los padres hablaron una y otra vez con el sacerdote para poner en buen orden las cosas, pero Gonzalo Martín, con una cultura y dotes de persuasión muy por encima de los de aquella buena gente, les convenció siempre del inmediato cumplimiento de sus promesas de matrimonio con Macarena.

El padre Gonzalo, obviamente, tuvo que consultar su *problema* con la jerarquía de su diócesis, regida por el cardenal Marcelo González Martín, que, aplicando el *consejo pastoral* habitual para este tipo de casos, convenció a Gonzalo Martín de que no debía abandonar el sacerdocio, pero sí dejar plantada a su novia embarazada.

Desde ese momento el párroco dejó de aparecer por casa de Macarena aunque, al principio, dos jóvenes sacerdotes amigos de Gonzalo se dejaron caer por el domicilio de los Fuentes para ratificar las promesas del padre en ciernes. Pero, a medida que el día del parto se aproximaba, el silencio más absoluto hizo que Macarena y sus padres se diesen cuenta realmente de la situación en que se encontraban.

La familia Fuentes decidió contratar un abogado, y enseguida averiguó que el obispado ya le había puesto otro letrado a Gonzalo. «Nos ofrecieron un sueldo mensual para mí —afirma Macarena—, pero yo no acepté y pedí que Gonzalo saliera de la Iglesia porque iba a ser padre.»

Todas las intentonas de los Fuentes para conseguir hablar con el cardenal Marcelo González resultaron infructuosas ya que, desde el propio arzobispado, les dieron largas y les tomaron el pelo de forma evidente y descarada. Y no mucho mejor fue el intento de María Jesús, madre de Macarena, de buscar alguna solución hablando con el padre de Gonzalo, trabajador de una fábrica de materiales de construcción de la localidad madrileña de Parla.

«Mi hijo es un santo, señora —le respondió el padre de Gonzalo Martín a la madre de Macarena, según cuenta ésta—; debería usted sacar a su niña del pueblo o no sabe el lío en que se va a meter con la Iglesia.»

Sin haber logrado ninguna respuesta satisfactoria, Macarena Fuentes, a sus 19 años, dio a luz a su hija Andrea, el 17 de noviembre de 1992, en la maternidad del Hospital Virgen de la Salud de Toledo. El bebé, de 4,2 kilogramos de peso, llegó sin problemas. Pero su padre, el sacerdote Gonzalo Martín, había huido ya de Bargas diez días antes; varios vecinos le habían visto sacar las maletas de su casa en plena madrugada.

En el pueblo de Bargas, como siempre ocurre ante sucesos como éste, el vecindario se dividió entre quienes defendían la inocencia del cura y quienes proclamaban su cobardía y mezquindad al haber abandonado a su novia y a su hija recién nacida. Pero, ante la penuria de medios económicos de la familia Fuentes, la solidaridad también hizo su aparición en forma de una modesta campaña destinada a recoger alimentos y pañales para la pequeña Andrea.

Dos años después del nacimiento de la hija del sacerdote Gonzalo Martín Fernández, una parte de los vecinos de Bargas aún le sigue volviendo la espalda a la familia Fuentes, a la que no perdonan el haber hecho pública la paternidad de su párroco. Y el abogado de la familia aún anda detrás del cura para lograr que se someta a una prueba de paternidad ante el juzgado.

«Cuando le dije [al padre Gonzalo Martín] que estaba embarazada —relató Macarena— me pidió que abortase e incluso, más tarde, me ofrecieron dinero sus abogados. Yo no quiero dinero, ni siquiera los apellidos de su padre. Sólo quiero que ese hombre sea expulsado de la Iglesia.»

Pero, Gonzalo Martín, lejos de ser suspendido *a divinis* tal como ordena el Código de Derecho Canónico, goza de la habitual protección con que la jerarquía eclesiástica favorece a los sacerdotes que mantienen relaciones sexuales.

El cardenal Marcelo González, arzobispo de su diócesis, le buscó refugio, muy lejos de Macarena, en la diócesis de Málaga, donde ha sido acogido por el obispo Antonio Dorado Soto y destinado como sacerdote de la parroquia de San Juan de la Cruz en la capital malagueña.

PARTE VII

EL PODER CLERICAL COMO VÍA PARA COMETER ABUSOS SEXUALES

«El eclesiástico que incurriere en pecado carnal, ya sea con monjas, ya con primas, sobrinas o ahijadas suyas, ya, en fin, con otra mujer cualquiera, será absuelto, mediante el pago *[a las arcas papales]* de 67 libras, 12 sueldos.»

Canon primero de la *Taxa Camarae*, promulgada por el Papa León X.

27

SACERDOTES QUE ABUSAN DE SU POSICIÓN DE PODER PARA SATISFACER SUS DESEOS SEXUALES

La idea que vamos a tratar en este capítulo resulta obvia por partida doble; primero, porque los sacerdotes siempre han abusado de su posición de preeminencia social para conseguir ventajas personales de todo tipo y, segundo, porque la inmensa mayoría de las relaciones sexuales se establecen desde una posición indiscutida de poder, la del varón, que incide formal y estructuralmente sobre el conjunto de actitudes —emocionales, físicas y eróticas— que acaba adoptando la mujer.

En la primera parte de este libro, al analizar las consecuencias del celibato forzoso, ya dejamos establecido que son frecuentes los casos de sacerdotes que, para intentar *compensar* sus muchos problemas emocionales, utilizan la religión como plataforma para lograr el beneficio propio, como instrumento para controlar y abusar de los demás —a través de las manipulaciones y coacciones que pueden realizar sobre las personas creyentes más frágiles— y, así, poder servirse de ellos con fines económicos, de influencia social, sexuales u otros.

Aunque en los abusos de poder clericales siempre suelen ir asociadas las tres finalidades recién mencionadas —rentabilidad económica, influencia social y satisfacción sexual—, debido a la misma dinámica estructural del sistema eclesiástico católico —que penaliza el ejercicio de la sexualidad, pero no el de la ambición de poder—, no siempre aparece claramente el móvil sexual ya que éste puede estar fuertemente reprimido o sublimado en intereses materiales bastardos.

En todos los casos de abuso sexual de menores o de deficientes psíquicos —con algunos ejemplos ya estudiados en este libro— se da una importantísima componente de abuso de poder clerical en la base de dichas agresiones sexuales. En bastantes episodios de relaciones sexuales de sacerdotes con chicas jóvenes también se parte desde posiciones de abuso de poder por parte del clérigo, aunque, en esos casos, la sutileza empleada para lograr violentar sexualmente a la víctima es siempre mucho mayor y más refinada.

El abuso del poder que presta el rango clerical, para procurarse satisfacción sexual, es tan *tradicional* dentro de la Iglesia Católica que ya en el siglo XIII, el cisterciense Caesarius von Heisterbach, maestro de novicios, cuando escribió su texto *Diálogo de los milagros* (1219-1221), no pudo menos que hacer constar lo siguiente:

«Ninguna mujer está segura ante la lujuria de los clérigos —afirmó von Heisterbach—; la monja no protege su estado, la joven tampoco protege su raza; las muchachas y las mujeres, las prostitutas y las damas de la nobleza están igualmente amenazadas. Cualquier lugar y momento es bueno para la impureza: el uno la practica en los campos abiertos, cuando se dirige a la filial; el otro, en la propia iglesia, cuando escucha las confesiones. Quien se conforma con una concubina casi aparece como honorable.»

Algunos autores, como el teólogo Hubertus Mynarek tantas veces aludido, citan casos recientes de abusos sexuales de curas sobre monjas —con violaciones, dentro del convento, incluidas— y describen de forma muy crítica una parte de la vida conventual femenina[151]:

«Únicamente la institucionalizada moral sexual represiva, existente en los conventos, convierte a la mayoría de ellas en marionetas envidiosas, desconfiadas, sin sentimientos, agresivas o quejosas, alegres por el mal ajeno y amargadas. Partiendo de esta base se hace plausible la *inversión del fenómeno*: son sobre todo las monjas jóvenes, en quienes todavía no se ha eliminado lo "vital y lo hormonal", las que caen casi sin oponer resistencia cuando aparece ante ellas un *consolador*. En la mayoría de los casos el consolador es un sacerdote o un monje, porque son éstos quienes mayores posibilidades tienen de establecer contacto con las mujeres de las órdenes religiosas. Como ellos conocen la frustrante psicología y pedagogía conventual, son quienes mejor pueden ejercer la crítica e infundir un poco de valor a las deprimidas monjas. En consecuencia, es perfectamente natural que, a partir de tal situación, aparezca una simpatía completamente personal hacia el *consolador*, como suele suceder con gran frecuencia (...)

»Claro está que, entre los tipos de Don Juan, se encuentran sacerdotes inteligentes, llamados *sementales de monjas* en los círculos teológicos, que se

151. Cfr. Mynarek, H. (1979). *Op. cit.*, pp. 177-191.

aprovechan de esta falta de preparación sexológica de las mujeres de las órdenes religiosas. Ello produce grandes tragedias entre esas mujeres, a menudo totalmente sometidas, que se enamoran de un eclesiástico que sólo busca el sexo y no la persona humana; tragedias que también son el resultado del descubrimiento de una relación que apenas cuenta con posibilidades de permanecer oculta porque el sistema de vigilancia, que apenas deja huecos, de las hermanas interiormente frustradas y por lo tanto envidiosas, funciona a la perfección en el convento.»

Entre los testimonios directos recogidos para este trabajo cabe destacar un fragmento del informe que me envió la aragonesa María Rodríguez, monja en la Congregación de Esclavas desde los 16 hasta los 29 años, en que abandonó el convento —su crítica a la vida interna de esta congregación es demoledora, pero entrar en ella nos alejaría demasiado del tema presente—, en el que habla de su relación con el sacerdote confesor de su convento[152].

«Mientras estaba en el convento este sacerdote se interesó mucho por mí, por atenderme. Progresivamente empezó a quitarme prejuicios, a desintoxicarme de las *sobredosis* de doctrina conventual. Por su influjo, en 1974 yo ya no veía como una infidelidad a Dios el salirme del convento e iniciar una nueva vida civil. Ya fuera de la congregación, el sacerdote prosiguió machacándome para intentar convencerme de que yo necesitaba casarme. Ante su continua insistencia, le dije que yo ya había decidido no casarme jamás y, por tanto, no mantener relaciones sexuales. Después de oír esta respuesta, me ignoró de entonces en adelante.

152. Cfr. su informe fechado el 9-3-91 en Zaragoza.

»Diez años después, en 1984, había terminado ya mis estudios universitarios y decidí escribir a mi antiguo confesor para pedirle información sobre puestos de trabajo relacionados con mi formación. Me contestó a vuelta de correo diciendo que deseaba hablar conmigo, a lo que accedí, naturalmente. Cuando nos encontramos le indiqué una cafetería a la que entrar, pero me hizo un gesto negativo.

»Seguimos en su coche hasta salir fuera de la ciudad y llegamos a un descampado, donde aparcó. Allí empezamos a conversar sobre los años pasados y le pregunté la razón por la que me había animado a salir del convento. "Porque tú eres muy radical e ibas a sufrir mucho en la vida religiosa", me dijo y, sin más rodeos, intentó un lavado de cerebro para convencerme de que hiciésemos el amor. "Hacerlo es lo más natural —me decía— y así lo tienes que ver y no de otra forma." Al no hacerle caso, empezó a describirme con todo lujo de detalles la relación sexual.

»Ante sus explicaciones, no se me ocurrió otra cosa que decirle: muchas cosas sabes tú para ser sacerdote. "Es que lo he hecho muchas veces", respondió. Acto seguido, viendo que tampoco así lograba su propósito, sacó un fajo de billetes y me los ofreció. Los rechacé, obviamente, pero no dejé de enterarme del motivo de su pasado interés por que yo me casara: "mientras te buscas un compañero, yo lo suplo, después de casada... ya me las arreglaría para poder seguir siendo tu *amigo*".»

Este señor, en la actualidad, es sacerdote-religioso, formador de jóvenes religiosos, párroco y... nada radical, como puede comprobarse. Yo, por radical [se refiere en el seguimiento del Evangelio], no valgo para la vida religiosa. Él, por no serlo, puede compaginar la Santa Misa con las mozas; y lo que es más grave, la Palabra de Dios con el cinismo.»

Al margen de este tipo de casos, en las relaciones afectivo-sexuales entre sacerdotes y monjas también se forman, con frecuencia, parejas que se normalizan y contraen matrimonio tras dejar la vida religiosa y secularizarse.

Entre los sacerdotes que se dedican a la docencia no son escasos los que intentan abusar sexualmente de sus alumnas bajo la coacción de aprobarles una asignatura o examen a cambio de ceder a sus pretensiones. Aunque, en todo caso, vale decir que éste es un comportamiento que también protagonizan bastantes profesores laicos.

Una amiga mía abogada, Pilar, me contó hace tiempo el esfuerzo que le costó librarse del asedio sexual de su profesor de Derecho Canónico, el sacerdote Joaquín Martínez V., cuando ella estaba estudiando, en 1985, su segundo curso de carrera, y se vio forzada a ir a casa del profesor para recoger unos apuntes de su asignatura.

«Yo estudiaba y trabajaba —cuenta Pilar en el relato que le pedí que escribiera para este libro—, por lo que no podía asistir a clase con frecuencia. De hecho, al profesor de Derecho Canónico le conocí en una fiesta de la Facultad.

»En dicha fiesta mostró un interés desmedido y poco académico por mí y anduvo rondándome toda la noche. A partir de ese día, me llamaba a casa continuamente y me invitaba a acudir a la suya al objeto, según él, de darme apuntes y ayudarme con la asignatura ya que yo no podía acudir a clase. En esas llamadas me instaba a que le tutease y hablaba con gran familiaridad y con un tono de confianza improcedente entre personas que apenas se conocen. A mí todo me resultaba sospechoso porque había oído mil historias sobre este profesor y su *cariñosa actitud* hacia algunas alumnas.

»Esta situación de llamadas telefónicas e invitaciones, rechazadas siempre por mí con las más variadas excusas, se prolongó durante todo el invierno. Por fin, un domingo me llamó a la hora de comer. Me presionó para que acudiera a su casa a tomar café aduciendo que, al ser festivo, no tendría obligaciones que cumplir y sí tiempo libre. Yo me encontré, realmente, entre la espada y la pared; por un lado era un profesor y no podía indisponerme con él y, por el otro, me angustiaba que intentara propasarse, tal como contaban que había hecho en otras ocasiones. Me armé de valor y me presenté en su casa dispuesta a cumplir el trámite y a salir de allí lo antes posible.

»Mis sospechas se vieron plenamente confirmadas. Cuando entré, me hizo pasar al salón y sentarme en el sofá. Se empeñó en que, "con toda confianza" hiciera yo misma un café. Acababa de entrar allí y ya me sentía mal. Rechacé la idea peregrina de meterme en su cocina y le pedí que lo hiciese él mientras yo le esperaba en el salón. Una vez servido el café, se empeñó en que tomara una copa y me fumara un cigarrillo (me ofreció una caja de tabaco con todas las marcas habidas y por haber). Yo mantenía una actitud rígida de cuerpo y de espíritu para no dar pie a la más mínima confianza. No quise beber ni fumar, pero él insistía diciendo que me había visto beber y fumar en las fiestas de la Facultad. Yo notaba que la cosa se estaba poniendo difícil para él y que le molestaba.

»De pronto, se levantó, se dirigió hacia el aparato de música, y me dijo con voz muy melosa que iba a poner "una pieza muy especial". Ante mi estupor, comenzó a sonar *Je t'aime, moi non plus* y el salón empezó a llenarse de jadeos y suspiros. Me preguntó si conocía la letra y yo contesté que no sabía francés, pero él insistía diciendo que eso era imposible porque yo lo había estudiado en el colegio. Aquello era cada vez más desagradable. Sentado a mi lado, lo más cerca que podía, me decía que escuchara la canción, que había estado prohibida mucho tiempo y que era muy sensual. Yo no paraba de hablar del Derecho Canónico y del Concordato del 1954. Él se arrimaba y yo me apartaba. Para entonces me estaba poniendo muy nerviosa y no sabía cómo salir de aquella situación.

»Acabó la canción, afortunadamente, pero la suerte duró muy poco. Volvió a acercarse al tocadiscos y me espetó: "No has oído la letra, voy a ponerla otra vez." Pero no solamente la volvió a poner, sino que, acercándose y cogiéndome del brazo, me invitó a bailar. Yo rechacé la invitación diciendo que no sabía bailar. Él tiraba de mi brazo, yo tiraba hacia el lado contrario, y la situación se hizo ya insostenible para mí.

»No pude aguantar más. A esas alturas ya me daba igual que me suspendiera o me aprobara. Di un tirón de mi brazo, que él seguía apretando, y me levanté. Le dije que me tenía que marchar y alcancé la puerta en dos zancadas; antes de salir aún pude oír cómo, desde el sofá, con desprecio, me espetaba: "¡eres una antigua!".

»Salí de allí indignada y temblando. En junio me suspendió aunque hice un buen examen, y pensé en hacerle pagar todo aquello de alguna manera. Finalmente decidí contarle mi odisea a todo el mundo que quisiera oírla, con el propósito de que llegara a sus oídos. Y llegó. En septiembre volví a presentarme a su examen, y esta vez me aprobó.»

Conociendo bien a mi amiga Pilar y también al sacerdote, con quien, siendo él ya decano de la Facultad de Derecho donde sucedió lo relatado, coincidí en un ciclo de conferencias en el que ambos éramos ponentes, la escena descrita no puede resultarme sino trágicamente ridícula. Pero Pilar, como todas las chicas que tienen que pasar por trances parecidos, sufrió horrores por culpa del desatado ardor varonil de su *célibe* profesor.

Finalmente, cabe destacar una de las vías que cada día es más frecuente entre los sacerdotes que abusan de su poder con fines sexuales: la conformación de estructuras grupales de tipo sectario[153].

Entre los sacerdotes que se erigen en *líderes* de grupos de cariz sectario abundan los perfiles psicopatológicos de personalidad —frecuentemente paranoides— que unen sus idearios *sui generis* —en materia religiosa, psicológica, sexual, social, etc.— a características propias como la capacidad para el liderazgo y la seducción, la habilidad para ilusionar, manipular y explotar a sus seguidores, el afán de poder y control, la falta de límites éticos, etc.

En los capítulos 9 y 10 ya vimos un caso típico del género en el campo de los menores y jóvenes. En el apartado siguiente veremos otro ejemplo clásico, pero referido a los abusos sexuales cometidos sobre mujeres adultas.

153. Para ampliar el tema del sectarismo en general y de los abusos sexuales dentro de sectas puede consultarse Rodríguez, P. (1989). *El poder de las sectas*. Barcelona: Ediciones B. [en particular su séptima parte, titulada «El sexo y la pareja en las sectas», pp. 195-215]. Para más detalles sobre los tipos de personalidad más susceptibles de ser captados por sectas, puede consultarse Rodríguez, P. (1994). *Tu hijo y las sectas (Guía de prevención y tratamiento)*. Madrid: Ediciones Temas de Hoy.

28

JESÚS MADRID, ABUSOS SEXUALES EN LA CÚPULA DIRECTIVA DEL TELÉFONO DE LA ESPERANZA

El Teléfono de la Esperanza fue fundado en Sevilla por el religioso Serafín Madrid Soriano, de la Orden de San Juan de Dios, como una más de sus numerosas y notables obras de ayuda social. A su muerte, en 1972, se hicieron cargo de la dirección de la organización sus propios hermanos Pedro, Ángel y Jesús, psicólogos todos ellos y también religiosos (de la Orden de San Juan de Dios el primero, y capuchinos los otros dos). Pero, a juzgar por los hechos que hemos podido documentar, la *santidad* que algunos atribuyen a Serafín no es, ni mucho menos, el espejo en que se miran sus tres hermanos menores.

En la actualidad Pedro Madrid Soriano es el director nacional y secretario general del Teléfono de la Esperanza, Ángel es el director de la entidad en Valencia y vicesecretario nacional, y Jesús es el director de la zona de Murcia... y piedra de escándalo aunque sus hermanos y las autoridades eclesiásticas estén encubriendo los vergonzosos desahogos sexuales y abusos de autoridad que este sacerdote, de

57 años, viene protagonizando desde hace al menos dos décadas.

«Era de todos conocido —explica Remedios N.[154], ayudante de Jesús Madrid en el Teléfono de la Esperanza desde 1978 hasta 1981— que las entrevistas que Jesús Madrid mantenía en su despacho eran a puerta cerrada, con llave o pestillo interior, y con frecuencia las chicas o señoras salían con el pelo alborotado. La mayoría de las clientas que se entrevistaban periódicamente con Jesús Madrid tenían características en común: sexo femenino, edad alrededor de 30 años y vida sexual un tanto conflictiva.»

Eran tiempos en los que el Teléfono de la Esperanza estaba instalado en un modesto piso de la céntrica plaza de las Flores de Murcia, contaba con un reducido grupo de colaboradores y Jesús Madrid aún no había acabado sus estudios de Psicología.

Muy pronto, el malestar que comenzó a invadir a algunas de las mujeres que visitaban el despacho de Jesús Madrid hizo que éstas confiaran sus experiencias a Remedios, que apenas podía dar crédito a relatos que explicaban cómo, el sacerdote, después de desplegar una afectividad arrolladora, las acariciaba, manoseaba y hacía que se desnudasen en su presencia en cada sesión, hasta que, finalmente, cuando ya había logrado enamorarlas, empezaba a mostrarse absolutamente frío y distante.

«La gente se venía a desahogar conmigo después de la consulta —comenta Remedios N. en su informe—. Jesús Madrid empleaba lo que él llamaba técnicas de apoyo, pero que en la sociedad normal no son tales ya que tienen un claro significado sexual. Creo que él es una persona enferma, que tiene algu-

154. En un informe dirigido a este autor y fechado el 17-5-94.

nos problemas sexuales sin resolver, y eso le hace ver como sexuales muchos problemas que nada tienen que ver con ello. Cuando me convencí de que todas esas historias eran reales hablé con él para pedirle que dejara de hacer daño a las clientas. "Jesús —le dije—, si tú quieres disfrutar de una mujer, disfrútala toda entera y no a trocitos. Desahógate como puedas, pero hazlo con gente a la que no puedas hacer daño [buena parte de las mujeres que pasaban por su consulta lo hacían por problemas de tipo afectivo-sexual], lo que no puedes hacer es ir enamorando a la gente y luego hacerles sufrir decepciones tan gordas." Jesús no ha violado a nadie, pero ha hecho mucho daño a la gente. Conmigo también lo intentó, por supuesto, pero yo no me dejé. Su forma de dominar a la gente es de esta manera, pero cuando ve que no puede, cambia de estrategia. Es un manipulador nato.»

Al no poder lograr que Jesús Madrid renunciase a sus prácticas sexuales con las pacientes, Remedios abandonó el Teléfono de la Esperanza, pero no se atrevió a denunciar al sacerdote. Tuvieron que pasar once años más antes de que otra colaboradora se atreviera a enfrentarse a Jesús Madrid por sus hábitos *terapéuticos*.

En 1992, un año después de haber sido nombrada subdirectora del Teléfono de la Esperanza, M.ª Ángeles Jiménez, doctora en Psicología, pasó por el mismo proceso que Remedios para, al fin, convencerse también de la veracidad de unos hechos que le parecían absolutamente increíbles. Lo que sigue es parte de uno de los informes que la Dra. Jiménez remitió a este autor[155]:

«Entre las mujeres afectadas no hay ningún per-

155. Informe número 2, fechado el 14-5-94, pp. 3-6.

fil específico. Sus edades oscilan entre los 20 y los 50 años más o menos, guapas y menos guapas, esbeltas y menos esbeltas (una de sus estrategias es impulsarlas a adelgazar amenazándolas con que si no pierden unos determinados kilos él no volverá a recibirlas; en algún caso las mujeres llegaron al borde de la anorexia). Tampoco es un límite el estado civil, le sirven solteras, casadas, viudas y separadas. Lo único que tienen en común es: situación de crisis personal, problemas de pareja o por no tener ninguna, problemas de autoestima baja y alguna historia personal problemática.

»También recibía hombres encerrado bajo llave, pero carezco de información directa al respecto, sólo me dijo en una ocasión que había echado la llave porque el hombre había ido a confesarse y no quería que le vieran de rodillas ante él si entraba alguien de repente. Sin embargo, su *lugarteniente*, Salvador V.V. [omitimos sus apellidos por no ser una figura relevante para el tema de este libro], de unos cincuenta años, que está contratado como administrativo aunque básicamente se dedique a hacer *terapias* individuales y de grupo a pesar de no tener titulación académica para ello —recientemente se ha sacado un simple diploma de "orientador familiar"—, daba mucho que pensar por las frecuentes *terapias* que practicaba con jovencitos hasta que se confirmaron mis sospechas gracias al relato de una psiquiatra amiga que salvó la vida de un adolescente que se intentó suicidar en casa de Salvador. Los intentos de suicidio, las separaciones matrimoniales y los casos de desestructuración personal en el transcurso de los cursillos impartidos por Jesús Madrid, fueron los datos iniciales de lo que sin lugar a dudas confirmaría posteriormente.»

En términos generales, el *modus operandi* de Jesús Madrid, aunque podía variar de un caso a otro, era como sigue:

«En los cursos [del Teléfono de la Esperanza dados por Jesús Madrid] se alternaban las charlas de psicología con diferentes ejercicios de sensibilización que afectaban bastante a la mayoría de los asistentes, creando un clima muy especial, propicio a las lágrimas y a los abrazos. Esto se alternaba con una o dos sesiones de grupo —reducido— al día (los cursos duran tres días y medio en régimen de internado).

»Todos los días del curso, después de comer, Jesús Madrid se reunía con los coordinadores de grupo (que éramos 8 o 9, responsables, a su vez, de 8 a 10 personas cada uno). En esa reunión Jesús nos pedía información sobre las personas del grupo. En una ocasión tuve una discusión con él al acabar la sesión porque me reprochó que yo no le daba información de las personas y que yo tenía deformación profesional porque sólo hablaba del funcionamiento del grupo y a él lo que le interesaba era la historia y situación de las personas, ya que sólo así podría ayudarlas[156]. Con esa información reciente, Jesús se hacía el encontradizo, en el jardín o por los pasillos, con las personas que le interesaban y, entre abrazos y gestos afectuosos, se interesaba por algunas circunstancias de su vida, o bien se sentaba cerca de

156. Cada coordinador tiene que rellenar una ficha denominada «Informe confidencial» —varias de ellas están en poder de este autor— donde se reseñan todos los datos personales conocidos de cada cursillista, las circunstancias más relevantes de su biografía, los principales problemas detectados, las actitudes y sentimientos respecto a la evolución del curso, las aptitudes, etc., por lo que Jesús Madrid obtiene con ellas un retrato exacto de cada cliente.

ellas a la hora de comer y lanzaba mensajes que asombraban a sus destinatarios. En varias ocasiones me dijeron algunas personas que estaban sorprendidas de la clarividencia y dotes de adivinación de ese hombre que les había dado justo en el clavo y parecía adivino. Y la verdad es que no había tenido mucho que adivinar ya que se lo había contado un rato antes algún coordinador y, de todos modos, los datos personales de cada asistente quedaban reflejados en las fichas.

»Cuando le interesaba algún caso en particular, le citaba en su despacho del Teléfono de la Esperanza, después del curso, para hablar de su situación personal, entonces se iniciaba el ciclo de las entrevistas. Debo matizar aquí algo que creo que es importante para entender el clima de los cursos y el del Teléfono de la Esperanza en sí: durante los cursos se fomentaban los abrazos, besos y caricias, estimulando su práctica y reprochando la "sequedad y frialdad" de quienes se resistían a este clima acusándoles públicamente de reprimidos —"volcanes nevados" llamaba a algunas mujeres en particular— y de tener miedo a desbordarse si se dejaban llevar. La traca final del curso era y sigue siendo una eucaristía [misa] en la que la gente cantaba, lloraba, enviaba mensajes de todo tipo, se abrazaban y besaban, y concluían profundamente conmovidos.

»Después de esto, una entrevista con el líder [Jesús Madrid] quedaba abierta a todo tipo de gestos afectuosos. Las mujeres le hablaban de sus sentimientos, de sus problemas y de sus inseguridades, tampoco faltaban las preguntas sobre su vida sexual y casi nunca dejaba de indagar sobre si se masturbaban o no.

»Resulta sintomático que todas las mujeres que

me han referido sus experiencias me hayan comentado que Jesús Madrid les sacaba a relucir el problema de la autoestima y de la valoración del propio cuerpo. Como la aceptación física es muy importante —les decía el sacerdote— él les proponía empezar a aceptar juntos su cuerpo: primero era la chaqueta, luego la camiseta y finalmente la ropa interior. Una chica me contó que cuando llegó a este punto —quitarse la ropa interior— se resistió, pero entonces Jesús Madrid, muy ofendido, se levantó y le dijo que si no confiaba en él lo mejor era que no volviera. Una persona en situación de crisis es muy vulnerable, y esta mujer, ante la idea de no volver a la *terapia*, aceptó desnudarse completamente. Cuando le pregunté qué pasó, la respuesta fue: "menos el virgo me lo quitó todo".

»En unos casos esto ocurría tras varias entrevistas, en otros ya sucedía en la primera y se podía prolongar durante varias horas y luego repetirse durante semanas y meses. Yo conozco a mujeres que están yendo periódicamente por allí [despacho privado del religioso] desde hace ocho o diez años. Lo que ocurría después varía según los casos: desfiles ante él, sin llevar ropa alguna, por supuesto, mirarse juntos en un espejo [estando la mujer desnuda], toques de todo tipo, incluidos los vaginales, besos de todo tipo y por todas partes, adopción de posturas de todas clases, etc. Jesús Madrid lo más que hacía era desabrocharse un botón de la camisa, en ningún caso conocido por mí hubo coito o similar. La explicación que me dio Jesús Madrid, cuando le interrogué para conocer su versión de los hechos, es que "se controlaba mucho". Y recuerdo que a continuación me dijo: "qué fuerte estás, cómo se nota que me has pillado".

»El caso es que, debido a estas prácticas, muchas de las mujeres, cuando salían del despacho de Jesús Madrid, estaban bastante alteradas. Una psiquiatra, que colaboró hace años con esta organización, me confirmó que en ocasiones tenía que darles tranquilizantes al salir, pero nunca llegó a intuir lo que les había provocado ese estado. Desde luego que Jesús Madrid no emplea la violencia física, le basta con actuar con mucha sutileza y crear el clima adecuado para la persona propicia en el momento oportuno.»

Pero las *terapias* de Jesús Madrid van mucho más allá del abuso sexual. Así, por ejemplo, el neuropsiquiatra y psicólogo clínico Román Moreno, en un informe (fechado el 26 de mayo de 1994), describe los problemas sufridos por dos de sus pacientes después de pasar por la *consulta* del sacerdote/psicólogo. La primera, una mujer soltera de 45 años que padece esquizofrenia paranoide, después de las propuestas de Jesús Madrid para que se desnudara y de seguir su consejo para que abandonara la medicación que tomaba (y que le era imprescindible para vivir normalizada, tal como era su caso hasta ese momento), «presentó una reactivación de su sintomatología psicótica y unas ideas delirantes, angustiosas, de estar sometida a pruebas y vigilancia de los "curas" para denunciarla como inmoral».

La segunda, una mujer casada, de 35 años, con personalidad neurótico-obsesiva, después de haber estado desnuda con Jesús Madrid llegó a la consulta médica mostrando «una reactivación de sus ideas obsesivas, un grave estado de ansiedad por sentimiento de culpa [por su creencia de haber roto la fidelidad a su esposo] y un estado depresivo con ideas de suicidio».

A juicio del doctor Román Moreno, el método

empleado por Jesús Madrid con estas dos mujeres fue «ineficaz y peligroso», al tiempo que «pone de manifiesto su escaso conocimiento de la psicopatología y la psicología clínica». Este médico concluye su informe apuntando: «como profesional de Salud Mental debo expresar mi crítica y desacuerdo con las intervenciones *terapéuticas* realizadas en el Teléfono de la Esperanza [de Murcia] motivadas por intereses distintos a los propuestos por la Salud Mental».

De entre todos los informes remitidos a este autor por *víctimas* de Jesús Madrid, resulta altamente clarificador el escrito por una mujer de 37 años, con formación universitaria y buena situación socioeconómica, que denominaremos *Rosa* ya que, por motivos lógicos, solicitó que su identidad permaneciera oculta.

En el relato que *Rosa* hace de su amarga experiencia —y que reproduciremos prácticamente íntegro pese a su extensión—, se muestran varios de los comportamientos que Jesús Madrid ha prodigado desde su despacho del Teléfono de la Esperanza de Murcia: su desmesurado afán por manipular y controlar a los demás, que le ha llevado a conformar una especie de secta a su alrededor e, íntimamente relacionado con ello, los abusos sexuales a mujeres que habían solicitado su ayuda. Lo que sigue es el informe de *Rosa*[157]:

«Aterricé en el Teléfono de la Esperanza más o menos un año y medio antes de cuando comienza mi relato, con un matrimonio que hacía aguas por todos lados y una situación personal de frustración y desánimo ante mi vida personal, laboral y de pareja.

157. Fechado el 14-5-94 en Murcia.

Era el último tren que podíamos coger como pareja para intentar salvar nuestro matrimonio, así que mi marido y yo asistimos a una serie de cursos que se imparten en esta institución y que nos ayudaron a parchear la situación, pero la verdad es que nuestra vida en común seguía haciendo aguas.

»Estos cursos se realizaban en régimen de internado, creando un ambiente íntimo, cálido y propicio para establecer lazos y vínculos de profunda amistad entre todos los participantes. Y fue en uno de ellos, en el denominado "Relación de Ayuda", cuando, a raíz de una serie de ejercicios que se hacían siempre en grupo, pero de gran tensión emocional y psicológica, sufrí una crisis muy fuerte y quedé totalmente desestructurada, nada tenía sentido y yo sólo quería morirme; llegué a la conclusión de que llevaba toda mi vida en guerra conmigo misma, de que no me gustaba nada, de que no me quería a mí misma y no tenía capacidad alguna para querer a los demás.

»En esos momentos de verdadera angustia, Jesús Madrid, director del curso, se acercó a hablar conmigo y se ofreció para que, una vez regresáramos a Murcia, si yo quería, pudiéramos hablar más tranquilamente sobre mis problemas y abordar la manera de solucionarlos. Se mostró muy entrañable y cariñoso, algo que para mí no supuso nada fuera de lo normal por tratarse del clima general en el que se desenvolvían aquellos cursos, y que él mismo propiciaba.

»Además, me agradó sobremanera que él, que para mí y para todos los que allí estábamos era alguien muy especial, con un carisma muy particular, alguien más bien inaccesible, se fijara en mí y mostrara interés por mi persona; y a partir de ese momento empezó mi turbulenta andadura junto a esta persona que tan desinteresadamente se ofrecía a ayudarme, a ser mi punto de apoyo para salir de esa crisis; es más, me hacía sentirme especial, distinta, el hecho de que él, Jesús Madrid, se hubiera fijado en mí y me hubiera elegido para ser su paciente. Él, que vendía tan caro su tiempo, que no podía tratar a nadie, sí tenía tiempo para mí; podía dedicarme parte de su valioso quehacer y yo me sentía alguien especial e importante para él, una privilegiada.

»Desde el primer momento confié ciegamente en él, estaba en sus manos y para mí no había duda de que eran las mejores, las únicas a las que yo me podía confiar, la única persona de este mundo a la que yo me podía abandonar, ser yo misma, mostrar toda mi debilidad y vulnerabilidad; él no me iba a hacer daño jamás.

»Un mes y medio después del curso comenzaron las entrevistas de manera periódica, aunque no cobraron un carácter asiduo y estable hasta un mes después, cuando ya empecé a ir a verle, con regularidad, una vez por semana; en algunas ocasiones, por circunstancias muy concretas, fui dos días por semana.

»Desde el primer día que entré en su despacho, me sentía como en otro mundo, creaba un clima tan propicio, tan agradable, que hubo momentos que yo los comparé a como debe sentirse un niño en el claustro materno. Allí estaba él, sin prisas, sonriente, afable, tranquilo, dispuesto a escuchar, era otra persona distinta a la que acostumbrábamos ver por los pasillos del centro del Teléfono de la Esperanza y en cualquier otra actividad, cuando se mostraba como un dirigente nato, autoritario y distante. Era tan agradable estar con él, te hacía sentir persona, sentirte viva, te repetía una y otra vez "yo te acojo, te acepto, te quiero, y te trato con cariño", era como un mantra[158] de introducción que repetía hasta que se grababa en tu mente y llegabas a creerlo de verdad. También te decía que se alegraba mucho de que hubieras nacido, tú, especialmente tú, y no otra cualquiera; realmente te sentías reconocida como persona, incluso como persona valiosa y valorada.

»Ya la primera vez que nos entrevistamos, pasamos rápidamente de la mesa de despacho al pequeño sofá que había junto a su mesa, argumentando que así estaríamos más cómodos; también cerró la puerta con llave mientras me decía que de este modo estaríamos más tranquilos sin nadie que nos molestara. Inmediatamente pasó su brazo por encima de mi hombro y yo pude recostarme sobre su pecho y llorar y llorar para desahogar toda la tensión que llevaba dentro. Al principio yo estaba asustada, ciertamente, pero enseguida me relajé; él me acariciaba la cara, la cabeza, el cuello, los hombros y la espalda y me repetía que confiara en él una y otra vez, que aquello no era el punto de partida de nada, sino todo lo contrario, era la estación final.

»Yo, entre sus brazos, me sentía especialmente feliz, me sentía como una niña en brazos de un padre que la mima y la arrulla, y me aterrorizaba que llegara el momento de partir, de terminar; me hubiese quedado allí de por vida. Un hombre al que yo admiraba me tenía entre sus brazos, me hacía sentirme querida y valiosa y, además, no existía la amenaza de que se fuera a producir nada más, no habría «sexo», algo que a mí me horrorizaba, luego era feliz. Para

158. Sonido, palabras o frases que, de modo parecido a la oración, se emplean en el hinduismo para meditar.

terminar esa primera sesión me hizo una pequeña relajación y yo salí de allí flotando en una nube y totalmente agradecida. Había podido, por una vez en mi vida, a mis años, abandonarme a una relación así, de cariño y de ternura, de los que tan necesitada estaba. Podía bajar mis defensas, podía ser mimada sin tener que llegar a nada más. Podía estar entre los brazos de un hombre sólo como amigos, sin pedir nada a cambio, sin nada más. Eso era algo que también Jesús me recalcaba, podía haber amistad profunda, intimidad, confianza absoluta, entre un hombre y una mujer, sin llegar necesariamente a la cama.

»Después de esa euforia inicial, empecé a sentirme mal; ¿qué habría pensado de mí? Yo no era una cualquiera. ¿Se habría creído que podía aprovecharse de mí? ¿Le habría dado yo pie a que adoptara esa actitud? Le daba vueltas y más vueltas y realmente agobiada le llamé para plantearle lo que estaba pensando; me tranquilizó, me dijo que yo no había hecho nada malo, que no me agobiara ante algo sin importancia, que no pensaba nada negativo sobre mí y que me seguía queriendo. La venda se implantó definitivamente ante mis ojos, confiaba ciegamente en él, no quería hacerme daño.

»En dos o tres entrevistas más yo ya estaba totalmente enganchada a él, tenía muy claro que no me podía enamorar, pues él dejaba bien sentado desde el principio que todo aquello no era para llegar a nada ni a ningún final concreto, sino para demostrarme que podía confiar en él, que se alegraba de que existiera, en resumen, que por lo menos para él era importante, que estaba conmigo porque así lo quería y así lo había elegido. Yo sabía que no me podía enamorar, pero mi corazón, mis sentimientos, iban por otro lado, me desbordaban como un caballo desbocado que yo no podía controlar.

»Me había embrujado y así se lo decía, él me repetía que no me preocupara, que eso era normal al principio en una relación de ayuda pero que cedería con el tiempo, cuando ya no lo necesitase tanto, pero sucedía todo lo contrario. Yo sólo pensaba en estar con él, pasaba la semana viviendo de los recuerdos de la anterior entrevista y soñando con la siguiente; mi trabajo, mi familia, mis hijos, mi marido, mi casa, mis amigos... ya nada me importaba, era como una *zombie* viviendo entre la gente; no les hacía caso, no hablaba, eran como un estorbo para mí ya que me hacían distraer de lo único importante de mi vida de entonces que era estar con él, abandonarme en sus brazos y sentirme querida.

»Todo esto podría ser la lectura bonita de aquella relación, pero existe otra, sobre lo que pasaba dentro de aquel despacho entre Jesús y yo, a la que yo no me podía sustraer, aunque no me gustara. Era como una droga de la que cada vez necesitaba más y más; la dependencia era cada vez mayor, y el índice de tolerancia también, con lo cual estaba dispuesta a pasar cualquier humillación o vejación a cambio de unas migajas de su cariño, que yo, en aquellos momentos, creía auténticamente sincero.

»Las entrevistas solían discurrir del siguiente modo: yo llegaba puntualmente a su despacho con una carga de ansiedad bastante fuerte, nunca sabía lo que iba a pasar y eso me producía un gran desasosiego. Nos sentábamos en el sofá, hablábamos de cómo me iban las cosas, e invariablemente yo le decía cuán atada me sentía a él, cómo lo echaba de menos, cómo sufría cuando no estaba con él... y el ciclo siempre era el mismo, me contestaba que no me preocupara, que era normal, que yo me encontraba desestructurada, rota, y él era mi único punto de apoyo, mi tabla de salvación, y por eso me apegaba tanto a él, pero que poco a poco iría pasando y yo me integraría en la vida para dar todo lo que había dentro de mí y sería feliz.

»Me encontraba tan comprendida, tan protegida, tan a gusto, que hubiese querido que aquellas horas que me dedicaba cada semana no se hubieran acabado nunca. Y aún hoy, después de transcurrido cierto tiempo y con mi vida destrozada, las echo de menos y, en el fondo, desearía que volvieran, aunque sé que ya no es posible.

»En esta situación de entrega total a esa persona —yo habría dado mi vida por él, si me lo hubiese pedido— comenzaba el otro ritual: él me desnudaba poco a poco, un día la blusa o jersey, otro día el sujetador, otro día también la falda, y me acariciaba, me tocaba, me besaba en todo el cuerpo, y siempre repetía: "te quiero y te acepto tal como eres, tienes michelines y yo los acepto ¿ves?, te doy un beso. Confía en mí, tienes que aceptar tu cuerpo". Yo sufría y sentía verdadera angustia, me daba vergüenza, me avergonzaba de mi cuerpo y no quería que lo viera; Jesús me prometía que no iba a mirar y sólo me acariciaba con los ojos cerrados y decía que sus manos se conocían ya palmo a palmo mi cuerpo, los defectos de mi vientre, mi pecho, mi espalda.

»Yo, al mismo tiempo que disfrutaba de aquellas caricias —ya que no había amenaza de llegar a más, o por lo menos yo creía lo que él me decía, es decir, que no tenían ninguna carga sexual—, sentía tanto pudor y angustia que se me creaba un nudo en el estómago que, a veces, me impedía hasta respirar con normalidad. Era una constante contradicción, las quería, las necesitaba, pero, al mismo tiempo, me daban vergüenza, no entendía lo que me pasaba. Él me aseguraba que nunca había estado así con ninguna mujer, lo cual me hacía sentirme aún más importante para él.

»Este tipo de prácticas se prolongaban durante todas las sesiones, llegando cada vez más lejos, hasta que llegué a estar completamente desnuda frente a él; en ciertos momentos se producían ligeros forcejeos entre los dos, yo no quería que siguiera o que me observara, y Jesús me decía que era necesario, que debía confiar en él, y que si oponía resistencia le hacía sentirse muy mal, como si me estuviera forzando y no era eso; me pedía que le dejara hacer y entonces yo me sentía culpable.

»Yo nunca me planteé si aquello podía ser o no un abuso sexual, pero lo que sí es cierto es que Jesús creaba un clima de juego amoroso idóneo para poder haber concluido en una relación sexual completa; la intimidad, el deseo, el ambiente, el juego previo a..., todo estaba dispuesto. Él llevaba siempre la iniciativa y yo no hacía sino seguir sus instrucciones; aunque hubo situaciones en que lo pasé verdaderamente mal, era incapaz de negarme por temor a perderle. Era una alfombra a sus pies, dispuesta a que me pisara y me escupiera si así lo deseaba; era una especie de *mujer kleenex*, que se usa y se tira, y no me importaba.

»Me tenía totalmente dominada, me preguntaba: ¿te gustaría dormir junto a mí sin hacer absolutamente nada? ¿qué sientes cuando notas mis genitales? ¿me deseas? y me besaba con verdadero fervor. Yo sentía por él un amor incondicional, aunque otras veces le odiaba por lo que me hacía sentir; era como una droga, una dependencia total, sólo deseaba agradarle como y cuanto fuese necesario para que no me abandonase nunca, cosa que siempre me prometió no hacer, pero que luego, con el tiempo, sí hizo con absoluta tranquilidad.

»Yo, en ocasiones, también le acariciaba a él, a mí me gustaba mucho, disfrutaba acariciándolo y él se abandonaba a esas caricias como un niño, me dejaba que le acariciara y le besara, me pedía que lo hiciera. En esas circunstancias, como se puede comprender, yo no podía soportar el más mínimo contacto con mi marido, no aguantaba que me tocara, no podía evitar compararlos, aunque eran incomparables, y no teníamos relaciones sexuales por negativa mía; Jesús me aconsejaba que le explicara que estaba atravesando un mal momento, que él tenía que entender, que le explicase cómo me sentía y cómo vivía un problema de rechazo por mi cuerpo y por el sexo, y que le pidiese que tuviese paciencia conmigo. Y la verdad es que la tuvo, pero yo cada vez estaba más lejos de él y sin el menor deseo de volver.

»Mi vida, mis pensamientos, mis sueños, mis ilusiones, estaban entre las cuatro paredes de aquel despacho al que acudía una vez por semana, y eso me bastaba. No me importaba que me desnudara, que me usara para obtener placer, ya que ésa debía de ser la única manera que él se permitía de satisfacerlo dada su condición de célibe, aunque yo estaba dispuesta a entregarme totalmente a él. Hubiera hecho lo que me hubiese pedido, lo imposible, por obtener cinco minutos más de su tiempo, que cada vez me iba acortando más, creo que a partir de cuando se dio cuenta de que los acontecimientos se le estaban escapando de las manos, de que ya no controlaba la situación. Yo estaba cada día más obsesionada y dependía más de él, me puse a dieta sólo y exclusivamente para agradarle (él me lo pidió) y conseguí lo que no había logrado nunca, pero puse mi salud en grave riesgo ya que no comía absolutamente nada, y todo para agradarle, para gustarle más.

»No me importaba la diferencia de edad, de situación social, de estado civil, yo sólo quería estar más y más con él, hubiera dejado todo por estar a su lado aunque fuera unos minutos al día, por verle aunque fuera desde la distancia. Mi marido me acosaba y le echaba la culpa de todo lo que nos estaba pasando, pero a mí todo me daba igual. Era su esclava, y hubiera querido ser su hija, su madre, su compañera, su mujer, su amante. Un día le planteé que era mi enfermedad, pero también mi medicina, y yo creo que se dio cuenta realmente de cómo me encontraba y empezó a dar marcha atrás. En algunas entrevistas se dedicaba a castigarme sin hacerme ni siquiera una caricia, me reñía por haber adelgazado de esa manera tan salvaje, sin ningún tipo de control médico, que me hacía sentir muy floja y débil; se mostraba distante, y yo me humillaba más y más para que me diera unas migajas de su cariño.

»Estaba al borde del precipicio, veía cómo me deterioraba día a día y me daba igual; me quería morir cuando no me hacía caso, y en esa situación de piltrafa humana en que me había convertido, daba una imagen lamentable, patética. Mis amigas intentaron abrirme los ojos sobre lo que me estaba pasando, pero yo no lo quería creer, me repetía una y otra vez que Jesús no podía hacerme eso a mí, que tanto había confiado en él; acabaron por aconsejarme que fuera a la consulta de un psiquiatra y, aunque al principio me resistía, por fin decidí ir (Jesús también me lo recomendó, pero yo creo que era porque ya tenía claro que me iba a dar la patada e iba a necesitar medicación).

»Durante la entrevista, el psiquiatra me dijo aquello que yo no quería oír: que lo que estaba haciendo era lo menos parecido a una terapia; era, simple y llanamente, un abuso por parte de ese hombre hacia mí, que, amparándose en su condición de orientador, me estaba usando para satisfacer sus necesidades afectivo-sexuales. El mundo se me vino abajo y, en esas circunstancias, Jesús, acosado por la situación surgida en el Teléfono de la Esperanza [su propio equipo técnico había empezado a acusarle de estar cometiendo abusos sexuales a pacientes], me dijo que todo se había terminado, que ya no podía volver a verme.

»Gracias a que tuve el apoyo del psiquiatra en aquellos momentos no me quité la vida enseguida, pues estaba muy deprimida y hundida, y para tomar una decisión así hay que estar algo más fuerte de lo que yo estaba. No podía creer lo que me había pasado, no podía y no quería. Todavía creía en él, quería confiar en él, quería que me dijese que todo era mentira, que todo era una farsa, que él no me quería hacer daño, que era necesario el abandono pero que contara con él a pesar de todo... pero no, su actitud fue la contraria y se dedicó a ignorarme, a despreciarme y a abusar de toda la confianza que yo había depositado en él, rompiendo todos los códigos éticos posibles, rompió el anonimato, la confidencialidad y el secreto profesional, habló de mí todo cuanto quiso y yo ni siquiera tuve la posibilidad de defenderme, o incluso de apoyarle, algo que en aquellos momentos habría hecho con los ojos cerrados.

»Mi psiquiatra se portó maravillosamente conmigo, me apoyó en todo momento y, poco a poco, con una infinita paciencia, ha ido consiguiendo que yo recobre por lo menos la capacidad de sentir que estoy viva en este mundo que no me gusta y que no comprendo, pero estoy en él. Mi mundo anterior se vino abajo, hoy vivo separada de mi marido y con nuestros hijos a mi cargo; mi modo de vida ha cambiado tanto que me siento muy sola y sin fuerzas para luchar, espero que con la inestimable ayuda de este maravilloso profesional [el psiquiatra] que todavía confía en mí, pueda salir adelante de este turbulento período de mi vida y que algún día no muy lejano comience el primer día del resto de mi vida.»

Este desgarrador testimonio no precisa más comentarios. Se necesita mucho valor para escribirlo, y máxime cuando *Rosa*, a pesar de todo, tiene aún muy abiertas las heridas infligidas en su alma por el sacerdote Jesús Madrid y, al mismo tiempo, aún teme poder hacerle daño dando publicidad al relato de cuanto aconteció entre ambos. Un relato que, por lo que conoce este autor, ha sido suavizado con mucha elegancia y se han excluido de él episodios notables como, por ejemplo, un intento real de suicidio por ingestión de psicofármacos[159].

Este caso, por duro que sea afirmarlo así, es uno más dentro de la larga lista de casos de mujeres que han sufrido tratos similares por parte de este sacerdote capuchino que, escudado bajo su condición de religioso y armado con el poder que le confiere ser directivo del Teléfono de la Esperanza, abusa impu-

159. Una caja completa de una conocida benzodiacepina, según se anota en los partes hospitalarios de su ingreso en urgencias. Del intento autolítico se recuperó rápidamente después de un lavado gástrico.

nemente de las mujeres más frágiles que encuentra a su paso.

Pero Jesús Madrid no sólo abusa de sus *pacientes*, también lo intenta con algunas de las mujeres que trabajan con él. Ya citamos al principio de este capítulo el testimonio de Remedios N., y en su misma situación se vio, por citar sólo un caso más, *Juana* (seudónimo), psicóloga y colaboradora, junto con su marido, del Teléfono de la Esperanza. Juan J.M., esposo de *Juana* y hombre muy católico, me contaba en su informe[160] el acoso sexual al que Jesús Madrid Soriano —en esos días «muy querido amigo»— sometió a su mujer y, sobre el caso en general, comentaba:

«Realmente pienso que Jesús Madrid padece alguna enfermedad mental, ya que de otro modo no se explica que un hombre religioso, que se entregó en vida a la ayuda al prójimo, haya degenerado en tales excesos y abusos. Mas mi acusación principal y contundente la dirijo contra sus hermanos [Pedro y Ángel], quienes conocedores de la gravedad y realidad de las acusaciones, se han negado a retirar a Jesús Madrid de sus funciones, mostrando escasa caridad cristiana y muy poco talento político. Un lamentable comportamiento en hombres de la Iglesia. Y también acuso a aquellas autoridades y personas que, conociendo la enfermedad de Jesús Madrid, por miedo o conveniencia, no han actuado con valentía ni consecuencia. En verdad, las asociaciones escasamente democráticas y con evidentes matices sectarios [se refiere al Teléfono de la Esperanza] son muy peligrosas y capaces de desfigurar el desa-

160. Fechado el 3-5-94 en Murcia, y acompañado de numerosa documentación probatoria.

rrollo de los acontecimientos en favor de sus intereses.»

Este libro no es, obviamente, el lugar para dictaminar si este sacerdote padece o no trastornos mentales. Independientemente de la propia personalidad, ya hemos estudiado en capítulos anteriores los aspectos que hacen que, debido a concepciones estructurales altamente erróneas y lesivas de la Iglesia Católica, los sacerdotes que abusan sexualmente de mujeres (y de menores) abunden entre el clero de hoy día.

A la luz de lo estudiado en la primera parte de este libro, es todo un marco de referencia —básico para comprender casos como éste— el saber que, tal como cuenta el propio Jesús Madrid, es hijo de una viuda con siete hijos, de los que cuatro se hicieron religiosos, que se fue al seminario, junto con uno de sus hermanos, con sólo 10 años y que ya no volvió a ver a su madre ni a tener contacto alguno con figuras femeninas hasta después de los 15 años, cuando volvió a casa (durante unas cortas vacaciones del seminario) y su madre no les reconoció la voz ni a él ni a su hermano y no quiso abrirles la puerta.

La búsqueda desesperada del afecto femenino que nunca se tuvo, dentro del ambiente eclesial, fabrica todo tipo de desviaciones psico-afectivas y sexuales.

De todos modos, nada ni nadie puede quitarle imputabilidad y responsabilidad (incluso penal) a los actos que Jesús Madrid ha venido cometiendo desde hace al menos dos décadas, y que él mismo se vio forzado a reconocer ante un grupo de profesionales del Teléfono de la Esperanza[161]. Pero tanto o

161. En una reunión celebrada el día 23-11-92, de la que existe una grabación de dos horas (una copia de la cual está en

más responsables que él son las autoridades religiosas que, como es norma en este tipo de historias, encubren a machamartillo a los sacerdotes que protagonizan abusos sexuales.

Los documentos de que disponemos demuestran que todas las autoridades con posible competencia sobre este asunto conocen fehacientemente la veracidad y gravedad de estos hechos desde, al menos, principios de 1993, pero todos se han inhibido de actuar.

El obispo de Cartagena, monseñor Javier Azagra Labiano, aún está *meditando* si, tal como informó a un grupo de ex colaboradores del Teléfono de la Esperanza y denunciantes de estos hechos, suspender *a divinis* o no a Jesús Madrid, «el problema más grave de la diócesis», según este obispo que, por otros casos que conocemos, tiene ya una probada experiencia en proteger a los sacerdotes que vulneran el celibato en la región murciana.

Cuando la denuncia llegó hasta Pedro Hernández, provincial de los capuchinos (orden a la que pertenece Jesús Madrid), éste se limitó a hablar con Pedro Madrid —director nacional del Teléfono de la Esperanza— que le quitó importancia al asunto diciendo que los murcianos eran muy provincianos y que se asustaban por cualquier cosa y que él, en Madrid, también hacía ese tipo de *terapia* y no pasaba nada. La única acción manifiesta que ejerció Pedro

---

poder de este autor). Ese mismo día, en otra reunión del Departamento de Orientación Familiar, después de que la subdirectora M.ª Ángeles Jiménez presentase su dimisión —cosa que también hicieron a continuación medio centenar de los colaboradores más cualificados de la asociación—, Jesús Madrid reconoció así mismo la veracidad de los hechos imputados y pidió a todos que rezasen por él.

Hernández fue presionar a un periodista para evitar la publicación de la noticia sobre las denuncias que empezaban a circular contra su subordinado.

Tanto Pedro Madrid como todos y cada uno de los directores regionales y componentes de la Junta Directiva del Teléfono de la Esperanza (todos católicos y la mayoría de ellos religiosos o ex religiosos/as) han sido informados con detalle de las andanzas de Jesús Madrid —y de otros compinches que actúan de modo parecido—, pero se han limitado a ratificarle en su cargo[162] y a lanzar campañas difamatorias contra todos aquellos que le han denunciado.

También han recibido denuncias formales contra Jesús Madrid el Colegio Oficial de Psicólogos de Murcia (en abril de 1993); el director del Instituto Teológico de Murcia y de la Escuela Universitaria de Ciencias de la Familia, dirigida por franciscanos y donde Jesús Madrid Soriano aún imparte clases de terapia familiar... pero nadie ha movido ni un solo dedo para evitar que este sacerdote siga haciendo daño a más mujeres.

Actualmente, el Teléfono de la Esperanza ya no tiene apenas nada que ver con los objetivos que soñó su fundador, Serafín Madrid, ni con la bien merecida fama que se ha ganado durante años de ayuda a los demás. El caso de Jesús Madrid, visto con sentido global, no es más que una anécdota, y ni siquiera es la más representativa de lo que está sucediendo actualmente en esta asociación moldeada a la medida de las necesidades de los hermanos Madrid.

162. En la Asamblea General del *Teléfono de la Esperanza* celebrada en Madrid los días 16 y 17 de abril de 1994, se aprobó la gestión de la asociación durante el último quinquenio y, entre otros, se ratificó en sus respectivos cargos a los tres hermanos Madrid, Pedro, Ángel y, por supuesto, Jesús.

Lo reseñado hasta aquí evidencia también la existencia de rasgos inequívocamente sectarios —denunciados también por muchos de los críticos del Teléfono de la Esperanza mencionados en este capítulo— en la concepción estructural y funcional de esta organización supuestamente no lucrativa y de ayuda social.

El *modus operandi* de la asociación que dirige actualmente Jesús Madrid cumple en buena medida los diez puntos definitorios del sectarismo destructivo[163], al actuar como una organización totalitaria, sometida absolutamente a la voluntad del líder, que no permite la disensión interna, fomenta la adhesión y fidelidad absoluta al grupo/líder instaurando una dinámica maniquea respecto al resto de la sociedad ajena a ellos, emplea la manipulación emocional para intentar generar fuertes lazos de dependencia en sus asociados y, en muchos casos, lograr adeptos fanatizados y acríticos, mantiene una importante actividad proselitista con fines visiblemente económicos, dirigiendo sus cursillos más bien a la captación de recursos (humanos y económicos) que al servicio social que pretenden ser, etc.

En todo caso, hoy, en Murcia, una lujosa mansión de cuatro plantas, con sótano y jardín —situada en el número 8 de la calle Ricardo Zamora— que representa un auténtico derroche de dinero y confort —del que sabe también mucho Pedro Madrid—, difícil de casar con el espíritu asistencial que declara tener esta asociación, recuerda a muchas mujeres vejadas moral y sexualmente que los sacerdotes también

163. Cfr. Rodríguez, P. (1984). *Esclavos de un mesías (sectas y lavado de cerebro)*. Barcelona: Elfos, pp. 25-27. Rodríguez, P. (1989). *Op. cit.*, pp. 32-33. Y, también, Rodríguez, P. (1994). *Op. cit.*, pp. 23-26.

son hombres, aunque suelen gozar de una increíble impunidad a la hora de procurarse satisfacciones sexuales. El silencio cómplice protege sus actos. El miedo acalla a sus víctimas.

«Con la Iglesia hemos topado, amigo Sancho», le hizo exclamar Miguel de Cervantes, en 1605, a su Don Quijote. Hoy apenas nada ha cambiado en esta tierra de hidalgos hipócritas.

29

MANUEL SPÍNOLA, CUANDO LA LUJURIA *ATACA* DESDE EL MISMÍSIMO TRIBUNAL INTERDIOCESANO DE SEVILLA

A media mañana del día 6 de julio de 1992, Manuel Spínola Muñoz, de 66 años, oficial del Tribunal Eclesiástico de Sevilla desde 1953, se encontraba en la Secretaría del mismo tomándole declaración a María Asunción Gómez Fernández, una mujer joven que estaba tramitando la anulación canónica de su matrimonio; pero, según se dejó probado en la sentencia judicial[164] que le condenó tiempo después, Manuel Spínola tiene una forma muy peculiar de cumplir con su trabajo:

> Entre cada pregunta [Manuel Spínola Muñoz] le formulaba [a María Asunción Gómez] observaciones tales como «¡me gustas muchísimo, quién tuviera veinte años menos!», «que el

164. Cfr. Sentencia número 258 del Juzgado de lo Penal número 11 de Sevilla, fechada el 11-6-93, sobre la causa penal 86/93, dimanante del procedimiento abreviado 262/92 del Juzgado de Instrucción número 9 de la capital andaluza.

domingo pasado había estado en Matalascañas [playa] y había visto muchas tetas y que las picudas eran las que más le excitaban», «que se armaba muy pronto y hasta le dolía la cabeza del capullo», «que cuando de noche veía películas eróticas se hacía una paja, pero que le gustaría que se la hiciera una mano que no fuera la suya», «que simplemente con tocarle alguna parte de su cuerpo una mujer, podía llegar a correrse» y «que los pechos pequeños, como los de ella [de María Asunción], también le encantaban».

María Asunción Gómez —prosigue la sentencia ya citada— reiteradamente rogó al acusado que se abstuviera de dirigírsele en tales términos, calificándole de «guarro». Cuando María Asunción acabó su declaración y se dirigía hacia la puerta, abandonando el despacho donde se encontraba el acusado, éste se acercó a ella e intentó tocarle los pechos, lo que María Asunción logró evitar retirándole la mano, increpándole acto seguido sobre lo que pretendía hacer. La respuesta de Spínola fue que «si se hubiera dejado tocar el pecho y le hubiese tocado su pene, que ya tenía erecto, se habría corrido»; a lo que María Asunción replicó llamándole «cerdo», y «que si estaba tan caliente, que se fuera de putas».

Spínola manifestó a su vez que no le gustaba ese tipo de mujeres, y dado que el corazón de María Asunción pertenecía a otra persona [ella misma le había dicho que su novio la estaba esperando fuera de la sala], que le buscara una amiga dispuesta a tener ese tipo de relaciones. Seguidamente, cuando María Asunción procedía a salir de la oficina y Spínola intentaba convencerla para que no le denunciara, el acusado le dio una palmada en su trasero.

La chica, naturalmente, presentó una denuncia por las vejaciones sufridas en el Tribunal Eclesiástico. Un día después, el sacerdote Carlos Blanco Yenes, de 63 años, juez del citado Tribunal, llamó a su despacho a María Nieves Fernández, madre de María Asunción, para indicarle que debía «convencer a su hija para que retirara la denuncia [contra Spínola], alegando que no sólo le sería difícil que la creyeran al tratarse de versiones contradictorias y no existir testigos presenciales, sino que su postura le acarrearía problemas ante el Tribunal Eclesiástico y que ningún abogado iba a defenderla. Afirmando que probablemente no le concederían la nulidad».[165].

Al despedirse de la madre, según describe esta segunda sentencia, el sacerdote Carlos Blanco advirtió que María Asunción la estaba esperando, y no perdió ocasión de intimidarla diciéndole que «si no quitaba la denuncia no le darían la nulidad y le costaría mucho dinero, dado que no encontraría abogado de oficio, que tendría que pagarlo y que nadie iba a querer defenderla. Que los papeles no iban a salir, si no quitaba la denuncia, porque no iba a tener dinero para pagarlo».

Y la pobre mujer, en medio del disgusto de su madre, a quien sí había asustado la amenaza, harta ya de los curas, puso otra denuncia contra el padre Blanco.

165. Según se declara probado en la Sentencia número 23/94, del mismo Juzgado de lo Penal número 11 de Sevilla, fechada el 4-2-94, y relacionada con la misma causa penal 86/93 ya citada.

La vista oral contra Manuel Spínola sacó a relucir parte de la hipocresía, cinismo y mecanismos de poder que se mueven detrás de los Tribunales Eclesiásticos de la Iglesia Católica (sobradamente conocidos por la opinión pública a partir de las múltiples denuncias de sus corruptelas). En esta causa, a pesar de que el contrario era una *insignificante* mujer, y las penas que se barajaban eran ridículas, la Iglesia jugó las cartas más fuertes que pudo encontrar; estaba arriesgando su credibilidad si había condena... y la hubo.

Manuel Spínola fue defendido por el abogado Francisco Baena Bocanegra —letrado del Duque de Feria durante su famoso proceso por corrupción de menores—, un jurista tan influyente y caro como afín a los intereses de la Iglesia y de la oligarquía católica andaluza.

Baena Bocanegra —que meses después también defendería a Carlos Blanco, el segundo inculpado del Tribunal Eclesiástico— mostró perfectamente la calaña de su bando cuando, en la vista, pretendió usar contra la denunciante una copia del escrito de demanda de nulidad canónica de su ex marido, un documento secreto que no podía salir del Tribunal Eclesiástico, pero allí estaba.

Tampoco faltó en la sala de justicia Francisco Gil Delgado, presidente del Tribunal Eclesiástico, profesor de periodismo, articulista/moralista desde el periódico *ABC*, y conocido por el escasísimo interés que le merecen las mujeres, entre otras muchas cosas. El honorable sacerdote don Francisco Gil declaró haber estado presente en el momento de despedirse María Asunción y Manuel Spínola y negó que allí hubiese sucedido nada extraño.

Sin embargo, la declaración del padre Francisco

Gil Delgado fue tan peculiar, por llamarla de algún modo, que el magistrado, en su sentencia, después de valorar su actuación, concluye afirmando que «consecuentemente el juzgador, considerando que el testimonio prestado por Francisco Gil Delgado no obedece a la verdad, y pudiendo ser el mismo constitutivo de un delito de falso testimonio, previsto y penado en el artículo...», ordena remitir su testimonio al juzgado de Instrucción de Guardia.

Parecido razonamiento, e idéntica conclusión, le mereció al magistrado Francisco Gutiérrez López el papel desempeñado en la vista por María Esperanza Rus Rufino, letrada de oficio que el Tribunal Eclesiástico le había designado a María Asunción para el trámite de su causa de nulidad canónica. Las evidentes contradicciones y silencios de la abogada durante su interrogatorio dieron pábulo a pensar que sus intereses fueran antes los de los acusados —que eran claves para que ella pudiese seguir trabajando para el Tribunal de la Iglesia— que no los de su propia clienta.

En el acto del juicio también se demostró que el proceso de nulidad canónica de María Asunción se había paralizado completamente, y ello no suponía novedad alguna, ciertamente, aunque sí una notable canallada que podía representar una actuación presuntamente delictiva. El propio juez del Tribunal Eclesiástico, Carlos Blanco Yenes, cuando fue a declarar ante el juzgado, acusado de amenazar a María Asunción, lo había dicho bien claro: «quiero hacer constar que ahora nada más llegar al Tribunal Eclesiástico quiero solicitar al Presidente que, de momento, se pare la causa de nulidad ante las gravísimas acusaciones que se me imputan y hasta que éstas se aclaren». Efectivamente, como sacerdote de palabra, don Carlos Blanco cumplió su amenaza.

Finalmente, Manuel Spínola Muñoz fue condenado como autor de una falta de vejación injusta, contra María Asunción, a cinco días de arresto mayor y a pagar una indemnización de cien mil pesetas a su víctima.

La condena, mínima —aunque jurídicamente muy correcta—, no resultó dolorosa por su cuantía, sino porque dejaba establecido fehacientemente el comportamiento de los miembros del Tribunal Eclesiástico sevillano[166]. El caso de María Asunción, tal como conocen muchos —y muchas— en Sevilla, no es más que la punta de un iceberg.

El sacerdote Carlos Blanco Yenes fue también condenado; el Juzgado de lo Penal número 11 le consideró autor de un delito contra la Administración de Justicia —al haber intentado que la víctima retirase su denuncia contra Spínola— y le impuso una pena de cuatro años, dos meses y un día de prisión menor. Esta sentencia, en el momento de redactar este capítulo, está pendiente de ser revisada en apelación[167].

166. La Sección Tercera de la Audiencia Provincial de Sevilla, en su Sentencia número 348/93, fechada el 10-12-93, confirmó esta condena contra Manuel Spínola, aunque discrepó de algunos aspectos de la sentencia 258 original, y revocó algunas decisiones. A saber: no consideró suficientemente probado que Spínola intentase tocarle los pechos a su víctima, ni que le diera una palmada en las nalgas, pero sí declaró probadas todo el resto de sus actuaciones libidinosas, por lo que ratificó la pena impuesta. Tampoco estimó mala fe en las actuaciones de Francisco Gil Delgado y de María Esperanza Rus Rufino, por lo que ordenó que su comportamiento no fuese investigado por el Juzgado de Guardia.

167. En la Sala Séptima de lo Penal de la Audiencia Provincial de Sevilla, Rollo de apelación número 81/94-A.

La Iglesia Católica, paladín de la moral y de la justicia, con la aquiescencia del arzobispo de Sevilla Carlos Amigo Vallejo, sigue manteniendo actualmente en sus puestos del Tribunal Interdiocesano de Sevilla a todos los protagonistas de este escándalo.

30

SÁTIROS DE CONFESIONARIO

—Ave María purísima.

—Sin pecado concebida.

—Padre, ante todo quisiera decir que hace casi un mes que no me confieso. Pertenezco a una familia creyente y practicante. Con normalidad he asistido todos los domingos a la celebración de la misa confesando y comulgando, pero desde hace casi un mes tengo tan mala conciencia que apenas si duermo[168].

—¿Qué edad tienes, hija mía?

—Veintinueve años, padre.

—¿Estás casada?

—Sí, padre.

—¿A qué edad te casaste?

—Llevo tres años casada, padre. Me casé a los veintiséis años.

—¿Y cuál es tu problema?

168. Esta conversación pertenece a la grabación de una confesión real, efectuada en la catedral de Barcelona a finales de 1988, realizada por una buena amiga del autor, excelente periodista y escritora, durante el transcurso de un trabajo sobre confesionarios.

—Verá, padre. Hace aproximadamente un año que noté que mi marido se iba distanciando de mí. Al principio no quise darle importancia pero más tarde, cuando ya estaba realmente preocupada, le pedí que nos sentáramos a hablar y me confesó que salía con otras mujeres [la chica que se confiesa va a continuar su relato pero el cura la interrumpe, su voz ha cambiado radicalmente, está nervioso y alterado].

—¿Tu marido te penetra?

—Sí, padre.

—¿Te penetra por delante o por detrás?

—Por delante y por detrás, padre.

—Cuando te penetra por detrás, ¿notas si él tiene placer?

—Sí, padre, lo noto.

—¿Cuántas veces lo hace?

—Depende, padre.

—¿Cuatro o cinco veces a la semana?

—Sí, padre, normalmente casi cada día.

—Dime, hija mía, ¿también te hace hacer juegos con la boca?

—Sí, padre.

—Y tú, ¿has sentido su orgasmo en la boca?

—Sí, padre.

—¿Te ha gustado?

—Al principio me sentía mal, pero la verdad es que luego me gustó. Él me enseñaba y me ayudaba.

—¿Qué más te hace hacer?

—Verá, padre, es que en realidad mi problema empezó cuando al hablar con él me confesó que sólo sentía verdadero placer cuando hacía el acto sexual en grupo, ya que él llevaba practicándolo desde hacía tiempo a mis espaldas. Me dijo que si no lo seguía estaba dispuesto a dejarme. Yo, como estoy muy enamorada de él, no me atreví a decirle que no y acepté.

—¿Formáis grupos de cinco, seis o siete personas?

—No, padre; siempre somos dos parejas.

—Y los demás, ¿también te penetran por detrás?

—Sí, padre.

—¿Y tú sientes placer?

—Sí, padre.

—Hija mía, estás en pecado mortal y tienes que arrepentirte para volver a estar en paz con el Señor. Es imprescindible que hagas una confesión general y recuerdes todos los pecados pasados. Cuéntame, hija mía, cuando eras pequeña, ¿te tocabas con las manos, te masturbabas?

—Algunas veces, padre.

—Y tu mente, ¿qué pensaba mientras hacías estas cosas?

—A veces me imaginaba que algún chico me tocaba.

—¿Dónde imaginabas que te tocaban?

—Por todo el cuerpo, padre.

—¿Cuántos novios tuviste?

—De verdad, el que ahora es mi marido.

—Pero saldrías con otros chicos.

—Sí, padre.

—¿Os tocabais con las manos?

—Sí, padre.

—¿Acariciabas su pene?

—Sí, padre.

—Y tu marido, ¿llegó a penetrarte antes del matrimonio?

—No, padre. Sólo nos masturbábamos.

—¿Acariciabas su pene con la mano o con la boca?

—Sólo con la mano.

—Bien, hija mía. ¿Sabes que este hombre con el que estás casada es un cerdo vicioso, un cochino, el mismo demonio en persona?

—Es que yo le quiero, padre.

—Pero te vas a condenar porque con él siempre estás en pecado mortal.

—¿Qué debo hacer, padre?

—¡Dejarlo inmediatamente! Que se vaya, no te importe quedarte sola. Al menos estarás en paz con el Señor que es a quien, al final, tienes que rendir cuentas. Ahora estás en el acto sagrado de la confesión y si reconoces estar arrepentida debes dejarle inmediatamente. Este hombre sólo merece el infierno. Tú debes salvarte. ¿Estás verdaderamente arrepentida?

—Sí, padre.

—Si estás arrepentida te voy a dar la absolución y como penitencia rezarás tres padrenuestros diarios durante un mes.

En este diálogo confesional, habitual en muchas parroquias, especialmente en las que tienen sacerdotes mayores de sesenta años, se ve un claro ejemplo de cura morboso, libidinoso, obsceno y, a menudo, masturbador[169]. Pero también es un modelo clásico de sacerdote sumamente peligroso por los consejos irresponsables que, en general, da a sus feligreses.

Aunque una parte de los creyentes católicos saben pararles los pies a los sacerdotes sátiros como el

169. Son muchas las mujeres que refieren haber notado cómo el sacerdote se masturbaba, dentro del confesionario, mientras ellas respondían a las minuciosas preguntas que el cura les iba haciendo sobre su intimidad conyugal.

mencionado e ignoran sus lamentables consejos, lo cierto es que muchos miles de menores, jóvenes y, sobre todo, mujeres de escasa cultura o personalidad, son victimizados por curas desde sus confesionarios. Y es que el riesgo no lo representan solamente los sacerdotes lascivos, el propio acto de la confesión ya puede ser dañino por sí mismo.

En el acto de la confesión, tal como se realiza en el contexto católico, hay muchos más elementos de poder, abuso y control de las conciencias ajenas que de sacramento propiamente dicho. Una lamentable realidad que dimensiona fielmente el teólogo José Antonio Carmona cuando me comenta lo siguiente[170]:

«Yo tuve enormes problemas psicológicos confesando a los demás, ya que la forma en que se hace implica una intromisión ilegítima y descarada en sus vidas y conciencias, y genera conductas infantiles entre los creyentes. Dios no tiene nada que ver con los problemas psicológicos o escrúpulos personales de la gente, dificultades que, con suma frecuencia, se ven potenciadas y/o agravadas desde el mismo confesionario por los sacerdotes que usan su posición de poder para manejar las conciencias ajenas de forma enfermiza, inmadura o morbosamente interesada.

»La Iglesia Católica deforma el sentido evangélico y sacramental de la penitencia cuando la despoja de su original sentido comunitario y entiende el pecado como culpa en vez de hacerlo como una desviación de tu propia realidad humana. El día que fui consciente de todo esto me levanté del confesionario y ya no pude volver a confesar a nadie más.

170. En entrevista personal celebrada el día 7-10-94.

Me negué a seguir siendo partícipe de este abuso.»

Pero el confesionario católico no sólo es un instrumento de control y dominio ilícito de las conciencias ajenas, o una ventana privilegiada para las aficiones lascivas; desde el confesionario católico se disfruta de una plataforma inmejorable para poder seleccionar objetivos a los que hacer futuras propuestas de índole sexual.

El sacerdote, mediante la autoridad, protección e impunidad que le confiere el confesionario, puede explorar las conciencias, gustos, afinidades y necesidades de sus feligreses. Puede distinguir fácilmente los objetivos sexualmente abordables y lanzarse a ellos con más o menos habilidad, o maniobrar durante un tiempo para modificar actitudes de alguno de sus objetivos hasta introducir cambios que le acaben beneficiando sexualmente.

«Al cabo de cerca de un año de estar confesándome con don Juan —me contaba una enfermera católica practicante—, un día, de repente, descubrí que el muy sinvergüenza se me había estado trabajando para llevarme a la cama. Yo le había contado mi proceso de desavenencias conyugales, mi posterior separación y las carencias afectivo-sexuales por las que estaba atravesando, y él, en un gota a gota continuo, siempre me hablaba de lo importante que es tener un apoyo afectivo —"como el que yo te estoy dando, por ejemplo", me decía— y una sexualidad realizada.

»En ocasiones en que me encontraba especialmente mal, o frustrada o yo qué sé, iba a verle y lloraba de angustia; él me consolaba, me cogía de la mano, me la besaba, me decía que mi necesidad de encontrar una pareja y satisfacer mi sexualidad no era nada malo ni tampoco pecado, que era normal entre personas adultas. Cuando le hablaba de algún hombre que me gustaba un poco siempre le encontraba un montón de pegas. Y así fue la cosa hasta que, un día, cuando me estaba consolando de mi llorera, me pidió que fuera a verle más tarde, cuando hubiese acabado la misa.

»Me levanté muy agradecida y fui a verle, efectivamente, después de la eucaristía. Él se había vestido ya de calle, nos saludamos, cerró la puerta por dentro —"para que no nos moleste nadie", dijo—, se acercó a mí y casi sin mediar palabra me abrazó. A mí me sorprendió un poco pero le dejé hacer. Luego empezó a acariciarme el cabello y a besarme, y eso sí que me alarmó. Me aparté violentamente de él y le pregunté la razón de todo aquello. "Tú necesitas un hombre, y yo puedo darte todo lo que quieres porque te conozco y te deseo." Le llamé de todo y me marché de allí como alma que lleva el diablo. Fue tan grande el disgusto y la decepción que sufrí que hace unos cuatro años que no me he vuelto a confesar con nadie.»

Muy a menudo el sacerdote no puede controlar sus instintos y agrede sexualmente a la mujer en el mismo momento de la confesión. Adolescentes y chicas jóvenes son habituales víctimas de tocamientos y caricias eróticas más o menos directas por parte de su confesor.

La ya citada escritora, que grabó, entre otras muchas, la confesión que abre este capítulo, se topó también con un cura de esos de manotazo fácil. La grabación de la confesión que seguirá se realizó a finales de 1988, en la parroquia barcelonesa de la Puríssima Concepció, y el sacerdote que la protagonizó ya ha fallecido. La periodista adujo ser una mujer casada y tener un amante como motivo para su confesión.

—Cuéntame cómo empezó todo.

—Hace dos años. En una fiesta que organizaron unos amigos conocí a Pedro. Estuvo muy simpático conmigo y hablamos durante largo rato.

—¿Os fuisteis a la cama aquel día?

—No, padre. Al día siguiente él me llamó a casa y me invitó a tomar café. A mí me gustó enseguida y sólo pensaba en él.

—¿Y cuándo os acostasteis por primera vez?

—Fue una de tantas tardes que él me llamaba para salir y tomar algo. Me invitó a su apartamento. Dijo que era muy bonito y quería que yo lo viera. Yo accedí y allí empezamos a tener relación sexual.

—¿Fuiste tú quien le provocó?

—Él me cogió y me besó y yo no opuse resistencia porque me gustaba.

—¿Encontraste más placer con él que con tu marido?

—Sí, padre.

—¿Cuántas veces te hace el amor tu marido?

—Mi marido me quiere mucho y normalmente me hacía el amor a diario, pero desde que empecé a salir con mi amante yo le rechazaba con pretextos.

—El otro hombre, ¿te hace juegos amorosos que no te hacía tu marido?

—Sí, padre.

—¿Juega con la boca sobre tu sexo?

—Sí, padre.

—Y cuando eso ocurre, ¿tú sientes el placer máximo?

—Muchas veces sí, padre.

—¿Te dice palabras obscenas mientras te hace el amor?

—Algunas veces.

—¿Y tu marido no?

—No.

Hace escasos segundos —anota la periodista en funciones de feligresa en confesión— que el sacerdote ha empezado a acariciarme el cabello, después ha continuado por la cara y en estos momentos me acaricia el pecho por encima de mi blusa.

—Eres una mujer fogosa y te gusta que te toquen, ¿verdad?

—Sí, padre.

—No está bien de todas maneras que des rienda suelta a tus impulsos. El matrimonio es un sacramento sagrado y el sexo está bendecido por Dios con el fin de tener hijos...

Esta estructura de confesión es absolutamente normal y correcta desde la práctica católica, ya que las directrices oficiales de la Iglesia exigen que los confesores adquieran un conocimiento exacto de todas las circunstancias importantes que rodean a un pecado, para poder determinar así su calidad y valorar si se trata de un pecado venial o grave.

Sin embargo —al margen de lo falaz e ilícito que es de por sí este planteo—, los sacerdotes, agobiados por sus propios problemas sexuales, aprovechan estas ocasiones para *asociarse* al placer ajeno mediante la rememoración de todos y cada uno de los detalles de una historia sexual, y, al mismo tiempo, se aplican en obtener placer para sí mismos. Este modo de proceder es un abuso ilegítimo e indecente que no se da en ninguna religión del mundo, salvo en la Iglesia Católica.

En los casos que comentamos, la estructura de la confesión siempre es muy parecida: ante cualquier indicio sexual apuntado por una feligresa (o feligrés), el sacerdote comienza un interrogatorio en el que las preguntas van subiendo de tono hasta desbordar la curiosidad malsana y llegar a lo estrictamente obsceno. Es el cura quien lleva siempre la iniciativa y acota el campo y tono de las respuestas, dando así rienda suelta a sus propios deseos y fantasías sexuales, que, con frecuencia, le llevan a la masturbación, a manosear la *mercancía* pecadora —a fin de cuentas, ya el insigne santo Tomás, tan venerado por todo el clero, dejó establecido que la mujer es «un ser deficiente» y la esposa «un recipiente de los pecados y del placer»—, a proponerle relaciones sexuales a la feligresa, o a todo ello a la vez.

Tan frecuente es este comportamiento y tan privilegiada la posición del confesionario, que la propia Iglesia Católica, en su legislación canónica, tuvo que definir el pecado de solicitación y aparejarle serias penas para disuadir a los clérigos de su comisión. Se cae en solicitación, según el Derecho Canónico, cuando el sacerdote «quiere inducir al hijo espiritual, a propósito de la confesión, a cometer un pecado grave contra la castidad, o cuando mantiene con él conversaciones inmundas y no permitidas y se arregla con él».

Pero, si tuviesen que aplicar la pena de suspensión a todos los sacerdotes que cometen solicitación, los confesionarios sufrirían una notable epidemia de bajas.

Cuando uno tiene problemas de orden psicosexual parece más indicado acudir a un psicólogo o sexólogo que a un cura; pero, en cualquier caso, si se decide acudir al confesionario, no estará de más hacerlo con un magnetofón en el bolsillo, ya que ésta será la única prueba que permitirá demostrar, cuando haga falta, el comportamiento vergonzoso de cualquier sacerdote confesor.

Denunciar a un sacerdote sátiro ante su obispo, sin embargo, no sirve para nada, ya que éstos, como el resto de los curas que mantienen relaciones sexuales, siempre acaban gozando del encubrimiento eclesiástico. A lo sumo, pueden ser trasladados a otra parroquia.

PARTE VIII

LA MASTURBACIÓN Y LA PROSTITUCIÓN ENTRE EL CLERO

«Los clérigos superan en vergonzosa inmundicia a los laicos; practican sobre todo la impureza y el incesto; sobrepasan toda medida en voluptuosidad e indecencia; y todos nuestros prelados descansan en la carne.»

Cardenal Hugo de Saint Cher
(siglo XIII).

31

«CASTOS Y PUROS»... AUNQUE SEGUIDORES DE ONÁN

«Yo me masturbo siempre que tengo ganas —me comentaba, sin darle la menor importancia, un sacerdote barcelonés de 37 años—, pero no soy ninguna excepción ya que la práctica totalidad de los curas, de cualquier edad, lo hacemos. La diferencia entre unos y otros quizá no esté más que en el grado de culpa que uno puede sentir luego. Muchos compañeros se sienten muy mal por no poder evitar masturbarse; lo sé porque éste es un tema que se comenta de forma habitual tanto dentro como fuera de la confesión. Yo me considero un buen cura, y hasta hoy he guardado el celibato, nunca me he acostado con una mujer. Pero reconozco que algunas chicas hacen que me sienta excitado y, entonces, como mi cuerpo y mi sexo también son cosa de Dios, me masturbo y quedo en paz con el universo. No le hago mal a nadie y, aunque pueda sonar a disparate, después de masturbarme me siento más cerca de Dios y de su creación cuando rezo, ya que lo hago con una fuerza vital de la que carezco cuando estoy tenso y agobiado.»

La masturbación, tal como ya mencionamos en

la primera parte de este trabajo, es un tipo de satisfacción sexual que practica el 95 % de los sacerdotes católicos en activo. Es habitual también entre los religiosos, y cada día resulta más frecuente entre las religiosas. Tal como afirma el sacerdote Javier Garrido[171]:

«En algunos casos el despliegue afectivo de la persona célibe alcanza a integrar incluso la dimensión sexual, especialmente entre mujeres, sobre todo si el despliegue se vive con Jesús. De la afectividad a la ternura; de la ternura al deseo; y, en algunos casos, del deseo de unión al desahogo sexual. Sin buscarlo, como una invasión que arrastra a la persona entera en trance de amor (...) ¿Qué confesor, por ejemplo, no ha oído a alguna religiosa confesarse de celos porque Jesús es amado por otras?»

En el sacerdote, como en el resto de varones adolescentes o maduros de la población, la masturbación en solitario es una consecuencia lógica de la falta de relaciones sexuales y/o de su insuficiencia. Desde el punto de vista de la salud integral es una forma absolutamente inocua y lícita de procurarse placer, pero, desde la perspectiva de las necesidades afectivas, es un mecanismo sustitutorio especialmente pobre, que puede devenir problemático si se entroniza como la única actividad sexual de un sujeto determinado.

La preponderancia que tiene la masturbación solitaria entre el clero, al margen de ser el resultado lógico y directo de la imposición obligada del celibato, puede verse favorecida también por las situaciones conflictivas que, como ya vimos en su momento, atenazan a la mayoría de los sacerdotes: conflictos emo-

171. Cfr. Garrido, J. (1987). *Op. cit.*, p. 185.

cionales no resueltos, inmadurez psico-afectiva, síndromes obsesivo-compulsivos, inseguridad, aislamiento, ansiedad latente... o el propio despertar a la sexualidad —muy tardío en algunos curas—, al comenzar a relacionarse con más intimidad y afecto con otras personas (mujeres o varones, en función de sus tendencias sexuales).

A partir de la propia dinámica de crisis estructural que caracteriza a la Iglesia Católica actual, y que genera ansiedad, desánimo y frustración entre el clero, se llega también con frecuencia a la masturbación, a los hábitos autoeróticos, como única vía posible de compensación, como única expresión afectiva posible para alcanzar un poco de reconocimiento y de cariño hacia uno mismo.

Dada la importancia capital que se le da, durante la formación de los sacerdotes, al hecho de guardar *pureza* y castidad, no son pocos los clérigos neuróticos que viven sumidos en un círculo vicioso del tipo: masturbación/confesión/culpabilidad/pérdida de autoestima/ansiedad/masturbación... Pero a la mayoría de los sacerdotes la masturbación solitaria no les culpabiliza en absoluto, la ven como un desahogo normal y ni siquiera se confiesan de ella aunque, según las normas eclesiásticas, sea materia obligatoria de confesión.

A pesar de los anatemas que el clero lanza contra los laicos que se masturban, la posición interna de la Iglesia está cambiando mucho con respecto a la masturbación de sus sacerdotes y, así, aunque aún hay muchos confesores que culpabilizan y recomiendan la mortificación de los sentidos, cada día son más quienes contemplan el autoerotismo de los compañeros con indulgencia, como una necesidad de orden afectivo que no empaña el ejercicio sacerdotal.

En este sentido, afirma Javier Garrido, desde su amplia experiencia como formador se sacerdotes, que «lo que importa es saber que el compromiso celibatario tiene pleno sentido aunque uno se masturbe, si realmente se ha intentado ser auténtico en el discernimiento y en los medios. El sentido de la existencia no depende de los resultados, sino del significado último con que se vive. ¿Por qué escandalizarse en este tema cuando la existencia cristiana siempre se debate entre la realidad y el ideal?»[172].

A la práctica masturbatoria se la llama también onanismo, término derivado de Onán, hijo de Judá que, según el libro del Génesis, fue muerto por Dios a causa del *crimen* de derramar su semen en el suelo y no dentro de mujer[173].

Dado que la casi totalidad de los sacerdotes católicos son fieles discípulos de Onán, y que no han sido fulminados desde el cielo por ello, deberemos suponer también que Yavé, con el paso de los años, se volvió más comprensivo con los desahogos sexuales solitarios de su pueblo elegido. Es un alivio saberlo.

172. Cfr. Garrido, J. (1987). *Op. cit.*, p. 177.

173. «Entonces dijo Judá a Onán: "Entra en la mujer de tu hermano, y tómala, como cuñado que eres, para suscitar prole a tu hermano". Pero Onán, sabiendo que la prole no sería suya, cuando entraba a la mujer de su hermano se derramaba en tierra para no dar prole a su hermano. Era malo a los ojos de Yavé lo que hacía Onán, y le mató también a él» (*Gén.* 38,8-10).

32

LOS SACERDOTES (Y LOS OBISPOS) TAMBIÉN SON CLIENTES DE LA PROSTITUCIÓN

La tarde del lunes 24 de agosto de 1987 vino a verme a mi despacho una mujer llamada Carmen, de unos treinta años, que se identificó inmediatamente como una profesional de la prostitución de alto nivel. Se la veía nerviosa y fue directamente al asunto que la preocupaba:

«Estoy muy asustada y necesito que me ayudes; por el trabajo que hago comprenderás que no puedo recurrir a la policía y no sé qué hacer. Entre mis clientes tengo a un sacerdote; hace poco que viene conmigo, pero se ha encaprichado de mí y me ha amenazado con matarme si vuelvo a ir con otros hombres. El viernes pasado ya me pegó e intentó forzarme.»

A continuación, la chica me facilitó sobrados datos personales sobre el sacerdote —que comprobé, y corroboraron la veracidad de su historia— y me relató los hechos que la habían conducido hasta aquella situación. El sacerdote se llama Miguel S., tenía 60 años en ese momento, y, actualmente, después de una vida clerical azarosa y de su paso por diferentes parroquias, de las que siempre fue trasladado por su afición a las mujeres, es el párroco de un minúsculo pueblo situado en una comarca catalana del interior, donde, poco antes de escribir este capítulo, fui a verle para comprobar algunos datos sobre su actividad presente.

Por esos días, mosén Miguel presumía de tener varios millones de pesetas invertidos, pero el elevado ritmo de gastos que llevaba salía, en buena medida, de las rentas de un capital de ocho millones de pesetas que poseía Paquita S., su ama de llaves, que entonces estaba internada en un hospital a consecuencia de una embolia, y de cuyo dinero podía disponer a través de una cuenta conjunta. A pesar de que su vivienda parroquial es una casa nueva y muy bien equipada, mosén Miguel vivía —y vive aún— en un apartamento de su propiedad situado en segunda línea de mar de un pueblecito costero.

«Yo le conocí el miércoles 5 de agosto. Trabajo en el Club XXX[174] —allí mi nombre de *guerra* es Eva— y el cura era ya un cliente asiduo del local; se abre a las once de la mañana y a esa hora él ya está allí, va un rato al solarium y luego está [mantiene relaciones sexuales] con una o dos mujeres. El día anterior había estado con Raquel y se citó con ella para almorzar, así que yo me apunté con ellos. Fuimos a Can Costa, en la Barceloneta, y el hombre se gastó un *pastón*. Él, por ejemplo, no pide el vino por su

174. El Club XXX es un local que se anunciaba como especializado en intercambio de parejas, amor en grupo, *shows* eróticos, proyecciones pornográficas, etc., «sin profesionalidad» (pese a que todas las mujeres que había en él eran prostitutas profesionales).

marca sino por su precio, siempre pide el más caro que ve en la carta.

»El cura es un fulano duro, violento y agresivo. En la cama le gusta estar con dos mujeres a la vez, es muy vicioso y sádico, le gusta morder y que le muerdan, y no repara en gastos. Viene casi a diario y se deja cada vez entre veinte y cuarenta mil pesetas. Eso sin contar lo que se gasta en comidas y en regalos para las chicas; a mí, en los quince días que he salido con él, aparte del dinero de los servicios, me ha hecho regalos que valen más de 30.000 pesetas.

»El viernes pasado quedamos citados en un bar y luego, en su coche Talbot, fuimos a [ciudad] a sacar 20.000 pesetas de un cajero automático y subimos hasta el pueblo donde está su parroquia. Me la enseñó y entramos en su casa, que está pegada a la iglesia. Dentro, después de mostrarme varias joyas de oro —que eran muy buenas— de Paquita, su ama de llaves, me señaló los platos que había apilados sobre una mesa y dijo "Carmen, friégame los platos". Yo me negué, pero él me cogió de un brazo y empezó a hacerme mucho daño.

»"Lo que ganaste el lunes me lo tienes que dar a mí, porque yo te di cien mil pesetas para que no fueses a trabajar y tú fuiste", me dijo entonces. Y eso era cierto, pero le contesté que el dinero sólo era por estar con él durante el día, por las noches me iba a mi casa o a donde se me antojase. El cura se puso muy furioso y comenzó a gritarme que yo era una furcia, que estaba demasiado bien para que me disfrutaran otros hombres, que era una pecadora contra Dios, que esto lo tenía que pagar y que me lo iba a hacer pagar él.

»Me cogió por los brazos y me llevó a rastras hasta una habitación; una vez allí, me agarró del pelo y me tiró contra la cama, con la que me di un buen golpe en el costado, en las costillas. Acto seguido el cura me dio dos guantazos y, sentado encima de mí, sobre los riñones, me atizó dos correazos que me dejaron sin aliento. Entonces quiso forzarme, pero no lo logró.

»Cuando se tranquilizó le dije que iba a denunciarle, pero él me propuso que si no lo hacía me daría 200.000 pesetas y las joyas que me había enseñado. Pero, al no aceptar su oferta, el cura me amenazó: "como te pongas tonta te mato y te tiro a este pozo [uno que hay en la casa parroquial] donde nadie va a encontrarte. O, con los catorce millones que tengo, le pago a uno para que te mate y nadie va a saberlo".

»Me hizo subir a su coche y me llevó hasta Barcelona, pero me dejó tirada en el primer puente que hay en la entrada por la Diagonal. Después de darme doscientas pesetas "para un bocadillo", me amenazó de nuevo diciéndome: "cuidadito con ir a la comisaría, que yo te quito de en medio rápido". Yo estaba temblando, pero aún tuve ánimo para tomar la matrícula de su coche y apuntármela. Me fui a mi casa, pero él, según me contó mi compañera Raquel, se fue al club y se llevó a la cama a una argentina o chilena que trabaja allí.»

El Arzobispado de Barcelona conoce desde hace muchos años los hábitos sexuales y el carácter violento del sacerdote Miguel S., pero lo ha encubierto hasta el día de hoy.

Afortunadamente para las chicas del *oficio*, los sacerdotes que recurren a la prostitución no suelen ser de la calaña de mosén Miguel ni se comportan como él; por el contrario, el clero que acude a la prostitución está constituido por varones que no se atreven —o no saben, o no consiguen— a intentar *ligar* abiertamente con mujeres (u hombres), o que tienen los suficientes escrúpulos para evitar caer en la fácil tentación de abusar de alguna feligresa incauta o de algún menor.

Los sacerdotes de hoy buscan la discreción más absoluta cuando van de putas, y a menudo lo logran puesto que ningún elemento externo puede ya delatarlos. «Hace años —me comentaba una veterana dama del sexo tarifado— notábamos a un kilómetro a los clientes que eran curas: cuando llamaban a la puerta o se acercaban para acordar el precio, nunca se quitaban la boina ¡así no se les veía la tonsura de la coronilla! Los conocí que hasta hacían el acto [sexual] con la boina puesta.»

Sin embargo, hoy, como ayer, las putas con oficio afirman que siguen detectando a la mayoría de sus clientes curas y seminaristas por el sello inconfundible que, al parecer, les identifica en los menesteres sexuales. «Se les nota que son curas hasta en su forma de mear», me comentó, muy gráficamente, la encargada de un *puti-club* alicantino al que suelen ir sacerdotes de parroquias murcianas.

Más difíciles de detectar deben de ser los obispos y cardenales ya que éstos, aunque curas también, son pocos, disfrutan de más medios y están mucho mejor preparados para, de darse el caso, poder ejercer, sin tropiezos, la *pastoral* en situaciones delicadas. Pero, a veces —quizá porque sea cierto aquello de que el hombre propone pero Dios dispone—, las misiones de *pastoral* pueden derrumbarse escandalosamente por un inesperado fallo del corazón. El prestigioso cardenal jesuita francés Jean Danielou es un ejemplo perfecto para nuestra tesis.

Toda la prensa mundial del 23 de mayo de 1974 lloró la pérdida del cardenal Danielou, víctima de un infarto de miocardio, sufrido la noche anterior, cuando contaba 69 años. Jean Danielou era un sólido candidato *papable* a suceder a Paulo VI, gozaba de gran prestigio académico y, aunque había sido considerado un hombre progresista en la década de los años cuarenta, en sus últimos años se había alineado con el clero más tradicionalista.

Muchos creyeron que la razón de que su muerte, según los comunicados de prensa, sucediera indistintamente «en casa de unos amigos», «en plena calle», «subiendo las escaleras del apartamento de un enfermo» o «en la sacristía de Nôtre Dame», podía deberse al don de ubicuidad característico de algunos santos. Pero la verdad era muy ajena a la santidad, aunque no al éxtasis.

El buen cardenal Jean Danielou —a quien se llegó a glosar diciendo que «en el éxtasis del apóstol fue al encuentro del Dios viviente»— había infartado, efectivamente, pero lo había hecho en brazos de la rubia y espectacular Mimí Santoni, de 24 años, famosa bailarina de *strip-tease* en un cabaret parisino.

Inmediatamente después del deceso, en el apartamento de Mimí se personaron el comisario de policía de París, el padre Costa, superior de los jesuitas de la capital francesa, y el nuncio apostólico Egano Righi-Lambertini. Todos pactaron silencio absoluto sobre lo sucedido y, para no despertar sospechas, mandaron a la bella Mimí a trabajar al cabaret.

Cuando el semanario *Le Canard Enchainé* comenzó a publicar la verdad sobre la muerte del cardenal, se supo también que todos los directores de la prensa *seria* francesa habían aceptado ocultar la realidad bajo presiones, y que la policía hacía ya seis años que tenía informes detallados sobre los desahogos del cardenal (y de los que habían sido puntualmente advertidos el padre Arrupe, Prepósito General de la Compañía de Jesús, y el cardenal Villot, secretario de Estado vaticano).

El episcopado francés intentó zanjar el asunto convirtiendo la visita a Mimí en un acto de pastoral del cardenal Danielou, pero resultaba ridículo creer que un prelado pudiese practicar confesiones nocturnas y a domicilio a una reconocida pecadora pública. Y tampoco favorecía esta tesis el fajo de billetes con que el prelado había acudido a su última cita terrenal con la fogosa cabaretera. Los taxis, en París, no son tan caros, ni aun de noche.

De una rectoría a un burdel quizá no haya tanta distancia como el común de la gente cree. Manuela, 63 años, valenciana, retirada ya de su oficio de prostituta, al que llegó desde el convento en el que antes había sido monja, aportó un punto de vista interesante cuando afirmó: «*T'ho jure; no recorde com vaig passar de monja a puta. Imagine que vaig perdre la pista de Déu*»*.

Quizá sea a causa de estar buscando esa «pista de Dios», desde un cuerpo y un espíritu demasiado reprimido y dolorido, que muchos clérigos acaban por llegar hasta el tálamo expiatorio de las prostitutas. La propia Iglesia Católica no les ha dejado otra vía que ésta.

* [Te lo juro; no recuerdo cómo pasé de monja a puta. Imagino que debí perder la pista de Dios.]

PARTE IX

AMORES OCULTOS, AFECTOS DE CONTRABANDO

«Los sacerdotes están obligados a guardar castidad, de tal manera que, si pecan contra ella, son también reos de sacrilegio.»

Canon núm. 132.1 del *Código de Derecho Canónico.*

33

EL DRAMA SILENCIOSO DE LAS MUJERES QUE MANTIENEN RELACIONES AMOROSAS CON UN SACERDOTE

—Tengo un hijo en camino y quiero secularizarme —le pidió un sacerdote a Ramón Malla Call, obispo de Lérida.

—No te preocupes —le contestó el obispo Malla—, esto son cosas de la miseria humana, pero no tienes que dejar el sacerdocio por ello...

—¡No! Si yo tengo mucha ilusión por participar en la concepción de una nueva vida y deseo secularizarme —le insistió el sacerdote.

—Buscaremos una solución —atajó monseñor Ramón Malla—, la recluiremos [a Lourdes, la novia del sacerdote que estaba embarazada] en unas monjas de Valencia y que tenga el hijo allí[175]. Y si no

175. Lo habitual en estos casos es que el hijo quede en poder de las monjas y que éstas lo *negocien* —eso es, vendan— en el lucrativo mercado de las adopciones irregulares. En otra investigación de este autor [Cfr. Rodríguez, P. (1993). *El drama del menor en España*. Barcelona: Ediciones B., pp. 205-217] se documenta este tipo de tráfico ilícito de bebés en el que está proba-

quiere hacerlo, pues tanto peor para ella, pero tú no te salgas de cura. Yo no puedo decirte que la hagas abortar, pero ¡ojalá Dios le produzca el aborto de forma natural!

El sacerdote, anonadado, sin poder dar crédito a lo que le ofrecía su obispo, y profundamente ofendido e irritado, insistió en su secularización y cargó a la conciencia del prelado la posibilidad de que él perdiera la fe en la Iglesia después de haber escuchado su hipócrita propuesta. En ese momento, monseñor Ramón Malla le hizo jurar silencio para siempre sobre la conversación que acababan de mantener y le prometió tramitar rápidamente su secularización.

Casos como éste son bastante frecuentes entre el clero, y las propuestas de *solución* de los obispos siempre son muy parecidas: abandonar a la mujer (aún embarazada o después del parto), trasladarse a una diócesis lejana o «de misiones a América», etc.; casi cualquier cosa es recomendable con tal de no abandonar el sacerdocio. En los casi treinta casos similares que he conocido, correspondientes a las tres últimas décadas, los obispos se han manifestado siempre, invariablemente, con idéntica hipocresía y desprecio hacia la mujer.

Los sacerdotes implicados, en cambio, han actuado en función de su propia personalidad: unos se han secularizado y casado sin dudarlo; otros huyeron de su novia pero regresaron con ella y se casaron tan pronto como fueron conscientes del disparate que les había hecho cometer su obispo; y otros más, en fin, quizá los más débiles, inmaduros, sinvergüenzas o dependientes de la Iglesia, optaron por

---

da, y hasta reconocida por la propia ONU, la participación habitual de monjas y sacerdotes españoles.

poner tierra de por medio entre su sotana y la mujer que habían embarazado.

La mujer, mírese por donde se mire, siempre acaba siendo la víctima en sus relaciones con el clero. Se la explota en el ámbito laboral —a las religiosas en primer lugar— y en el sexual. Se la utiliza como un *consolador* afectivo-sexual de usar y tirar, que puede abandonarse en el momento que se desee o precise.

De todos modos, siendo traumáticas las experiencias en que una mujer resulta abandonada por el sacerdote que había sido su amante, no son menos duras las circunstancias en las que suelen vivir las mujeres que mantienen aún una relación amorosa estable con algún sacerdote en activo. El testimonio que seguirá, de M.ª Eugenia G., una enfermera de 42 años, describe perfectamente la situación en la que están —han estado y estarán— cientos de mujeres de cualquier país donde actúe el clero católico.

«Cuando Julián me dijo que estaba enamorado de mí yo me escandalicé —me confesaba M.ª Eugenia G.[176]—; él me agradaba e incluso le admiraba por el trabajo que hacía con los jóvenes del barrio... ¡pero era un sacerdote! ¿Cómo iba yo a liarme entonces, a mis 34 años, con el padre Julián? Pero él se puso muy insistente y acabó por responsabilizarme de su ruina como hombre y sacerdote si yo no le ayudaba. Me dijo que estaba dispuesto a colgar los hábitos y a renegar de la Iglesia si yo no le daba mi apoyo afectivo.

»Anduvimos con tiras y aflojas durante cosa de un mes o dos, hasta que, finalmente, como le veía cada día en peor estado y más obsesionado por mí,

176. En entrevista personal celebrada el día 23-9-94.

decidí acercarme a él como mujer y no como feligresa. Poco a poco fui descubriendo a un hombre muy atrayente, pero profundamente amargado, frustrado y confuso. Era como un niño que necesitaba cuidados, pero también un hombre que me hacía sentir bien a su lado y que me contaba cosas que me interesaban.

»Unos meses después ya me había enamorado de él y sólo entonces accedí por primera vez a sus deseos de llevarme a la cama. Fue un desastre en todos los sentidos; él se olvidó de que yo era un ser humano y me trató como un simple objeto sexual. Nunca me había sentido tan humillada por un hombre, pero pensé que, como sacerdote, nunca había tenido la posibilidad de formarse en esta materia. Así que decidí seguir la relación con él como si nada hubiese pasado. Con el tiempo mejoró un poco, pero nunca ha logrado superar su egoísmo ni una especie de actitud violenta que, aunque jamás me ha dañado, me asusta un poco. Pero Julián nunca ha querido ir a ver a un psiquiatra: "¿No te das cuenta de que soy un sacerdote?, me dice cuando se lo pido, ¿cómo le puedo explicar yo a un médico que me estoy acostando con una mujer?"

»A los cuatro años de relación a mí ya se me hizo insoportable el hecho de tener que vernos siempre a escondidas, de actuar como si fuésemos dos delincuentes, y le dije que o nos casábamos o acababa todo. Julián se lo tomó muy mal y me repitió millones de veces que él no podía ser otra cosa que sacerdote, que a sus 45 años no tenía ningún título académico, ni formación o experiencia para ganarse la vida fuera de la Iglesia. Era como un león enjaulado. Me quería y me deseaba a mí, pero había hipotecado su vida, todo lo que era y podía llegar a ser, a la Iglesia. ¡Qué monstruosidad! ¿Por qué no puede casarse un sacerdote? ¿Qué tiene de incompatible el ser cabeza de una parroquia y de una familia al mismo tiempo? ¿Cómo es posible que la Iglesia en la que creo sea capaz de destruir así a la gente, de dañar tanto a sus sacerdotes y a quienes les queremos y respetamos?

»No teníamos opción. Julián me dijo que si yo le dejaba se daría a la bebida o se suicidaría, que sin mí la vida no tenía sentido, pero que no podría salirse jamás de cura ya que la vida fuera de la Iglesia le daba pánico. Así que, siendo yo mucho más fuerte que él, decidí continuar con la vida clandestina a la que el Papa nos condenaba por mantener leyes absurdas como esta del celibato obligatorio.

»Hoy han pasado cuatro años más y yo ya me encuentro al límite de mi resistencia. Estoy en tratamiento con un psicólogo para intentar superar la ansiedad y la depresión que nuestra situación me produce. No soporto más que mi pareja, la persona que yo quiero, sea un fantasma en mi vida; necesito poder contar con él tal como hace cualquier otra mujer con su marido, pero él está casado con la Iglesia, que no le da ni un maldito gramo de amor, y a mí, que soy todo su mundo afectivo, no me dejan ser más que una especie de puta sacrílega. ¡Es terrible! [en este momento de la entrevista M.ª Eugenia estalla en llanto]... ¡Es inhumano!

»El obispo sabe que él se acuesta conmigo, ¿y sabes qué le dijo? Pues: "Julián, si no puedes evitarlo, al menos no des nunca motivos para el escándalo." Y se llaman a sí mismos hombres de Dios, ¿de qué Dios? Yo sigo queriendo a Julián, pero él me pide que sacrifique mi vida a cambio de nada. Ya he renunciado a tener hijos, ¿qué más quiere de mí la

Iglesia? Yo no he hecho nada malo, son ellos los malvados, pero sólo es a mí a quien toca sufrir. A los obispos se les llena la boca hablando del amor y de la familia, pero mienten; ellos, todos ellos, ignoran qué es el amor y, como odian a la mujer, detestan también a la familia. ¿Por qué son tan crueles e injustos?»

La pregunta final de M.ª Eugenia ya ha quedado sobradamente contestada a lo largo de este libro, pero no estará de más anotar o recordar algunas características específicas de la mentalidad prelaticia. Así, a pesar de su posición oficial, a la jerarquía católica, en realidad, no le preocupa excesivamente que los sacerdotes mantengan relaciones sexuales, que se masturben o que «vayan de putas»; lo que sí les obsesiona y les saca de quicio es que se establezcan lazos de relación afectivo-sexuales estables con una misma mujer.

A los prelados les horroriza que un sacerdote llegue a tener una compañera afectiva y sexual estable por dos razones básicas: 1) porque esa relación de pareja con una compañera —o compañero— ayuda a madurar y fortalecer la personalidad del sacerdote y le hace más independiente y seguro de sí mismo, y menos neurótico y sumiso, por lo que resulta más difícilmente manipulable desde la jerarquía. Y, 2) porque la Iglesia Católica, desde san Agustín de Hipona (354-430), ha mantenido una visión maniquea y profundamente negativa de la mujer.

San Agustín, padre de la Iglesia —y de los teólogos— al que la Iglesia Católica ha mitificado —inmerecidamente— como un pensador de sabiduría extraordinaria, no pasó de ser una personalidad muy inteligente —pero de insuficiente formación intelectual y falto de rigor y método—, profundamente ambiciosa, egocéntrica, autoritaria, violenta y con una tremenda habilidad para imponer sus criterios mediante la polémica (y el desprestigio y/o la eliminación de sus oponentes cuando no lograba vencerles de otro modo).

Vivió sometido a una gran culpabilidad religioso-existencial y, en buena parte de su obra, logró hacer pasar por filosofía lo que no era más que teología de escaso o nulo fundamento. Su contemporáneo Juliano, el docto obispo de Aeclanum, llamaba a san Agustín *patronus asinorum* (patrono de todos los asnos). Y la autoridad actual e indiscutible del filósofo José María Valverde no deja de señalar «el patético dramatismo confesional»[177] que anima su pensamiento y obra.

San Agustín, que, según él mismo confesó, «en la lascivia y en la prostitución había gastado sus fuerzas», siempre tuvo una gran necesidad de mujeres; vivió mucho tiempo en concubinato, tomó luego por novia a una niña de 10 años[178] y, al mismo tiempo, a una amante más adulta... hasta que, agobiado por la culpa de sus excesos carnales, inició una cruzada contra el placer sexual, al que tildó de «monstruoso», «diabólico», «enfermedad», «locura», «podredumbre», «pus nauseabundo»... y condenó fanáticamente lo que definió como «la concupiscencia en el matrimonio».

En esta cruzada emprendida por el obispo de Hipona, la mujer, evidentemente, fue señalada como

177. Cfr. Valverde, J.M. (1980). *Vida y muerte de las ideas*. Barcelona: Planeta, p. 60.

178. Novia y no esposa ya que las mujeres, en la época, no podían casarse legalmente hasta haber cumplido los 12 años.

el ser maldito y despreciable contra el que hay que luchar para poder domeñar y vencer. Y esta impronta patológica quedó grabada a fuego, hasta el día de hoy, en el espíritu teológico y vital de la Iglesia Católica y de sus clérigos.

Desde la satanización de la mujer por san Agustín, y dado que el clero no rebajó nunca su nivel de relaciones sexuales, la Iglesia adoptó la costumbre de condenar más severamente a la mujer concubina de un sacerdote que al clérigo que se acostaba con ella. Éste, a lo sumo, era obligado a pagar algún dinero a su obispo (la ya citada *renta de putas*), pero ellas eran castigadas dura y públicamente. Así, por ejemplo, el Concilio de Augsburgo (952) decretó que las concubinas de sacerdotes fueran azotadas y que se les cortaran los cabellos. Y decretos posteriores llevaron a declarar como esclavas a las esposas de los sacerdotes[179], al uso de la ofensa pública contra ellas o a su expulsión del domicilio conyugal mediante la fuerza del poder civil, a la prohibición de casarse con la hija de un clérigo...

En la sociedad actual —mal que les pese a algunos obispos— la mujer ya no puede ser azotada en la plaza pública, pero el desprecio que los prelados —y muchos sacerdotes, sobre todo los de más edad— sienten por ellas no ha cambiado en muchos siglos, aunque, eso sí, las formas para humillarlas y explotarlas laboral y sexualmente se han vuelto mucho más discretas.

Para la mentalidad clerical dominante, la mujer, en su aspecto afectivo-sexual, representa siempre un

179. Así lo ordenó, por ejemplo, el papa León IX (1049-1054), que promulgó que las esposas de los sacerdotes fuesen entregadas como esclavas a la iglesia romana de Letrán.

estorbo que debe intentar superarse. Y ello es así aún en la mayoría de los casos de sacerdotes que mantienen habitualmente relaciones sexuales con mujeres.

Tal como ha quedado patente en la práctica totalidad de los testimonios incluidos en este libro, los sacerdotes (y me refiero a los que no se secularizan ni se casan) suelen usar a sus amantes femeninas como simples objetos de desahogo sexual, y no tienen el menor empacho en echarlas de su lado cuando éstas les «complican la vida», o la fogosidad sexual del clérigo ya ha sido mermada por la edad, y/o la aventura *amorosa* les pone en riesgo de perder los privilegios (básicamente económicos) de su posición eclesial.

«He sido la *querida* de un sacerdote desde 1987 hasta hace unos pocos meses —me contaba Juana F., una maestra de 47 años, separada de su marido desde tiempo antes de esa fecha[180]—. Cuando nos conocimos, en el colegio donde ambos trabajamos, él tenía 50 años y yo 39, los dos nos sentíamos solos y necesitábamos cariño. En estos últimos siete años nos hemos apoyado el uno al otro, pero en marzo pasado me dijo que lo nuestro había terminado, que él ya no necesitaba el sexo como antes y deseaba volver a respetar su voto de celibato y ser un sacerdote como Dios manda.

»Pero, eso sí, antes de dejarme tirada como una colilla, me agradeció muchísimo el amor que yo le había dado y me dijo que rezaría por mí para que pudiese encontrar a un hombre bueno que me satisficiese. Me quedé petrificada y, cuando reaccioné, me largué de la cafetería donde estábamos sin decirle

180. En entrevista personal celebrada el día 30-6-94.

ni mú. Pude contener el llanto hasta que llegué a mi coche y allí dejé salir toda mi impotencia.

»Nunca creí que Paco pudiese utilizarme así. Conocía el caso de una compañera, maestra también, a quien otro sacerdote dejó plantada, después de dieciséis años de relaciones muy intensas, cuando el superior de su orden le puso ante la disyuntiva de tener que elegir entre ella y la posibilidad de poder seguir o no en la comunidad. "Yo ya no tengo edad para verme tirado en la calle sin nada —le dijo a mi compañera— así que dejemos de jugar a los amantes y volvamos cada uno a lo nuestro." Dejemos de jugar a los amantes, le dijo el muy cínico... Yo sabía de este caso y había oído hablar de otros parecidos (hay bastantes maestras —monjas y laicas— que están liadas con sacerdotes), pero nunca se me pasó por la cabeza que esa canallada pudiese pasarme a mí también.»

Estas «canalladas», tal como las califica Juana, son norma entre los sacerdotes, y la razón de ello, al margen de los problemas de personalidad habituales entre el clero y que ya vimos en el capítulo 5, la evidencia el teólogo Hubertus Mynarek cuando afirma que:

«Dentro del marco de su formación teológica y ascético-espiritual, la mayoría de los sacerdotes deben de haber escuchado más de una vez las palabras en las que se les dice que, en caso de enamorarse de una mujer, el amor y la fidelidad a la Iglesia, como esposa de Cristo, tienen preferencia absoluta. En consecuencia, debe considerarse como el más noble de los sacrificios el liberar a la mujer (dicho de modo realista: dejarla en la estacada) para poder servir de nuevo a Dios y a su Iglesia sin dividir el amor[181].»

El cinismo eclesial y el desprecio por la mujer

181. Cfr. Mynarek, H. (1979). *Op. cit.*, pp. 62-63

como ser humano no pudo dejar de expresarse tampoco a través de la fundamental y tantas veces citada encíclica de Paulo VI, *Sacerdotalis Coelibatus*, en la que el Papa afirma no querer «desaprovechar la ocasión de dar gracias a Dios, con gran alegría, por el hecho de que Nos observamos cómo algunos de los que han sido infieles durante algún tiempo, se han servido tan ávidamente de todos los apropiados medios de ayuda —y sobre todo del mandamiento de la mortificación, del ejercicio de la humillación, de la dura lucha espiritual y del frecuente uso del sacramento de la confesión—, como para que, con la gracia del Santo Padre, regresen a su puesto volviendo a ser ejemplares servidores para alegría de todos (núm. 90)».

Los sacerdotes «infieles», es decir, sacrílegos según el derecho canónico —que Paulo VI señala en esta encíclica como «aquellos desgraciados pero, por encima de todo, queridos hermanos»— adquieren así toda la fuerza del amparo y perdón de una institución visceralmente machista y que trata con malevolencia a la mujer. Entre el clero se tiene por hombres virtuosos, poco menos que héroes, a aquellos sinvergüenzas que, después de haber mantenido una relación afectivo-sexual (más o menos prolongada y/o sincera) con una mujer, e incluso de haber tenido hijos con ella, la abandonan fríamente para ir corriendo a refugiarse de nuevo en los brazos exclusivos de la Santa Madre Iglesia.

Y de la mujer abandonada y humillada nadie se preocupa ni se ocupa, ¡que la zurzan! Habitualmente, la máxima *caridad cristiana* que tiene la jerarquía católica para con ella es pedirle que rece por sí misma y por el sacerdote que la ha dejado, que se arrepienta de su largo y profundo pecado de sacrilegio y que tenga la boca bien cerrada, «en beneficio de la Iglesia y del pueblo de Dios», sobre su historia sexual con el clérigo.

Sin embargo, en ocasiones, el silencio cómplice tiene un límite y se desata el escándalo público. Uno de los más notables escándalos de la Iglesia Católica europea actual fue el que, en mayo de 1992, forzó la dimisión de Eamonn Casey, obispo de la diócesis irlandesa de Galway.

El muy conservador obispo Casey —que, entre otras posturas tradicionales católicas, defendía el celibato sacerdotal y era contrario al divorcio y los anticonceptivos— mantuvo un intenso romance, en 1973, durante 18 meses, con Annie Murphy, una norteamericana recién divorciada. De aquellos amoríos nació un niño, Peter, en el hospital Rotunda de Dublín.

A partir de ese momento el obispo ya no admitió a su amante en su casa y la obligó a alojarse en un hogar católico para madres solteras. Annie tuvo que amenazar a Casey con provocar un escándalo para lograr que el obispo aceptara hacerse cargo de la manutención de su hijo. Desde entonces, el prelado pagó 175 dólares mensuales a su ex amante y, en julio de 1990, le entregó un pago adicional de casi doce millones de pesetas, extraídas de la cuenta corriente diocesana por orden suya.

Posteriores desavenencias económicas, y la negativa de Casey a hablar con su hijo por teléfono, espolearon a Annie Murphy a hacer pública la relación entre ambos. La rápida dimisión del obispo satisfizo a su ex amante. «Él me hirió cruelmente hace 17 años —dijo—, y he tenido que soportar esta herida durante mucho tiempo.» El hijo de ambos, Peter Eamonn Murphy, que conocía la identidad de su padre desde los 9 años, tampoco mostró demasiada lástima hacia su progenitor, al que había visto por primera vez en el año 1990: «permanecimos juntos sólo cuatro minutos —comentó Peter—. Estaba frío y distante. Me dijo que rezaba por mí dos veces cada día».

Cuando, por fin, el obispo Casey hizo pública una nota en la que, tras empezar diciendo «reconozco que Peter Murphy es mi hijo», admitía también haber «dañado cruelmente» a su hijo y a su ex amante, su familia *laica* abandonó totalmente su postura agresiva hacia él. «No tengo palabras —manifestó Peter—. Es increíble. No puedo pedir más. Está claro que admite sus errores. Lo que deseo ahora es reunirme con él. Creo que todo ha valido la pena.»

En medio del escándalo, un párroco irlandés, Pat Buckley, se atrevió a declarar en un programa religioso de la BBC que «la tragedia del obispo de Galway está lejos de ser la única» y afirmó conocer a «un obispo y docenas de sacerdotes que siguen en sus puestos, aunque mantienen relaciones con mujeres».

«Sé que existe un arreglo —aseguró el padre Buckley—, y si un cura tiene un hijo, pero quiere seguir en el sacerdocio, el obispo y la diócesis financian, hasta cierto punto, la manutención de la madre y el niño; normalmente, las condiciones son que el cura no vea nunca más a la mujer y emigre al extranjero. Hay fondos para todo esto, aunque son secretos y extraoficiales[182].»

182. Cfr. González, E. (1992, mayo 12). Un párroco irlandés dice que la Iglesia tiene fondos secretos para mantener a hijos de curas. *El País*, p. 28.

Tal declaración no debe suponer sorpresa alguna. De hecho, aunque no existen fondos secretos específicos como tales, todos los prelados del mundo pueden disponer arbitrariamente de notables sumas de dinero procedentes de los fondos diocesanos y, en particular, de las partidas destinadas a beneficencia y ayudas sociales.

Con ese dinero, los obispos cubren los gastos necesarios para ocultar de la mejor forma posible los asuntos sexuales de sus sacerdotes y, cuando no les queda más remedio —es decir, cuando la amante de un cura así lo exige, y tiene suficiente capacidad y pruebas para amenazar con el escándalo, y sólo entonces— les sirve también para pagar pensiones de manutención a los hijos del clero.

Por el contrario, los sacerdotes consecuentes y honestos que asumen su situación afectiva, solicitan la dispensa de los votos y se secularizan para casarse, son vistos por la Iglesia como «desertores» y «traidores».

La propia *Sacerdotalis Coelibatus* de Paulo VI estigmatiza sin piedad a los sacerdotes secularizados al señalar que sólo son muy pocos «en comparación con el gran número de sacerdotes psíquicamente sanos y dignos», es decir, que el clero que no actúa de forma hipócrita y malvada está mentalmente enfermo y es despreciable. El cinismo vaticano es patético. De todas formas, dicho sea para arrojar más luz, los buenos conocedores de la curia vaticana saben que el desprecio que sentía Paulo VI por las mujeres sólo tenía parangón con su amor hacia los hombres.

Esta concepción de «enfermo mental» se le aplicó —entre los muchos casos que podrían citarse— a Alfonso Fernández Herranz, párroco de Nuestra Señora de la Paz, en el madrileño pueblo de Parla, cuando fue a comunicarle a Francisco José Pérez y Fernández-Golfín, entonces obispo auxiliar de Madrid-Alcalá y actualmente obispo de Getafe, que se había enamorado de una mujer, y por toda respuesta obtuvo una indicación directa para ir a la consulta de un psiquiatra.

«Mi amistad con Susana —relató Alfonso Fernández— había surgido como algo natural, porque yo no vi ningún impedimento en ello para seguir siendo cura. La obligación del celibato nunca se acaba de asumir; se viven muchas tensiones internas porque, aunque puedes expresar el cariño a todas las personas, siempre te queda un enorme vacío y una soledad muy fuerte. Cuando me enamoré de Susana yo me encontraba en una situación mala, de mucha soledad y amargura. Había domingos en que me quedaba en la parroquia solo, con una *depre* muy grande y me daba por llorar. La amistad con Susana me sirvió de cauce para expresar mi afecto y compartir mis preocupaciones con alguien. Por eso me extrañó que el obispo me dijera que me fuera al psiquiatra.

»Argumentan que has dado una palabra de ser célibe y que plantear este problema significa que no tienes la madurez humana suficiente para mantener esa palabra. Cuando acepté el celibato era consciente de lo que hacía, pero sólo tenía 19 años y desconocía muchas cosas de mí. No lo tenía todo tan claro como para decir que la palabra «celibato» me definía como persona. La vida ha transcurrido por otros cauces y para dejar que crezca esta amistad tengo que poner en juego toda mi persona. Pedí la dispensa y me contestaron con castigos. Me echaron de la parroquia y me quitaron las clases [de religión] cuando me negué a abandonar el pueblo para no ser un mal ejemplo ante la gente. Por el contrario, la gente lo que ha encontrado escandaloso es que se me castigue de esta manera, pues yo lo único que he hecho es enamorarme de Susana.»

Desde la otra parte, la de la mujer, la relación afectiva con un sacerdote nunca suele resultar fácil. Deben sortearse muchos temores, culpas e inseguridades antes de poder asumir que el amor que está naciendo entre ambos es perfectamente lícito, saludable y deseable.

«Comprender que me había enamorado de un hombre que es sacerdote —confesaba Susana, la novia de Alfonso Fernández Herranz— fue algo muy difícil. En un principio lo tomé como un pecado y en mis oraciones pedía perdón. Quería negar mis sentimientos, pero era algo que me surgía. Cuando finalmente comprendí que no tenía que culpabilizarme, el conflicto surgió en que no podía decirle nada, ni coaccionar su libertad. Decidí que no me importaba ser también célibe y seguir junto a él como amiga y compañera, haciendo los trabajos [en la parroquia] con la gente. Después llegó un momento en que, simplemente, tuve que optar. Le comuniqué mis sentimientos, y nos dimos cuenta de que ambos estábamos enamorados uno del otro.»

En algunos casos, es tanta la tensión y el sufrimiento acumulados por la *novia* de un sacerdote durante su relación que, cuando se casan, finalmente, la mujer ha llegado a despreciar tanto el *paréntesis* —así denominan muchos curas secularizados a su época ministerial— que no quieren ni oír hablar de esos días. Por idéntico motivo, hay también sacerdotes que esconden su pasado como clérigos hasta a sus propios hijos.

La mujer que mantiene relaciones amorosas con un cura acaba por recibir presiones e incomprensiones por parte de todo el mundo. Para algunas personas de su comunidad es una desvergonzada o algo peor. Para los obispos es, simplemente, ese algo peor. Para su compañero sacerdote llega a ser una impaciente y una egoísta que no comprende «las complicadas costumbres de la Iglesia». Ella debe ser comprensiva con todos, pero nadie es solidario con su situación de pareja, ni con su aspiración de formarla tal como hace cualquier persona.

La *novia* de un sacerdote debe callar, esperar y transigir con todo lo que sea preciso. No tiene derechos sino obligaciones; debe permanecer apartada de las actividades y logros públicos de su amado, pero está obligada a soportar sus frustraciones y fracasos en privado; no puede rebelarse contra la situación que la oprime porque dañaría el estatus clerical y social de su compañero; debe humillarse y arruinar su propia vida en medio de una larga espera llena de vacíos que, en cualquier caso, no tiene apenas esperanza de llegar a buen término; debe respeto a los prelados que la desprecian, y tiene que callar y bajar la cabeza ante quienes, desde sus sotanas, murmuran de ella, que no de él; es rehén de la necesidad corporal de un cura, rehén a su vez de una ley canónica, pero todos prefieren llamarle amor —aunque sólo sea en voz muy queda— a lo que no pasa de ser una esclavitud.

Son amores que no dejan *viudas*, ni recuerdos oficiales en el momento final. Suponen casos como el de Clara P., maestra mallorquina que, tras más de veinte años de mantener relaciones íntimas con el sacerdote teatino Antonio Oliver, fallecido en enero de 1994, está siendo acusada de «loca» por quienes pretenden borrar del registro histórico una de las facetas más humanas del padre Oliver.

El padre Toni Oliver, historiador notable y clérigo de ideas filosóficas muy seductoras para su nutrido grupo de seguidores, ha sido toda una institución en Baleares. Aunque vivía entre Madrid y París, cuando llegaba a la isla siempre era fácil de localizar; sus amigos íntimos, como es el caso de Teodoro Úbeda Gramaje, obispo de Mallorca, tenían en su agenda dos de sus teléfonos más habituales, el de la residencia de los teatinos y el de la casa de Clara.

Hoy quieren eliminar a Clara de la vida del padre Oliver y, si pudieran, harían desaparecer las innumerables fotos que, enmarcadas o en álbumes, siguen manteniendo vivo su recuerdo en la casa de Clara. Ella sabía que no era la única mujer en la vida del padre Oliver, y está segura de que es cierto el rumor que dice que el infarto del sacerdote tuvo lugar en casa de otra mujer, de una francesa con la que hacía tiempo que tenía relaciones, pero nadie puede quitarle el derecho a su duelo por el hombre que amó y que la amó. Quien no vivió como célibe, no debe ser recordado como tal. Pero Clara, y sus más de veinte años de relaciones con el padre Oliver, parecen molestar ya a todo el mundo.

Sin embargo, mujeres como la escritora Luise Rinser, a sus 83 años, se han permitido el lujo de hacer justicia a la historia publicando las cartas de amor que le escribía su amante de lujo: Karl Rahner, sacerdote jesuita considerado uno de los teólogos más importantes de este siglo.

En el libro titulado *Cartas de una amistad*, se transcriben las 1.800 cartas que Rahner le escribió a Luise hace unos treinta años, cuando él era profesor de Dogmática en Innsbruck. «Pececito, no comas demasiado; si no, engordas y dejas de gustarme», le decía el padre Rahner a su ya cincuentona amiga, y firmaba la carta de amor como «Tu cariñito».

En los círculos clericales se ha vivido la publicación de estas cartas como un gran escándalo, pero ¿no es un escándalo aún más terrible que un hombre y una mujer no puedan vivir su amor por culpa de una ley canónica absurda y sin fundamento?

La Iglesia Católica soporta perfectamente a las amantes de los sacerdotes, pero no tolera que éstas quieran voz, luz y taquígrafos. Ellas deben seguir sufriendo en silencio y callar, en bien de la Iglesia, naturalmente.

34

PEDRO MARÍA OJANGUREN, LOS AMORÍOS FURTIVOS DEL ARCHIVERO Y LA PELUQUERA

El sacerdote Pedro María Ojanguren Ellacuria y la peluquera Inmaculada Aramendi Besañez se conocieron el 18 de julio de 1970, cuando éste estaba cumpliendo una condena en el colegio de los jesuitas de Villagarcía del Campo, en Valladolid, y ella acompañó a su marido, viejo amigo del cura, a hacerle una visita. Inmaculada, católica practicante, así como su marido, se sintió atraída por la personalidad de ese cura, pero aún faltaban muchos años para que ese encuentro fructificara.

«El día de Año Nuevo de 1980 Pedro estuvo cenando en casa con mi familia —explica Inmaculada Aramendi[183]— y al mediodía siguiente nos encon-

183. En su informe de 58 folios, fechado el día 16-1-90, dirigido al obispo de Bilbao Luis María de Larrea y Legarreta. De este texto, hecho público por la propia Inmaculada Aramendi, extractaremos los párrafos testimoniales que ilustrarán este capítulo. Aunque, de todos modos, dado el contenido muy duro —y a menudo descalificador— del escrito, sólo hemos tenido en cuenta unos pocos aspectos que han podido ser contrastados por

tramos en la cafetería Valparaíso, nos sentamos, y empezó otra vez [a preguntarme] que a ver qué nos pasaba [a mi marido y a mí], si yo conocía a otro hombre... Yo no pude contener las lágrimas por más tiempo y me puse a llorar. Como la situación se ponía embarazosa, me dijo que era mejor que nos marchásemos a dar una vuelta en coche.

»Cuando estábamos ya en el coche, me dio la impresión de que lo que buscaba era que yo me declarase. Después de varios sondeos me preguntó si estaba enamorada. Yo le contesté que sí. [Me preguntó] Que quién era él, si le conocía. Le dije que no podía contestar a aquella pregunta. Entonces, me hizo una pregunta más: "Igual te parezco vanidoso, pero ¿soy yo del que estás enamorada?" Y yo le dije que sí. Las manos me sudaban y me temblaban, y a la vez estaba contenta, ¡qué liberación! Pedro se puso muy contento, me dijo que yo le parecía algo inalcanzable y que mi marido estaba loco si me perdía. Ya eran las dos del mediodía, y me acercó hasta mi coche. Al despedirnos me besó, habían pasado diez años desde el primer y único beso que me dio cuando nos conocimos.»

Una semana después, el padre Pedro María Ojanguren llamó a Inmaculada para que acudiese al Archivo Histórico Eclesiástico de Vizcaya, del que era director, pero, al verla, le preguntó con frialdad por la razón de su presencia allí y le pidió que esperase un momento.

«Le dijo a su prima [secretaria del Archivo] que nadie le molestase, que íbamos a la biblioteca del mismo edificio. Entramos, y lo primero que le pre-

---

este autor a través de amigos y conocidos de la protagonista que ya tenían noticia previa de los hechos.

gunté fue por qué había actuado así [fingiendo desconocer la causa de su presencia]. Me dijo que era la mejor forma, y que en aquel lugar no nos iba a molestar nadie; y así fue, estuvimos desde las diez de la mañana hasta la una y media de la tarde, hora en que se cierra el Archivo.

»Al cabo de pocos minutos de haber cerrado la puerta de la biblioteca me cogió las manos y empezó a besármelas, diciéndome que yo era como un milagro, guapa, con un buen cuerpo —mientras, me lo reconocía—, inteligente, y que lo mejor era mi alma. ¿Qué bien había hecho él en la vida para merecerse una mujer como yo?, decía. Nos besamos e hicimos el amor. Después, me sentía mal. Aquel escenario era terrible para mí: el Seminario de Derio, el lugar destinado a formar moralmente a los sacerdotes. Y me pregunto cuántos sacerdotes utilizarían aquel seminario para esconder sus miserias.»

Un año después, la relación entre el sacerdote y la peluquera alcanzaba grados de tensión máxima debido a la actitud de él y a los reproches que eso provocaba en ella: «¡Y tú eres sacerdote! —se le quejaba Inmaculada—. Eres una mala persona con hábito, que también ha engañado a un buen amigo [se refiere al esposo de Aramendi]. Qué vergüenza, un sacerdote, nunca lo hubiese creído. Me has quitado la fe, me has quitado la esperanza, y por tu culpa no creo en Dios.»

El primer día de 1981 el marido de Inmaculada abandonó definitivamente el hogar conyugal. La pareja, que llevaba ya algunos años haciendo aguas, se había roto definitivamente. Pero las relaciones entre el párroco de Arminza y la mujer tampoco terminaban de ir por buen camino. Después de la separación, explica Inmaculada, «Pedro se apartó totalmente de mí. No le convenía que le viesen con una mujer separada. Sólo le interesaban unas relaciones extraoficiales, pero yo no podía pasar por esa indecencia».

Meses después, el ex marido de Inmaculada tenía que ser hospitalizado a causa de una embolia cerebral, y la mujer se pasó mucho tiempo cuidando de él, hasta que por fin mejoró y fue dado de alta.

«Uno de los días que Pedro fue a visitar a mi marido y nos hicieron salir porque entraba el médico, Pedro quiso enrollarse conmigo, le volví a repetir que no, yo le quería más que para acostarme; él pretendía que nos viésemos una vez cada quince días porque su amor a la Iglesia era muy fuerte. Le dije que no tenía vergüenza, que era mentira, que yo no creía en su vocación, que era un falso y un mal sacerdote...»

Durante los cuatro años siguientes la peluquera se negó a plegarse a las peticiones del sacerdote para volver a iniciar sus relaciones. Pero una conversación del padre Ojanguren con la tía de Inmaculada, el día 25 de junio de 1985, cuando fue como cliente a la peluquería, aventó el interés y los rescoldos de un amor que nunca se había apagado.

«Al cabo de dos días me llamó, quería que nos viésemos en Derio, yo prefería una cafetería, pero él insistió en que íbamos a estar más tranquilos allí y que teníamos que hablar de muchas cosas. Yo no me podía olvidar de todo lo que me había hecho, se lo reproché, y le volví a poner mis condiciones si quería volver conmigo. Nuestra relación había que sacarla a la luz y, por supuesto, a aquella señora [otra mujer casada que estaba enamorada del sacerdote] tenía que dejar de engañarla. Me dijo que tenía muchos problemas en Arminza con la juventud; no conectaba. Nos entregamos [al acto sexual]. Al marchar le dije que no volveríamos a tener otra relación si no hacía lo que le había pedido.

»Poco después me llamó y le pregunté dónde nos veríamos, le dije que si salíamos iba a ser a la luz del día. Él me dijo que era mejor Derio, que podíamos charlar tranquilamente. Yo le dije que no, y quedamos en Mungía. Aquel día era definitivo. Tenía que acabar con aquel asunto. Se planteó otra vez el mismo tema. Yo entendía que antes de pedir la secularización teníamos que conocernos más, pero una pareja no puede conocerse viéndose dos o tres horas a escondidas cada quince días.»

A partir de ese momento los encuentros de la pareja comenzaron a cambiar, «por fin —señala Inmaculada— empezamos a tener una relación normal, si es que se puede llamar una relación normal a salir con un sacerdote». Aramendi, por coherencia, decidió romper inmediatamente con su compañero de entonces, con el hombre con quien había estado saliendo formalmente desde tiempo atrás.

Después de pasar unos días en Canarias con Ojanguren, en febrero de 1986, ambos decidieron ir en busca de un hijo —o de una hija, «Garoa» la llamaba el sacerdote—, «a mí, la idea de darle un hijo a Pedro me seducía. Tener un hijo suyo era la culminación de mi amor». Pero a las dificultades orgánicas de Inmaculada para procrear —que requerían una serie de intervenciones quirúrgicas—, se añadieron problemas laborales y un largo, progresivo e imparable deterioro de la relación entre ambos.

«En mi negocio [peluquería] también tenía problemas. Me imagino que el desprestigio que yo empezaba a tener por mantener relaciones sexuales con un sacerdote hacía que parte de mis empleados empezaran a hacerme *aguadillas*; llamaban a mis clientas diciéndoles que yo andaba con un sacerdote y, como consecuencia, mi salón [de belleza] se tambaleaba. Fueron varias clientas las que me avisaron de la poca profesionalidad de mis empleados y de su abuso.»

Desde ese momento —y en las últimas 30 páginas del relato que venimos citando, enviado por Inmaculada al obispo Larrea—, la descripción que hace Aramendi de sus relaciones con el sacerdote son durísimas. El deterioro inevitable no sólo parecía haberse instalado definitivamente en la dinámica de pareja, sino, también, en el propio núcleo de la personalidad de ambos. Desde noviembre de 1988, a petición de Inmaculada, los dos habían comenzado a asistir regularmente a la consulta de un psiquiatra, pero el 11 de agosto del año siguiente la relación se rompió de cuajo. Cuatro días después, Inmaculada veía a su ya ex novio paseando tranquilamente «y muy agarradito» con otra mujer. El drama estaba servido.

Al cabo de cinco meses Inmaculada Aramendi, mediante el informe que hemos venido citando, denunciaba ante el obispo de Bilbao, Luis María de Larrea, su relación con el sacerdote Pedro María Ojanguren. Pasados dos meses sin tener noticia alguna del prelado, Inmaculada convocó una rueda de prensa e hizo público el escándalo.

La peluquera relató a los periodistas asistentes a su convocatoria los pormenores de la intimidad sexual que había mantenido con el sacerdote, y le acusó públicamente de ser un sádico y un enfermo mental. Ojanguren, por el contrario, se defendió ante los mismos periodistas afirmando que quien estaba diagnosticada de «psicopatía paranoica» era ella, aunque reconoció también la realidad de sus «seis años de relaciones sentimentales con Inmaculada», en los cuales, según él, «tuvimos enfrentamientos, en los que hubo violencia verbal, situaciones incómodas y algún manotazo.»[184]

El sacerdote Ojanguren que, según la oficina de prensa del obispado bilbaíno «renunció voluntariamente a ejercer el ministerio presbiterial en octubre de 1987 y actualmente está en proceso de secularización», es decir, que solicitó su dispensa sacerdotal después de siete años de estar manteniendo relaciones sexuales con, al menos, Inmaculada Aramendi, siguió aún como director del Archivo Histórico Eclesiástico de Vizcaya durante varios meses, hasta que el obispado le aceptó su renuncia, ya que no fue destituido a pesar del escándalo público que se había organizado[185].

Un año después de la rueda de prensa protagonizada por Inmaculada Aramendi, Ojanguren presentó una demanda civil contra su ex novia, reclamándole el pago de cincuenta millones de pesetas en concepto de indemnización por los daños ocasionados a su honor al haber hecho pública su intimidad. El proceso judicial acabó en una sentencia que, al margen de dejar acreditada la realidad y naturaleza de las relaciones mantenidas entre el sacerdote y la

184. Cfr. L., E. (1990, marzo 3). Una mujer denuncia por agresiones al director del Archivo Eclesiástico vizcaíno. *El País*.

185. Cfr. Carta del Vicario General del Obispado de Bilbao, fechada el 27-7-90, en la que se comunica a Ojanguren, aún director de Derio, «la aceptación de tu disponibilidad expresada en carta tuya comunicada al Delegado Diocesano de Patrimonio Cultural» y termina diciendo que «en estos momentos no puedo menos que expresarte, en nombre del Obispo y de su Consejo Episcopal, el más vivo agradecimiento por tus 14 años de acertado y fecundo trabajo al frente de dicha institución».

peluquera, condenó a ésta a indemnizar con un millón de pesetas a Pedro María Ojanguren[186].

La personalidad de Inmaculada Aramendi se resintió mucho con el fin tan traumático que tuvo su relación amorosa con el sacerdote y, después de un año y medio de depresión, precisó ser hospitalizada. Soportó muchas presiones y amenazas por haber sacado a la luz pública sus amoríos con el cura; muchos vecinos y amigos le dieron la espalda, las clientas dejaron de ir a su peluquería del barrio de Begoña y acabó arruinándose y perdiendo su piso y su negocio. Actualmente intenta rehacerse trabajando en otra peluquería situada en otro barrio bilbaíno.

El sacerdote Pedro María Ojanguren, ya secularizado, vive actualmente con una mujer y sigue siendo muy amigo del ex marido de Inmaculada.

Se demuestra de nuevo que, en los casos de relaciones afectivo-sexuales con sacerdotes, lo habitual es que la mujer acabe siendo siempre la única víctima.

186. Cfr. Sentencia de 29 de mayo de 1991 del Juzgado de Primera Instancia número 4 de Bilbao, dictada sobre el procedimiento incidental 99/91. La condena fue ratificada posteriormente por la Sección Cuarta de la Audiencia Provincial de Bilbao, en su sentencia de 4 de marzo de 1992 sobre la apelación civil 233/91.

35

ANTONIO MUÑOZ, CINCO HIJOS Y NINGUNA VERGÜENZA

La historia de Josefa Romero Benítez es un modelo clásico del tipo de abusos sexuales que, durante siglos, una parte del clero ha infligido impunemente a mujeres de los sectores sociales más humildes.

Josefa Romero, conocida popularmente como Pepita la del cura en la barriada malagueña de Huelín donde vive actualmente, nació en Campanillas (Málaga), en el seno de una familia con diez hijos que malvivía sumida en la miseria y el analfabetismo.

Tenía 19 años cuando su madre la mandó a hablar con el párroco de Campanillas para solucionar un tema familiar. Hacía escasos meses que habían echado al anterior cura, al descubrirse que la mujer que pasaba por ser su sobrina no era tal, sino su amante. En esos días de 1956, el nuevo sacerdote, Antonio Muñoz Rivero, tenía 30 años y ningún pudor, tal como se verá.

«Le vi en la parada de un autobús —relató Josefa Romero en una entrevista[187]—, con unas amigas, y

187. Realizada por el periodista Javier Ángel Preciado en

resultó muy simpático. Rápidamente me preguntó que quién era, que no me había visto nunca y que era "lo más guapo de Campanillas". Como no teníamos más tiempo y el tema era delicado, me citó el domingo siguiente para hablar después de misa. Allí me presenté, y creo que fue la primera vez que estuve en misa, porque me parecía feo no hacerlo. Nada más llegar al despacho, me dijo que me sentara, se levantó y cerró la puerta por dentro, y sin mediar palabra se lanzó sobre mí para abrazarme y besarme, y yo, sorprendida, me lié a puñetazos y le rompí el reloj.

»Él, sin dar mayor importancia al asunto, llamó a su hermana y me presentó: "Mira, se llama Pepita, como tú —le dijo—, y te tienes que hacer gran amiga de esta chica, guapa y simpática, que tiene casi tu misma edad." Yo estaba tan cortada que apenas podía hablar. El caso es que me fui de allí y me dijo que ya arreglaría lo de mi hermano. A partir de ese momento comenzó el acecho y a repetirme constantemente que yo tenía que ser para él y que no dejaría que ningún chico se acercara a mí. Si me salía algún pretendiente en el pueblo, le decía que yo tenía novio en la capital. Cuando me fui a Málaga, me buscó y le dijo a un chico que me pretendía que yo tenía novio en el pueblo. Así espantaba a todo el mundo que se arrimaba a mí.

»Estaba harta y me cambié de casa en varias ocasiones, pero él descubría las nuevas direcciones. Entonces empezó a prometerme que se saldría de cura y mi amiga Estrella me convenció para que me tomara un café con él y viera sus auténticas intencio-

---

abril de 1987. El testimonio que ilustra este capítulo procede de la transcripción de la entrevista grabada a Josefa Romero.

nes. Él era —todo hay que reconocerlo— muy simpático y con una labia impresionante. Yo, al fin y al cabo, era una cateta que no sabía nada de la vida. Él me repetía que me quería mucho, que estaba enamorado de mí y que tenía que ser para él.

»Nadie de mi familia sabía nada, y mi madre, a la que con engaños y mentiras le sacaba siempre la dirección donde yo vivía, me decía: "¡Este cura está loco, quiere conocer a todo el mundo, a todas las chicas jóvenes, sea como sea! ¡Quiere conocerlas a todas, darles consejos, auxilio espiritual...! Es muy trabajador el hombre."

»Salí con él por fin, y a partir de ese momento empezó a llevarme a cenar y a una zona de la capital que se llama Puerta Oscura, que era el lugar donde antes iban todas las parejas cuando anochecía. Yo no quería ir porque me daba vergüenza que fuera vestido de cura, así que empezó a cambiarse de ropa en un descampado; se quitaba la sotana y se ponía una chaqueta y una boina. Como tenía que llevar la coronilla afeitada, se dejaba el pelo más largo y a veces se la tapaba yo con una horquilla e incluso con pegamento.

»A los cuatro o cinco meses de conocerle me consiguió. Una noche estuvimos cenando y me echó tanta bebida que me emborraché. Cuando me di cuenta, estaba en la cama de un hotel, donde él lo había preparado todo con el encargado. No me di cuenta de la entrada en el hotel, pero de lo demás sí. Recuerdo que después de desvirgarme tenía unos dolores que no podía ni andar. Por la mañana él me dijo que se tenía que ir y me dejó, destrozada, en la habitación.

»Yo trabajaba por aquel tiempo limpiando en las casas, y nos veíamos en un hotel, donde él se encargaba de reservar dos habitaciones y entrábamos por separado. Después me alquiló una habitación y poco tiempo más tarde me fui a vivir con una amiga mía. Tanto ella como su familia se dieron cuenta de que Antonio no llevaba buenas intenciones y de que jamás dejaría los hábitos para casarse conmigo. No me ayudaba en nada y yo pasaba hambre y miseria.

»Decidí marcharme a Barcelona y acabar con todo de una vez. Allí tenía un trabajo en casa de unos señores de Málaga y no me lo pensé dos veces. Lo peor es que estando allí me di cuenta de que estaba embarazada. Habían pasado dos años desde que empecé a estar con Antonio, y no sé cómo estuve todo este tiempo sin quedarme encinta. Para las mujeres no había anticonceptivos y él no quería utilizar preservativos. "Así no me gusta, así no siento nada", decía.

»Me di cuenta de que aunque quisiera acabar con el problema, yo no podía vivir sin él. Estando en Barcelona conocí a un chico que estaba dispuesto a casarse conmigo y a darle apellidos al niño, sabiendo incluso que el padre natural era un cura. Pero yo ni me lo planteé. ¡Qué tonta fui! Al poco tiempo apareció Antonio, que vino a buscarme. De nuevo en Málaga, me alquiló un humilde piso, que amuebló con cuatro muebles viejos y les dijo a las vecinas que era mi hermano, pero cuando empecé a engordar todo el mundo se enteró y nos tuvimos que ir a vivir al hueco de una escalera que nos alquilaron por siete pesetas al mes. Una habitación costaba doce pesetas, pero él no quería alquilarla.

»Por esas fechas —finales de 1958— le echaron del pueblo después de denunciarle en el obispado por haberle pegado a un chaval y por coquetear con todas las chicas que podía. Le mandaron a Antequera como capellán y allí quiso que me quedara a vivir con él y con su hermana, pero a mí me daba vergüenza vivir bajo el mismo techo que ella y me volví a Málaga, justo el día que di a luz.

»Nada más nacer mi hija, él comenzó a sentir —así me lo dijo— unos celos increíbles. La niña me ocupaba todo el tiempo y ya no podía dedicárselo a él, a estar en la cama, porque a eso siempre estaba dispuesto. A mí me tenía destrozada. Por otra parte, no quería a la niña y me dijo varias veces que él buscaría a una familia para que la adoptara y que, encima, me darían dinero. Yo le eché de la casa, a pesar de no tener ningún recurso, pero después aceptó a la niña y volvió. A los cuatro meses de nacer mi hija me dejó nuevamente embarazada, pero la dueña de la casa se dio cuenta y me dijo que fuera buscando otro lugar porque sabían que el padre de mis hijos era un cura. Volví a Málaga, y allí Antonio compró un pequeño solar y me hizo dos habitaciones y tres hijos más.

»Estando embarazada de mi quinto hijo, le comuniqué que el obispo Emilio Benavent lo sabía todo porque los vecinos le veían subir por la cuesta vestido de cura, y desde ese día dejó de venir a casa y me dio algo de dinero —treinta mil duros— para que vendiera la casa y comprara otra a fin de que el obispado no supiera la dirección. A partir de este momento fue cuando me abandonó por primera vez. Apareció al cabo del tiempo —estaba vigilado, decía— con un amigo suyo. Conoció al pequeño cuando tenía cuatro meses. Con este amigo intentó hacerme las primeras faenas, porque, según me confesó él, lo mandaba para que se liara conmigo y así poder demostrar que yo era una prostituta o algo así.

»Al haber desaparecido Antonio tuve que recurrir al obispado en busca de ayuda. Me recibió el obispo auxiliar Benavent [Emilio Benavent Escuin], que me dijo que ya lo sabían todo y que aunque yo había rechazado la ayuda inicial [que le había ofrecido el prelado] negándolo todo, me iban a pagar tres mil pesetas al mes para mantener a mis hijos. Esa misma tarde se presentó en mi casa sor Agustina, con las tres mil pesetas, y estuvo viniendo todos los meses durante siete años. Cuando empezó a conocerme me decía: "Tú no eres como dice el padre Muñoz. Él, para salvarse, dice que tú eres una fulana, pero el fulano es él, olvídalo que ya te has ganado el cielo con los sufrimientos que te ha dado."

»Me dijeron que Antonio estaba en Antequera y allí me presenté con los cinco niños. Al verme me dijo que aquellos no eran sus hijos y que me iba a denunciar. La que le denunció fui yo, y de la comisaría volvieron a pasar la denuncia al obispado, donde estaba ya Ángel Suquía de obispo, y que ignoró el tema repetidamente.

»Al cabo de los meses volvió a casa, con las promesas de siempre: que le perdonara, que iba a hacer unas oposiciones a maestro y que esperase un poco, porque de sacerdote era más fácil que le aprobaran. Me decía que si salía de cura el obispado no le ayudaría, que a la Iglesia no le interesaba perder un cura porque estaban escasos, y mil historias más. El caso es que me convenció y yo le dije que no volviera a casa hasta que trajera los papeles para casarnos debajo del brazo. A los pocos días empezó a presentarse cada noche y así estuvo durante cinco años; engañándome con que le habían suspendido las oposiciones y que siguiera esperando.

»En algunas ocasiones estaba en casa cuando venía sor Agustina a traerme el dinero, y tenía que meterse debajo de la cama para que no le viera, porque si en el obispado sabían que había vuelto me quitaban el dinero, que por entonces me lo subieron a cuatro mil pesetas.

»Pero un día se marchó a Venezuela sin decir ni pío. De la cama de nuestra casa se fue al aeropuerto, el tío cínico. A los tres días de no aparecer fui a buscar a un amigo suyo y me dijo que se había marchado a Venezuela de misionero. Nos quedamos otra vez los seis con lo puesto, porque dejaron de darme dinero en el obispado. Intenté hablar con el obispo Ángel Suquía y no me recibió. Cogí a mis cinco hijos e hice una pancarta en la que decía que el padre de los cinco era un cura y que el obispo Suquía lo había enviado a Venezuela.

»Después de esto me recibió y me dijo que el cura Muñoz afirmaba que esos hijos no eran suyos y que había pedido voluntariamente irse a Venezuela. No obstante me ayudó y comenzaron nuevamente a pasarme una pensión de ocho mil pesetas. Al cabo de un año [1973] vino Buxarrais como nuevo obispo y tiempo después pidió entrevistarse conmigo. Me citó el día que murió Franco y me dio absoluta seguridad de que el padre de mis hijos no volvería a España, o al menos no lo haría con hábitos.

»Esta afirmación me la ratificaron cuando expuse a un sacerdote mediador la conveniencia o no de contraer matrimonio. Conocí a José Sánchez Sánchez en octubre de 1976 y me casé con él en diciembre. Yo le dije que tenía cinco hijos de un cura y él me contestó que no le importaba, que incluso les daría sus apellidos. El cura Amalio Horrillo se encargó de acelerar los trámites de la boda y nos prometió a mi marido y a mí que Antonio Muñoz no volvería a España, pero no era cierto.

»Me enteré de que Antonio había vuelto a Málaga. El obispo Buxarrais, que me pidió perdón para el padre de mis hijos, y el cura Amalio le encubrieron. Le he llamado por teléfono al igual que sus hijos. Él los ignora y a mí me ha amenazado de muerte. A mi hijo Juan Manuel, que intentó verle hace pocos meses, le echó el coche encima para atropellarle, pero él lo esquivó. Hemos puesto denuncias [por no reconocer el sacerdote la paternidad de sus hijos], pero todo está archivado. Aquí no se mueve nada ni nadie y él ha seguido dando misas en la parroquia malagueña del Puerto de la Torre.»

A consecuencia del revuelo armado en esos días (1987) por las denuncias públicas hechas por Josefa Romero y sus hijos, el obispo Buxarrais aconsejó al sacerdote Antonio Muñoz Rivero que regresase a Venezuela. Su familia numerosa volvía a quedar burlada así por el tupido encubrimiento del clero.

La Iglesia Católica, es evidente, no tiene el menor conflicto moral en seguir manteniendo como sacerdote a un sujeto como Antonio Muñoz, del cual conoce perfectamente toda su vergonzosa y escandalosa vida. Y los episodios inmorales protagonizados por el padre Muñoz, en todo caso, no parecen quedar limitados a los cinco hijos e infinitas canalladas que le ha hecho a Pepita la del cura.

«Mi padre —afirma Pepi, la cuarta hija del sacerdote Antonio Muñoz, de 25 años, en la misma entrevista— me obligaba a mí y a mis hermanas a entrar en el cuarto y se masturbaba delante nuestro. Primero abría las ventanas para que le vieran las vecinas y cuando acababa me preguntaba si me había gustado. ¡No era un enfermo, era un guarro, un degenerado sexual! Era un exhibicionista. Un día si no llega mi tía, pues a mi madre la habían operado de una pierna y estaba en el hospital, yo creo que me habría violado.»

«A mí me daba cinco duros —confiesa Mercedes, un año mayor que su hermana Pepi— para que le mirara. A mi hermana mayor, Ani, como ya tenía pecho, nos decía que la lleváramos a la fuerza a la habitación y allí la toqueteaba, el muy cerdo. Ella no se dejaba, pero él lo hacía a la fuerza.»

«Yo creo que era un obseso —añade Juan Manuel, el menor de los hijos del cura, que en el momento de hacerle esta entrevista tenía 23 años—. En casa sólo tocaba a las niñas, pero hace tiempo que nos enteramos de que le echaron de un pueblo de Jaén porque le pillaron metiendo mano a dos niños pequeños.»

La madre, Josefa Romero, que no había escuchado estas historias de sus hijos hasta que, hace poco tiempo, se atrevieron por fin a contárselas, acabó de perfilar la personalidad del sacerdote Antonio Muñoz con el comentario siguiente:

«Se puso tan guarro que un día me pidió que hiciéramos el amor delante de los niños, que no era malo y que los extranjeros lo hacían. Que con cuatro en la cama se estaba mejor. Me comentaba también que se excitaba cuando iban las beatas a confesarse y que algunas veces se masturbaba en el confesionario pensando en mí. Siempre me decía: "Desprecio los trapos que llevo (sotana). ¡Los cogí porque me daban respeto y era el amo del pueblo, pero ahora los odio!"»

En este caso confluyen buena parte de los comportamientos afectivo-sexuales desvergonzados, depravados y enfermizos que hemos descrito a lo largo de todo este libro. Y si bien es cierto que el comportamiento del sacerdote Antonio Muñoz Rivero es un tanto extremo en relación a la media de los hábitos sexuales de sus compañeros clérigos, no puede dejar de afirmarse, en cambio, que el modo de actuar de los obispos Emilio Benavent Escuin, Ángel Suquía Goicoechea y Ramón Buxarrais Ventura es el habitual de los prelados católicos ante este tipo de hechos.

Del comportamiento que tuvo cada prelado con respecto a esta historia —y que queda perfectamente explícito en el texto— puede inferirse cuál es el tipo de persona y actitud que más premia la Iglesia Católica actual. Benavent se retiró en 1982, con 68 años, como arzobispo castrense. Suquía llegó a cardenal en 1985 —a los 69 años—, ha sido presidente de la Conferencia Episcopal Española, y actualmente es arzobispo de Madrid-Alcalá y principal paladín en la causa de la moral católica más ultraconservadora. El último prelado, Buxarrais, uno de los escasísimos obispos actuales que intenta mantenerse dentro de los dictados del Evangelio, tuvo, finalmente, la decencia y la dignidad de dimitir, en 1991, de su cargo como obispo de Málaga.

Cuando una institución religiosa como la Iglesia Católica defiende, protege y mantiene en el «sagrado ministerio del sacerdocio» a hombres como Antonio Muñoz —y al resto de la muestra que hemos identificado en este trabajo—, hay que suponer que, para su jerarquía, valores como la ética y la justicia son conceptos absolutamente vacíos y ajenos a sus intereses.

Dado que, según la propia legislación canónica católica, el comportamiento sexual de la inmensa mayoría de sus sacerdotes les hace ser reos de sacrilegio (canon 132), ¿qué clase de Iglesia puede ser una institución que fuerza, protege y mantiene el carácter y el estado de sacrílego entre su personal sacro?

Cuando se falta a la verdad de la forma tan flagrante como lo hace la Iglesia Católica respecto a la vida sexual de su clero, y se encubren tantas miserias, abusos, corrupciones y delitos, con total desprecio de las víctimas, quizá convenga preguntarse qué autoridad moral le resta aún a esta Iglesia.

BIBLIOGRAFÍA

Aguirre, R. (1987). *Del movimiento de Jesús a la iglesia cristiana*. Bilbao: Desclée de Brouwer.

Alonso-Fernández, F. (1993). *Estigmas, levitaciones y éxtasis*. Madrid: Temas de Hoy.

Anderson, G.C. (1970). *Your Religion: Neurotic or Healthy?* Nueva York: Doubleday & Co.

Ayel, V. (1976). *Compromiso y fidelidad para los tiempos de incertidumbre*. Madrid: Instituto Teológico de la Vida Religiosa.

Boff, L. (1979). *Eclesiogénesis. Las comunidades de base reinventan la iglesia*. Santander: Sal Terrae.

Bours, J. y Kamphaus, F. (1986). *Pasión por Dios. Celibato-Pobreza-Obediencia*. Santander: Sal Terrae.

Caracciolo di Torchiarolo, S. (1912). *Il celibato ecclesiastico. Studio stòrico-teologico*. Roma: Desclée e C.i Editore Pontifici.

Carmona, J.A. (1994). *Los sacramentos: símbolos del encuentro*. Barcelona: Ángelus.

Carpio Arévalo, C.C. del (1990). *Sacerdote, Jesuita: Te hago inmortal*. Caracas (Venezuela): Cotragraf.

Curb, R. y Manahan, N. (1985). *Monjas lesbianas. Se rompe el silencio*. Barcelona: Seix & Barral.

Dacio, J. (1963). *Diccionario de los papas*. Barcelona: Destino.

Deschner, K. (1993). *Historia criminal del cristianismo*. Barcelona: Martínez Roca (5 vols. publicados hasta hoy).

Forcano, B. (1981). *Nueva ética sexual*. Madrid: Ediciones Paulinas.

Galera, A. (1993). *Curas casados. ¿Desertores o pioneros?* Madrid: Nueva Utopía.

Garrido, J. (1987). *Grandeza y miseria del celibato cristiano*. Santander: Sal Terrae.

Godin, A. (1981). *Psychologie des expériences religieuses*. París: Editions du Centurion.

González Faus, J.I. (1989). *Hombres de la comunidad*. Santander: Sal Terrae.

Jacobelli, M.C. (1991). *Risus Paschalis*. Barcelona: Planeta.

Jiménez Cadena, A. (1993). *Aportes de la psicología a la vida religiosa*. Santafé de Bogotá (Colombia): San Pablo.

Joaristi, J.M. (1990). *Sexualidad y cristianismo*. San Pedro del Pinatar (Murcia): Autor.

Johnson, P.E. (1959). *Psychology of Religion*. Nueva York: Abingdon Press.

Kosnik, A. *et al.* (1978). *La sexualidad humana. Nuevas perspectivas del pensamiento católico*. Madrid: Ediciones Cristiandad.

Lois, J. (1988). Libertad y autoridad en la Iglesia. *Diálogo* (13), pp. 14-15.

Lois, J. (1991). *Los movimientos cristianos de base en España*. Madrid: HOAC.

López, F. (1994). *Abusos sexuales a menores. (Lo que recuerdan de mayores)*. Madrid: Ministerio de Asuntos Sociales.

Masters, H.W., Johnson, V.E. & Kolodny, R.C.

(1987). *La sexualidad humana. Perspectivas clínicas y sociales* (Vol. III). Barcelona: Grijalbo.

Matthews, R.J. (1980). *The Human Adventure: A Study Course for Christians on Sexuality*. Lima (Ohio): Publishing Co.

Mirabet Mullol, A. (1984). *Homosexualitat avui*. Barcelona: Edhasa/Institut Lambda.

Morey, B. (1993). *Es darrer canonge*. Palma de Mallorca: Totem.

Mynarek, H. (1979). *Eros y clero*. Barcelona: Caralt.

Nugent, R. Ed. (1983). *A Challenge to Love: Gay and Lesbian Catholics in the Church*. Nueva York: Crossroad Publishing Company.

Oficina de estadística y sociología de la Iglesia (1992). *Estadísticas de la Iglesia Católica (1992)*. Madrid: Edice.

Oficina de estadística y sociología de la Iglesia (1992). *Guía de la Iglesia Católica en España (1993)*. Madrid: Edice.

Parrinder, G. (1980). *Sex in the World's Religions*. Nueva York: Oxford University Press.

Podesta, J. y Luro, C. (1992). *El Vaticano dice no. Sacerdocio y Matrimonio*. Buenos Aires (Argentina): Letra Buena.

Rahner, K (1969). ¿Democracia en la Iglesia? *Selecciones de Teología* (30), pp. 193-201.

Reich, W. (1974). *La función del orgasmo*. Barcelona: Paidós.

Reik, Th. (1949). *El masoquismo en el hombre moderno*. Buenos Aires: Nova.

Rodríguez, P. (1989). *El poder de las sectas*. Barcelona: Ediciones B.

Rodríguez, P. (1993). *El drama del menor en España (cómo y por qué los adultos maltratamos a niños y jóvenes)*. Barcelona: Ediciones B.

Rodríguez, P. (1994). *Tu hijo y las sectas (Guía de prevención y tratamiento para padres, educadores y afectados)*. Madrid: Ediciones Temas de Hoy.

Rojas, E. y otros (1991). *Enciclopedia de la sexualidad y de la pareja*. Madrid: Espasa Calpe.

Roldán, A. (1967). *Las crisis de la vida en religión*. Madrid: Razón y Fe.

Rondet, M. y Raguin, Y. (1980). *El celibato evangélico en un mundo mixto*. Santander: Sal Terrae.

Schillebeeckx, E. (1987). *Plaidoyer pour le peuple de Dieu*. París: Editions du Cerf.

Singer Kaplan, H. (1978). *La nueva terapia sexual*. Barcelona: Alianza Editorial, Vol. I y II.

Torres Queiruga, A. (1992). *El cristianismo en el mundo de hoy*. Santander: Sal Terrae.

Vallejo-Nágera, J.A. y otros (1988). *Guía práctica de Psicología*. Madrid: Temas de Hoy.

Varios autores (1975). *El ministerio y los ministerios según el Nuevo Testamento*. Madrid: Ediciones Cristiandad.

Velasco, R. (1983). *Iglesia carismática y lo institucional en la iglesia*. Madrid: Fundación Santa María.

Wilson, G. & Cox, D. (1983). *The Child-Lovers. A Study of Paedophiles in Society*. Londres: Peter Owen Publishers.

ÍNDICE

PRÓLOGO MULTIDISCIPLINAR

LA VIDA SEXUAL DEL CLERO

PARTE I
CELIBATO Y CASTIDAD, DOS PERLAS POCO ABUNDANTES ENTRE EL CLERO

PARTE II
SACERDOTES QUE ABUSAN SEXUALMENTE DE MENORES

PARTE III
LA HOMOSEXUALIDAD ENTRE LOS SACERDOTES

PARTE IV
EL SADOMASOQUISMO SEXUAL ENTRE EL CLERO

PARTE V
EL SEXO ENTRE SACERDOTES Y MUJERES CASADAS

PARTE VI
EL SEXO ENTRE SACERDOTES Y CHICAS JÓVENES

PARTE VII
EL PODER CLERICAL COMO VÍA PARA COMETER ABUSOS SEXUALES

PARTE VIII
LA MASTURBACIÓN Y LA PROSTITUCIÓN ENTRE EL CLERO

PARTE IX
AMORES OCULTOS, AFECTOS DE CONTRABANDO